सुदिन

शशांक

वाणी प्रकाशन

वाणी प्रकाशन
4695, 21-ए, दरियागंज, नयी दिल्ली 110 002
फ़ोन : +91 11 23273167 फ़ैक्स : +91 11 23275710

शाखाएँ
अशोक राजपथ, पटना 800 004, बिहार
कॉफ़ी हाउस कैम्पस, महात्मा गांधी मार्ग, इलाहाबाद 211 001, उत्तर प्रदेश
महात्मा गांधी अन्तरराष्ट्रीय हिन्दी विश्वविद्यालय, वर्धा 442 001, महाराष्ट्र

www.vaniprakashan.in
marketing@vaniprakashan.in
sales@vaniprakashan.in

SUDIN
by Shashank

ISBN : 978-93-87889-41-5
Collection of Stories

प्रथम संस्करण

मूल्य : ₹ 595

सिटी प्रेस, दिल्ली-110 095 में मुद्रित

वाणी प्रकाशन का लोगो मक़बूल फ़िदा हुसेन की कूची से

श्री सन्तोष चौबे

एवं

विनीता जी के लिए

हम चू सब्ज़ा बारहा रोईदा ईम

(हम हरियाली की तरह बार-बार उगे हैं)

–रूमी

अनुक्रम

घंटी

खेल का मैदान नहीं था। लगातार बनती जा रही इमारतों के बीच उसे छोड़ दिया गया था। मगर वहाँ सूनसनाका गायब था। मैदानी पौधों को नोचते हुए लड़के आ जाते थे। रोज़ किसी नये खेल के साज़ो-सामान लिए-लिए।

वह खुला मालगोदाम था। ईंट, लकड़ी और मिट्टी के ढेर मैदान में पड़े थे। कल्पनाशील तरीकों से ये बड़े-बड़े कमरों में बदल जाते। इन कमरों के बीच-बीच से खेल का मैदान भी आता जाता। लड़कों को इससे कोई दिक्कत नहीं होती। वे इस पेचीदा योजना के जानकार थे, बल्कि वे इसे सुविधा मानते। थकान या हार के दौरान वे कमरों में चले जाते। वे जानते हैं, लम्बी तकरीरों और धारावाही किस्सों के लिए कमरे बहुत ज़रूरी हैं। कमरे सूरज डूबने तक बने रहते।

अभी धूप थी या दिन था। उड़े पीले रंग वाली धूप। खेल का मैदान उजाले की अन्तिम किस्त में छोटा और कठिन दिखाई दे रहा था। घास की चादर मोटी दिखती थी। चमकदार और बेहद हरी। मैदान भरा-भरा था। लड़के हॉकी खेल रहे थे और दूर लड़की साइकिल सीख रही थी। अलग-थलग।

खेल में बन्धन नहीं था। वे खेल के बीच में जानबूझकर गिर जाते और घास का मज़ा लेते। कच्ची सुगन्ध और चुनमुनाहट। हॉकी से ज़मीन पीटते। घास की नोकें हवा में उड़तीं। हॉकियों के सिरे गीले हरे हो जाते। एक झटके से उठ खड़े होते और गेंद के पीछे तेज़ी से भागते। एक भाग थी। तेज़ आवाज़ें थीं, गुत्थमगुत्था थीं। कुछ जो स्कूली वर्दी में ही आ गये थे, उनके लिए परेशानी थी। बाद में उन्होंने कमीज़ें उतार लीं और खुशी में चिल्लाने लगे।

गेंद आड़ी-टेढ़ी जाने के बजाय सीधी-सीधी भाग रही थी। चोटें कम हो गयी थीं। लड़के गेंद से निराश होकर हॉकी का लचीलापन देख रहे थे। गोली गेंद के इंतज़ार में ऊब गया था और वह ज़मीन पर लेट गया। लेटे-लेटे लड़कों को देख

रहा था। लड़के अपनी ताक़त दुलत्तियों से दिखा रहे थे। गेंद वहीं आसपास डोल रही थी। धीरे-धीरे शोर एक-दो के पास रह गया और गेंद तीन-चार हॉकियों के बीच। बाकी हॉकियाँ छिलके की तरह मैदान में फेंक दी गयीं। अपनी खेल-खूबियों का बखान करते हुए वे शरीर झटकने लगे। कमज़ोरी गिराते रहे। मुँह से फूँक निकालते हुए सुस्ताने लगे। वे कमरे में जाने के लिए तैयार हो रहे थे।

कमरे में घुसने के पहले उन्होंने लड़की को साइकिल सीखते हुए देखा। उसने किसी बेकाबू जानवर की तरह साइकिल को पकड़ रखा था। वह सीखने में मगन थी। केवल साइकिल थी। लड़के उसका तरीका देखते रहे। फिर एक ने कहा, ''साइकिल सीखना बहुत कठिन काम नहीं है।''

''हाँ, मैं तो स्कूटर सीखूँगा।'' दूसरे ने लापरवाही से कहा।

पहला पराजित नहीं होना चाहता था, इसलिए बोला, ''यदि एक बार साइकिल आ जाये तो सब आसान है।''

''असल चीज़ तो है, हवाई जहाज़ चलाना।'' दूसरे ने कहा।

''लो, हवाई जहाज़ से कोई स्कूल या बाज़ार-हाट जाएगा?''

''बताओ भला?'' कुछ लड़के भी बोले। फिर वे लड़की को ताकने लगे।

वह मैदान से सटी हुई सड़क पर आ गयी थी। दोनों पैर पैडलों पर रखकर खड़ी हो गयी। ओंठ कसकर चिपक गये। आँखें स्थिर सामने को। उसने थोड़ा-सा ज़ोर पैडल पर डाला। डगमग-डगमग होते साइकिल सरकने लगी। वह लड़कों के पास से गुज़री तो वे हँसे। साइकिल ने रफ्तार पकड़ी। हैंडिल काँप रहा था। पूरी साइकिल चालसहित थरथरा रही थी। लड़की भी। मगर वह लपकते-झपकते काफी दूर चली गयी।

कुछ देर बाद वह फिर दिखी। वापस आते। हाँफते हुए पैदल चली आ रही थी। साइकिल को बगल में लिए। उसने लड़कों की तरफ देखा। वे मज़े से बैठे-बैठे उसे देख रहे थे। वह सिर झुकाए-झुकाए चलने लगी। फिर पुरानी जगह पर आकर लड़की ने साइकिल खड़ी कर दी। फ्रॉक की आस्तीन से पसीना पोंछा, फिर दोनों हाथ सीट पर रख, खड़े-खड़े सुस्ताने लगी। थोड़ी देर बाद चौंकी। अबकी बार वह सीट पर बैठना चाहती थी। आगे से पैर उठाकर सीट पर जा बैठना मुश्किल था। मर्दाना साइकिल थी। कुछ आगे साइकिल बढ़ाकर लड़की पीछे से पैर फेंक सीट पर बैठ गयी। फ्रॉक ऊपर उठ आयी थी। जाँघिया दिखाई देने लगा। उसने सँभाला।

''वो देखो! वोऽऽऽ !'' एक लड़के ने इशारा किया। वह हँसते-हँसते शरमा गया।

लड़कों ने पूछा, ''कहाँ, कहाँ?''

''अब कहाँ? ठेंगा!'' वह गिट्टी फेंकने लगा।

लड़के समझ गये। वे ठिलठिलाने लगे।

वे इस बारे में विस्तार से और चर्चा करते, तभी लड़की अधर में लटकी-लटकी एक विशाल हड़बड़ में उनके सामने से निकलने लगी। उसकी कमर एकदम सतर्क सीधी हो गयी थी।

"देखो इस लड़की को, क्या साइकिल सीख रही है।" लड़के ने कहा।

"अरे! चलता है।"

"क्या फायदा, बाद में तो चलाना-वलाना है नहीं।"

"क्यों नहीं चलाना?"

"बाद में सब घर बैठती हैं।"

"पूछो तो साली से, क्या करेगी सीख-साख के?"

"आँ-आँ, कुश्ती लड़ेगी।"

"लोऽऽ, हारना है क्या?"

"अरे इस सुक्टे से कुश्ती लड़ेगी?"

"तो भी हार जाएगी।"

"मुझसे आ जा सुक्टे! उस बेचारी पर क्यों दबका मारना चाहता है।"

लड़की जानती थी कि वे सब उसको लेकर बात कर रहे हैं। क्या बात कर रहे हैं ये? साइकिल पुरानी है तो क्या हुआ, चलती कितनी अच्छी है। सीख लूँगी तो लेडीज़ साइकिल खरीदूँगी। लाल वाली। चमाचम। हाय! सीखना कितना कठिन है। सब कमाल है बैलेंस का। चौक में चलाने में खूब मज़ा आएगा।

लड़की आनन्दपूर्वक पैडल पर पैडल मारने लगी। वह व्यायाम के अनुभवों को दोहरा रही थी। उसे लगा कि जैसे वह नाव पर चल रही है। उसकी खुशी बहुत बढ़ गयी और डर छोटा होने लगा। बल्कि उसे डर में भी थोड़ा-थोड़ा मज़ा आने लगा। सुखद डर। जिसके बाद फर्र-फर्र साइकिल चलेगी। उसने मुठियों को हथेलियों से जकड़ लिया। तेज़ और सफाईदार चाल पाने के लिए कुछ सीट से ऊपर उठी और पैरों में बल भरा। धचके के साथ साइकिल आगे बढ़ी और एक ओर झुक गयी। एकबारगी वह धक् से रह गयी और इसी रौ में सन्तुलन छूट गया। साइकिल निर्जीव आदमी की तरह छटपटाकर गिरी। उससे पहले लड़की। चिरौटे की बौनी झाड़ी में गिरते हुए लड़की ने कहकहे सुने और साइकिल की चीख। उसे लगा कि समुद्र में गिर रही हो। पर झाड़ी थी। तीखी कसैली गन्ध से वह सराबोर हो गयी। लड़कों ने उसे सहारा नहीं दिया। उसका उठना देखते रहे। वह धीरे-धीरे उठी।

"बहुत ज़ोर से लग गयी है?" एक लड़के ने कोमलता से पूछा।

उसने सिर हिलाया। बोली नहीं। वह कहकहे सुन चुकी थी। लड़का जान नहीं सका कि सिर हिलाने का मतलब हाँ से है या नहीं से। उसने समझाते हुए कहा कि साइकिल सँभालकर चलाना चाहिए। लड़की लँगड़ाते हुए साइकिल के पास आ गयी।

लड़के भी वापस कमरे में लौटने लगे थे। एक लड़के ने उससे कहा, "साइकिल सीखने में आखिर फायदा क्या है, बाद में तो तुम्हें चलाना नहीं है।"

दूसरे लड़के ने कहा, "हाँ यार, लड़कियों को चोट-वोट भी बहुत जल्दी लगती है। मत सीखा करो, हाँ।"

किसी लड़के ने कहा, "हम लोग तो इस उमर में नेपाल तक जाएँगे।" लड़की ने जवाब नहीं दिया। मालूम था कि वह बोल नहीं पाएगी, रो देगी और उसे रोना नहीं है। बिलकुल नहीं। गले में आ गयी बाढ़ को झेला। मैं तो कुछ भी नहीं सीख सकूँगी। कुछ भी नहीं आएगा। यह हरामजादी साइकिल तक नहीं। मुझसे इतना काम भी नहीं बनेगा।

दुनिया बहुत ज़्यादा सिकुड़ गयी थी। और मनहूस। जिसमें सिर्फ अपमान के परिन्दे उड़ रहे थे। उसे लगने लगा कि भविष्य बहुत ही दुखदायी और उत्साहहीन है। बेरंग। जहाँ कुछ नहीं है। जब साइकिल चलाना ही न आए तो क्या है? सब बेकार है।

उसने चोर आँखों से लड़कों को देखा। वे बैठे थे। निश्चिंत। वे व्यस्त थे। बात-बात पर दाँत निकाल रहे थे। बड़ा मज़ा आया, मैं गिर गयी तब। अरे! क्या समझते हैं अपने आप को! लड़के हो गये हैं तो समझते हैं, लाट साब हो गये! निकर क्या पहन ली, शान दिखाने लगे! क्यों नहीं चला सकती साइकिल? एक बार नहीं, हज़ार बार चलाऊँगी। हाँ, नहीं तो!

लड़की के पास सिर्फ सीखना ही नहीं था। उसने साइकिल आगे बढ़ाई और पैडलों पर पाँव रख लिए। बस, साइकिल आ जाए और कुछ नहीं। उसने जल्दी-जल्दी चार-पाँच पैडल मारे। साइकिल पुराने राग के साथ चली। लड़की का डर बार-बार काँप जाता था। वह उतर पड़ी और पैदल चलने लगी। पैदल चलते हुए वह बेचैन थी।

लड़कों ने उसे कहाँ देखा था! भूतों का एक लम्बा किस्सा छिड़ा हुआ था, जिसमें वे सिहरना चाहते थे।

एक और शाम।

लड़कों का मन खेल में से बिछल जाता था। खेल के बीच-बीच में लड़की

को ढूँढ़ लिया करते थे। उन सबने उसे देखा, फिर एक-दूसरे को देखते रहे। वह सीट पर बैठी हुई धीमे-धीमे साइकिल चला रही थी। किसी बूढ़े आदमी की तरह। गोल घेरे की कल्पना करते हुए उसके चारों ओर चक्कर लगा रही थी। हैंडिल तिरछा करके वह साइकिल को बचा ले जाती, जैसे किसी दूसरे को रास्ता दे रही हो। काफी देर वह दूसरों को रास्ता देती रही, फिर मैदान से सड़क पर आ गयी। गति थोड़ी तेज़ हो गयी। उसने हैंडिल से एक हाथ छोड़ दिया और हाथ दाएँ-बाएँ डुलाने लगी। उसने खुशी से सामने के दृश्यों को निहारा। खूब मज़ेदार और धुला हुआ नज़ारा था। उसे सहसा एक गाने की ज़रूरत महसूस हुई। चार-पाँच गानों का एक गाना वह धीरे से गाने लगी। हाथ झूल रहा था।

लड़की ने एक पुरानी लाल बस को इधर आते देखा। सारे के सारे दफ्तर के लोगों से भरी। वह बस के रुकने पर उसके पास पहुँच गयी। आदमी-औरतें उतरने लगे। थके और उदास। वह साइकिल से टिकी उतरना देखती रही। ये सब घर आने की बात से प्रसन्न क्यों नहीं होते? उसने तय किया कि वह जब साइकिल से घर लौटा करेगी तो खुश रहेगी।

उसने बस से उतरने वाली एक औरत को पुकारा और नमस्ते की। औरत ने कॉपी-किताबें सँभालते हुए पूछा, "साइकिल चला रही हो?" ज़रा-सी मेहनत करके मुस्कराई भी।

"हाँ।"

"अच्छा है।"

"मालूम है आंटी, अब चौक जाऊँगी।" लड़की ने लहककर कहा, मगर उसे लगा कि वह कुछ दूसरा कहना चाहती थी।

"अच्छा!" उस औरत ने यही कहा और चप्पल रगड़ते हुए सड़क पर चलने लगी। लड़की को खराब लगा कि लद्दू घोड़े की तरह सिर हिला दिया। बस! बेवकूफ है, मगर आंटी है।

बस खाली होकर लौट गयी। वह साइकिल पर बैठ गयी और छूटे गाने की हिज्जे करने लगी। उसने लड़कों की ओर देखा। वे जुटे थे। गेंद तेज़ी से नाच रही थी। लड़की तनी। फिर बेफिक्र होने की कोशिश की।

लड़कों के पास से गुज़रते हुए उसे लगा कि खूब बातचीत करना चाहिए। फिर वह घंटी बजाने लगी। रुक-रुककर, बाद में लगातार। लड़के थम गये। उन्होंने देखा कि वह साइकिल को लगभग नचाते हुए चली गयी। सिर्फ घंटी की आवाज़ वहाँ फैल गयी थी।

दरबदर

कोलाहल के बीच मैं चुप था। जी हाँ, मुझे बहुत ज़ोरों से लगा कि अपने शहर में होता तो कम से कम सीटीनुमा आवाज़ तो ज़रूर निकालता। कुछ कसरत की कोशिश करता और स्टेशन के हर आने-जाने वाले व्यक्ति को पहचानने के लिए मुड़-मुड़कर देखता। अपने शहर में हर आदमी पहचाना-पहचाना लगता है। मगर यहाँ इस खेल में किसे शामिल करता? तमतमाए चेहरों को हँसी-खुशी, दौड़ लगाते हुए बच्चे और गहरे विषाद में लटके हुए सिरों को दूर से बैठकर देखना एक खेल ही नहीं था, उसमें थोड़ा-सा डर भी मिला हुआ था। आज पहली बार लग रहा है, किसी सीमेंट की बेंच पर बैठा कोई लड़का मेरे डर को भाँप रहा होगा। शायद अब खेल नहीं होगा। सिर्फ डर होगा। और मजबूरन इसी डर से वह खेल रहा होगा।

सूटकेस और होल्डाल घसीटकर एक किनारे पर कर दिया। दुबे जी ने आने को लिखा था, तो आएँगे ज़रूर ही। हो सकता है, खोजते हुए आ रहे हों। मंजन कर लेता तो अच्छा था। परन्तु इस चक्कर में खो जाऊँगा। पटरियों के उस पार, बम्बे के नीचे कुछ लोग नहा रहे हैं। शरीर मल-मलकर नहा रहे हैं और फटे चीकट कपड़ों को फटकार कर पहन रहे हैं। तीन टाँगों के सहारे उचकता हुआ कुत्ता औरत की रोटी सूँघ रहा है। उसकी एक टाँग गाड़ी से कटी होगी। औरत स्टेशन के बाहर कहीं पागल हुई होगी।

वे दुबे जी चले आ रहे हैं। नीली जींस की पैंट और कोटी पहने हैं। लगभग दौड़ते हुए आते हैं। इतनी भीड़भाड़ में क्या कह रहे हैं, कुछ सुनाई नहीं देता। केवल मुस्कराहट पकड़ पाता हूँ। अरे मालिक! जै राम जी....मैंने दोनों हाथ उठा दिए।

हाय या हाई, ऐसा कुछ दुबे जी ने कहा और अपने दोनों हाथ कूल्हे पर धर लिए। मेरे हाथ मय कोहनियों के झूलते हुए नीचे आ गए। "अच्छा चलो। जल्दी चलें। फिर मुझे ऑफिस जाना है। स्कूटर ले लेते हैं।" दुबे जी ने एक साँस में कहा और कुली को आवाज़ देने लगे। उन्होंने मुझे चुपचाप देखकर ही

शायद यकायक अपने हाथ मेरे कन्धे पर रख दिए, फिर मुझे देखा या कहिए कि जायज़ा लिया और पूछा कि न हो तो चाय पी ली जाए। मैं काफी देर तक चुप रहा। वास्तव में दुबे जी की फुर्ती से मैं सुट्ट हो गया और काफी देर तक इस फुर्ती में दुबे जी की पुरानी आदतें ढूँढ़ रहा था।

"देखो, यदि इस तरह सुस्तराम रहे, तो दिल्ली तुम्हें खा जाएगी, समझे मुन्ना! चाय पियोगे न?"

"ऐसा करते हैं कि घर पर ही पी लेंगे।"

"घर कहाँ यार! कमरा कहो। वहाँ चाय तो मैं बनाता नहीं। खैर, चलो वहीं कहीं पी लेंगे।"

स्कूटर में बैठकर पहली बार दुबे जी ने घरेलू अन्दाज़ में पूछा, "और क्या हालचाल हैं शहर के?"

शहर माने माता-पिता, भाई-बहन
शहर माने प्रेमिका
शहर माने तालाब, पेड़, पुल
शहर माने दोस्त
शहर माने सड़क

मैं कैसे सारी बाते सूक्तियों में उन्हें बता सकता? कह दिया, "शहर की तबीयत दुरुस्त है।" सूक्तियाँ कभी किसी का भला नहीं कर सकतीं। वे उनकी जिज्ञासाओं पर कील की तरह ठुक गयीं तो? दुबे जी फिर बताने लगे, "यह कनॉट सर्कस है। यह पार्लियामेंट स्ट्रीट। यह अशोका होटल। कल से घूमेंगे मुन्ना, आज तो तुम आराम करना।"

"मेरा खयाल है, आज ही उनसे मैं मिल लेता?"

वे जान गये कि मैं दिल्ली-दर्शन के लिए नहीं आया हूँ, काम पर आया हूँ।

"आज ही मिलोगे?"

"मिल लेते तो अच्छा था।"

"पहले अपन फोन कर लेंगे।"

"चला ही जाता तो?"

"फोन पर बात करते डर लगेगा क्या?"

"हाँ!" डर को निस्संकोच होकर खोला।

"तुम्हें किस बात का डर भई! ठाठ से कहना, तुम्हारे दामाद आए हैं। गाड़ी भेजो फटाफट।"

"औल सेक्लेटली भेज देंगे तो फिल?"

"तो सेक्रेटरी को रख लेंगे और गाड़ी भेज देंगे। ठीक?"

"ठीक!"

"ठीक?"

"ठीक!!"

दुबे जी की सहायता से मैं विभोर होता रहा। और अब तो मैं यह कहूँगा कि दुबे जी बड़े रॉयल आदमी हैं। स्टेशन पर उतरते ही मुझे लगा था कि सभी लोग किसी षड्यन्त्र के तहत भाग-दौड़ कर रहे हैं। और उनमें से कोई न कोई अन्त में मेरा टेंटुआ दबा देगा। पर अब चैन है। दुबे जी जाने-बूझे हैं, कोई डर नहीं।

"तुम प्रेम-पत्र ले आए हो ना?"

"अब जब तक प्रेम-पत्र है, मैं मर नहीं सकता। वही तो आया है, उसके पीछे-पीछे में दुमछल्ला हूँ।"

"तुम्हारी अच्छी पहचान है। मुझे तुमसे ईर्ष्या होती है।"

"अगर आप मेरी जगह होते तो आपकी फट जाती।"

"अब तो निश्चित ही है कि लग जाओगे।"

"हाँ, उम्मीद तो है।"

"तुम आई.ए.एस. में क्यों नहीं बैठते?"

"दुबे जी, पढ़ाई पूरी किए अभी एक साल हुआ है। फूला-फूला फिरा जगत् में, कुछ दिन तक। फर्स्ट डिवीजन आई है। क्या बात है। वा भई मैं, वा। पिताजी भी कहते रहे, आई.ए.एस. में बैठो। यदि यही मेरा अन्तिम उद्देश्य होता न दुबे जी, तो मैं कम-से-कम अब तक सेल्सटेक्स इंस्पेक्टर तो हो ही गया होता। मैंने दो-तीन इंटरव्यूज़ दिए। नहीं हुआ तब सबको दिव्य ज्ञान हुआ। पिताजी आई.ए.एस. से धीरे-धीरे उतरते हुए 225 की बेसिक पर आ गये। बाईस साल का लड़का जब तेईसवें में निरा नालायक और मूर्ख साबित हो जाए, तो घर में ऐश बन्द हो ही जाने चाहिए। सो अंडा और दूध बन्द हुआ।"

"खैर, अब तो नौकरी मिल ही जाएगी। इसके साथ ही कॉम्पीटशन की तैयारी करना।"

"दुबे जी, बात ऐसी है। नहीं? क्या कारण है कि आप यह नहीं कहते कि मुन्ना, नौकरी लग जाएगी तो हॉकी की और अच्छी प्रेक्टिस करना। मन लगाकर लिखना-पढ़ना। अच्छी ज़िन्दगी जीना।"

"यार मुन्ना, एक बार बड़ी पोस्ट पा जाओगे ना, तो तुम्हारे बड़े-बड़े मार्क्सवादी मित्र तुम्हारी झंडी उठाएँगे। खैर, अभी तुम बच्चे हो। मेरे साथ रहोगे तो व्यावहारिक बना दूँगा।"

दुबे जी ने स्कूटर एक ओर मुड़वाकर रुकवा दिया। हम दोनों ने मिलकर सामान उतारा। दुबे जी ने ड्राइवर को पैसे देते हुए कहा, "मुन्ना, तुम्हें मैं कॉम्पीटीशन में बैठाकर ही छोड़ूँगा।"

इतनी ज़बरदस्त और गलत आत्मीयता के लिए मैंने 'हूँ' कहा और सामान ढोने का प्रयत्न किया। दुबे जी के साथ सामान ढोकर दूसरी मंज़िल पर आते, इससे पहले बीच सीढ़ियों पर रुककर उन्होंने फुसफुसाकर कहा, "सिंघजी से कहना कि छोटा भाई हूँ। और वैसे भी मेरे भाई की तरह हो।"

मैंने इस कदर सिर हिलाया, मानो चोरी करने जा रहे हों।

दरवाज़ा खुलने पर एक तगड़ी औरत को मैंने नमस्ते किया। दुबे जी कुछ बोलें, इससे पहले ही उन्होंने कहा, "आपके भाई हैं? आओ जी, आओ।"

हम कृतज्ञ होते हुए अन्दर आए। बहुत सारे बच्चे थे और कमरे में बू भरी हुई थी। दुबे जी ने अपने कमरे का ताला खोला। सामान ठेलकर अन्दर किया। दुबे जी ने दरवाज़ा बन्द कर लिया।

"देखो, अब तुम्हें यहाँ रहना है। इन्हें मूँ लगाने की ज़रूरत नहीं है, नहीं तो सारे बच्चे यहाँ आ जाएँगे। दिल्ली के लोग हरामी होते हैं। तुम्हें कब नंगा कर दें, मालूम नहीं।"

"और आपको किसके लिए नियुक्त किया गया है? आप मुझे भर नंगा न करना..." मैं हँसा।

उन्होंने गर्व के साथ सूचना दी कि वे कभी दिल्ली के नहीं रहे। उन्होंने कहा कि "छह महीने में यहाँ की नस पकड़ी जा सकती है और एक बार नस पकड़ ली, तो फिर लाखों का वारा-न्यारा हो जाए।" दुबे जी कुछ और गुप्त सफलता के सूत्रों की जानकारी देते, इसके पहले ही मुझे मुँह धोने की याद आ गयी। मैंने ज़मीन पर होल्डाल बिछा लिया और बैठकर मंजन करने लगा। दो बिस्तरों और एक मेज़ से कमरा भरा-पूरा हो गया। एक वॉर्डरोब है जो दीवार में समाई हुई है। एक रस्सी एक कोने से दूसरे कोने तक तनी हुई है, जिस पर कपड़े लटक रहे हैं। मेज के ऊपर दीवाल पर हाथ से बना ग्रीटिंग लगा हुआ है। 'दादा को शुभकामनाओं सहित—कुन्नू, राजू, बंटू और विमला'। एक पंक्ति और लिखी गयी होगी, जिस पर नीली मोटी लकीर फेर दी गयी है। सजावट के नाम पर यही एक चिप्पी है लेकिन शायद यह सजावट न हो। मेज़ पर कुछ किताबें हैं। नीचे प्लास्टिक की बाल्टी। बाकी सामान वॉर्डरोब में होगा। उसमें मैं भी अपने कपड़े रख लूँगा।

निबट लेने के बाद हम नीचे उतर आए। दुबे जी ने कमरे पर ताला लगा दिया

था और ऑफिस जाने की तैयारी में पोर्टफोलियो ले लिया। मुझे कुछ अजीब-सा लग रहा था। एक घर में रहकर अपने कमरे को जुदा रखना। नीचे आकर मैंने कहा तो वे बोले, ''दोस्त, यह दिल्ली है। यहाँ चुरकट भावुक की तरह तुम रहे, तो ज़रूर तुम्हारी नैया विजय चौक पर डूब जाएगी। अपना मतलब साधो, बस्स। मैं उसे किराया देता हूँ, कमरे के लिए, न कि भाई-भौजाई बनाने के लिए।''

पास में ही होटल था। लोगों ने हँस-हँसकर उनसे नमस्ते की। तनिक आवाज़ को रट्ठ बनाकर होटल के मालिक से मेरा परिचय कराया गया। अब यहीं नाश्ता करना है, यहीं भोजन करना है। दुबे जी ने स्नेह के चलते मालिक को एक धौल मारी और मुझसे कहा कि ''मुन्ना, यह वैष्णव भोजनालय है, इसलिए लहसुन और प्याज़ का बन्दोबस्त नहीं है। वैष्णव होना फायदेमंद इसलिए है कि प्याज महँगी है पर बाहर जो तखत पर अंडे उबाल रहा है, यहाँ ले आएगा। दाल मुफ्त नहीं मिलेगी और सब्जी की तरी सिर्फ एक बार मिलेगी।'' सारी व्यवस्था समझाने के बाद मठरी और चाय का नाश्ता किया। मुझे घर की याद आने लगी। घर यानी माँ। मठरी यानी माँ।

छूट गया भई छूट गया
घर-आँगन तो छूट गया
छूट गया भई छूट गया
घर
आँगन
छूट गया

पुराने दिन बहुत खराब होते हैं। कॉलेज के दिनों के जुलूस, बन्द मुट्ठियाँ, नारे, सनसनाहट, गुस्सा...पानी की तरह गदबदाता, मगर जुलूस रोक लेता हूँ। मक्कार आदमी की तरह हँसता हूँ, क्योंकि दुबे जी एक नौकर से धौल-धप्प कर रहे हैं। दस या बारह के करीब का लड़का। मोटा, हँसमुख।

''मुन्ना, अपन को ये खाना खिलाता है। विक्रम है। साला बदमाश है, पर काम अच्छा करता है।''

मैंने उससे कहा, ''विक्रम, अब मैं भी यहीं खाया करूँगा।''

''ठीक है साब, अपनी तो यही नौकरी है।'' उसने अदाकारी में सिर झुकाया और पूछा, ''समोसे चलेंगे?''

दुबे जी ने घड़ी देखी। कहा, ''नहीं चाहिए।'' फिर मेरी तरफ होकर बोले, ''चलो उठो, मुझे जाना है।'' उन्होंने मुझे चाबी दे दी। बोले, ''शाम को जल्दी आ जाऊँगा। आज तो तुम कमरे पर आराम करो। कल तुम्हारे साथ चला चलूँगा।

फ्रेंचलीव हो जाएगी।" वे पोर्टफोलियो झुलाते हुए बस-स्टॉप की ओर चलने लगे। मैं भी पीछे-पीछे चलने लगा तो उन्होंने मना कर दिया, "जाओ मुन्ना, जाके आराम करो।" फिर रुककर बोले, "तुम्हें मालूम है मुन्ना, साले जो दो-दो हज़ार पाते हैं, वे भी धक्का खाते खड़े रहते हैं। आप मालूम नहीं कर सकते कि कमाते कितना हैं। अच्छा, तुम जाओ।"

मैं समझ नहीं पाया कि आखिरी बात के लिए वे रुक क्यों गये थे। आज्ञाकारी की तरह मैं कमरे पर लौट आया। दूसरे कमरे में बच्चे हल्ला कर रहे हैं। माँ खीज रही है। मैं दरवाज़ा बन्द किए बैठा हूँ। ये कमरा। सिर्फ दुबे जी का कमरा। कितना अजीब है। छीना-झपटी और रोना-गाना। होल्डाल से डिब्बा निकालकर गाजर की बर्फी निकाल लेता हूँ। दरवाज़ा खोलकर कमरे से बाहर आता हूँ। बच्चों ने तो सारा सामान अस्त-व्यस्त कर दिया हैं वे पाँच है, वे सब चुप होकर मुझे देखने लगते हैं। मैं उन्हें बर्फी दे देता हूँ। वे हैरान होकर मुझे देखने लगते हैं। दिल्ली के बच्चे। दुबे जी, दिल्ली के बच्चे। उनकी माँ सिर से दुपट्टा सरकाकर मुँह से लगा लेती हैं। शायद हँस रही हैं। कहती हैं, "ये ऐसे नहीं मानेंगे। अब तो और रोएँगे। गाजर की मिठाई खाई है कभी तुम लोगों ने, अब चुप होना।"

"चुप तो हैं। मैंने कहा।

अब हम बहुत कुछ कहते। मसलन :

आप इन्हें स्कूल क्यों नहीं भेज देतीं?

अरेऽऽऽ कहाँऽऽ!

कम से कम बड़े को?

अगले साल देखेंगे।

सिंघ साब जल्दी निकल जाते हैं।

एक जगह और थोड़ा काम करते हैं।

जमाना बड़ा महँगा है।

हँ जी।

तीन में से एक दुबे जी को दे दिया, तो घर भी छोटा होगा?

हाँऽऽ!

चलो ये तो है, कुछ पैसे आ जाते हैं।

हाँ जी।

आप यहीं की हैं?

नहीं जी।

छुट्टियों में गाँव जाती होंगी?

अरेऽऽ कहाँऽऽ!

महँगाई बहुत है।

हाँऽऽ।

पूरा नहीं पड़ता।

हाँ।

हाँ।

हाँ।

इसी तरह से कुछ बातचीत होती। इसके पहले ही मैं कमरे में आ गया।

आदमी जब अकेला होता है, इस पर भी अकेला नहीं होता। अपने आप से लड़ता रहता है। कुछ सुझाता है। हँसता है। और कभी-कभी लड़ते-लड़ते उकताहट होती है। संशय या हार के दौरान। कभी लड़ते-लड़ते आयतन कम हो जाता है। किस चीज़ का? मुझे मालूम नहीं। परन्तु कोई चीज़ सिकुड़ जाती है, यह तय है। इसको मैं कह देता हूँ कि कुछ लुप्प् हो गया। शायद आप कुछ और कहते हों। कुछ भी कहें, क्या फर्क पड़ता है।

बहुत बार, शुरू में ऐसा भी हुआ कि इसी लड़ाई के कारण मैं अपने को दूसरों से अलग कर लेता था। शानदार लड़ाई जो मेरे अन्दर चल रही है, वह दूसरों में कहाँ! बाद में, अनेक लतभंजन के बाद यह महसूस हुआ कि अकेला वीर मैं ही नहीं। कोरस में कई वीर हैं। अब आप यह कहिए कि ये तो लड़ाई का वो हिस्सा है, जो महत्त्वाकांक्षा के निकट आता है।

बहुत ठीक, बहुत ठीक। यह निहायत खुशी की बात है कि लड़ाई के उस हिस्से को हम, कम-अज-कम पहचान तो रहे, जो अन्दरूनी मामला है। किन्तु ये सिकुड़न है न, वो तनाव (कैसा वाहियात शब्द है) पैदा कर देती है, जो लड़ाई के दूसरे हिस्से की भी रँगाई करता है।

मैं उकता गया।

सारे कमरे की चीज़ें करीने से लगा दीं और फिर बिस्तर पर लेट गया। तकिए में से लिफाफा निकाला। श्रीमंतजी का पत्र है :

अपना बच्चा है। भला है। अपने यहाँ लगा सको तो इस पर दया होगी। सब ठीक है।

श्रम की कद्र की जाती हो तो बाईस वर्ष थोड़े नहीं होते।

इसके बाद दया?

लुप्प्

लुप्प्

लुप्प् लुप्प्

लुप्प्

मुझे अचानक महसूस हुआ, मैं दिल्ली में हूँ। मुझे लाल किला देखना चाहिए। मुझे कुतुब देखना चाहिए।

कैबरे

जू

प्रधानमन्त्री

अशोका, ओबेराय

कनॉट प्लेस

नहीं। कुछ भी नहीं। मैं यहाँ सिर्फ नौकरी करने आया हूँ। मेरे शहर में भी बहुत-सी चीज़ें हैं, जिन्हें देखकर मैं खुश होता था। छोटी-छोटी टेकरियाँ, गत्ता मिल का धुआँ।

पिछले साल में फिर कहीं नहीं निकला। कभी-कभार कोई मिल जाता तो कहता, "कहीं कुछ जमा?"

"नहीं..."

दूसरा, "कहीं कुछ जमा?"

"यार, पी-एच.डी. कर रहा हूँ।"

तीसरा, "कहीं कुछ जमा?"

"यार, सोचता हूँ फॉरेन निकल जाऊँ।"

चौथा मिले, इससे पहले मैं घर में कैद रहने लगा। निर्वासन। घर का निर्वासन। दिल्ली का निर्वासन। समय का जिन्दगी से निर्वासन। मैं तैयार होता हूँ। हजामत बनाकर धुले कपड़े पहनता हूँ। श्रीमंत का पत्र जेब में रख लेता हूँ। पत्र को निकालकर चोर जेब में रख लेता हूँ।

लुप्प् लुप्प्

बस नं. 105

अब

अब नं. 101

आप सीधे चले जाइए। फिर दाएँ, फिर दाएँ। लाल भवन। लिफ्ट पकड़िए और ऊपर छठी मंजिल।

मैं आ गया हूँ।

कार्यालय में घुसता चला जाता हूँ। सिर झुकाए लोग कागज़ों से जूझ रहे हैं। मैं किसी से पूछता हूँ, तो पूछने के पहले ही सिर हिला देता है। फिर कोई

उँगली की नोक पर बैठाकर एक चेंबर में लुढ़का देता है। हमउम्र चुस्त नौजवान से पूछ रहा हूँ। चोर जेब में मेरा हाथ थरथरा रहा है। वह कहता है, "मैनेजर साब अभी नहीं हैं। पाँच दिन बाद आएँगे। फिर आइएगा।"

पाँच दिन और? पहले चिन्ता, फिर खुशी। परीक्षा भवन से बाहर निकल जाने जैसी खुशी। रास्ते में पूछते-पाछते बस से लौट आया। भोजन करके कमरे पर आ गया। शाम तो हो रही है। अब दुबे जी को आ जाना चाहिए। बोट क्लब पर बहुत बड़ा लाल सूरज पत्थरों के भवन के पीछे था। पानी पर भवन, रंग और पूरी भव्यता हिलोर ले रही थी। मैंने तय किया कि नौकरी लगने पर सब कुछ देखूँगा। सब कुछ। नौकरी होने पर सब कुछ आसान हो जाता है क्या?

चार-पाँच दिन।

शामें ही ऐसी हैं, जबकि लगता है कि दिल्ली में हूँ। नये शहर में हूँ। वरना सुबह होटल, लेटना, होटल, लेटना, दोपहर, फिर शाम। कुछ किताबें साथ लाया था। परन्तु वे वैसी की वैसी धरी रहीं। क्या पढ़ूँ, कुछ समझ नहीं आता। जो भी कुछ पढ़ लो, किन्तु यह निश्चित है कि काम नहीं आएगा। वे सब मूर्धन्य सारी पढ़ाई पर पानी फेर देंगे। फ्रायड की औरतें, पावलीव के कुत्ते, कोह के बन्दर, बड़बड़ाहट में हँसता गाँधी। सब बेमानी हो गए हैं। अब जो है वह श्रीमंत का पत्र और एक नयी दुनिया। या शायद दुनिया, जिसमें पहली बार घँस रहा हूँ।

दुबे जी थके-हारे शाम को लौटते हैं। पूछते हैं, "कुछ पढ़ा?"

मैं कहता हूँ, "नहीं," और हँसता हूँ।

"दिन-भर पड़े-पड़े क्या करते हो?"

"सोता हूँ।"

"कहानियाँ ही पढ़ा करो।"

"श्रीमंत का पत्र पाँच-छह दफे पढ़ लेता हूँ।"

दुबे जी कुछ नहीं कहते। नये कपड़े पहनकर तैयार होते हैं। योग जैसी दो-चार चीज़ें निकालते हैं। फिर आईने में तरह-तरह से चेहरा देखते हैं। गाल फुलाकर। पिचकाकार। आँख के पपोटे खींचकर। दाँत निकालकर आईना देखते हुए मुझसे पूछते हैं, "मुन्ना, मेरी उमर क्या लगती होगी?"

मैं झूठ बोलता हूँ—तीस।"

"नहीं यार! फिर से देखो।" अपना चेहरा मेरे सामने कर देते हैं।

"बिलकुल तीस।"

वे उमग जाते हैं, "कितना मेंटेन करके रखा है मैंने। अब तो खैर सेहत थोड़ी गिर गयी, नहीं तो कोई भी सत्ताईस-अट्ठाईस से कम समझता।"

“हाँ।” मैं कहूँगा ही।

“यार, धक्कमधक्के में मर गए। एक के बाद एक, चार नौकरी। इधर से उधर। सैटिल ही नहीं हो पाए।”

“सैटिल यानी शादी?”

“शादी भी। क्यों, हमारी इच्छा नहीं हो सकती क्या?”

“तो क्या? शादी कर लीजिए। भाभी को घर छोड़ आना।”

“मैं ही खुद चार साल से घर नहीं गया।”

“चार साल!”

“हाँ।”

“आपको याद नहीं आती?”

“नहीं। कुछ रुपए जुड़ें, तब घर जाएँ।”

“इसके बिना नहीं?”

“जाना कोई मतलब नहीं रखता। न मेरे लिए, न उनके लिए।”

“ऐसा नहीं है।”

“तुम अभी बच्चे तो हो मुन्ना। धीरे-धीरे व्यावहारिक बनोगे।”

“आप अपनी उम्र का फायदा उठा लेते हैं। मैं एकदम बच्चा नहीं हूँ। सचमुच आपको याद नहीं आती?”

“धीरे-धीरे भूल जाता है। अच्छा उठो, चलो।”

हर बार वही कनॉट प्लेस!

“पिछली बार जब मैं पेरिस में था, तब मेपिल की पत्तियाँ इसी तरह सड़क किनारे छा जाती थीं। मुझे पेरिस की बेहद याद आ रही है!”

“मुन्ना, मुझे न्यूयॉर्क की!”

“अच्छा, चलो कोई बात नहीं। हम मिलकर पेरिस चलेंगे।”

“नहीं, न्यूयॉर्क।”

“एग्रीड।”

बहुत चमकीली रोशनियाँ। बहुत अमीर हँसियाँ। बहुत कोमल सरसराहटें। दुबे जी दो सॉफ्टी खरीदते हैं।

वे कहते हैं, “मुन्ना, जब मैं बिलकुल अकेला होता हूँ, तो एक सॉफ्टी खरीद लेता हूँ और बीच भीड़ में खड़ा खाता हूँ। टकराते हुए लोगों से मन बहल जाता है।”

“अपने शहर की तरह यहाँ भी अपने मुहल्ले होंगे। वे सभी क्या इसी तरह से सॉफ्टी खाएँगे?”

दुबे जी बोलते नहीं। हम पार्क के चारों तरफ घूमते हैं। रीगल के पोस्टर देखते हैं। आती-जाती लड़कियों के कसे, हिलोर लेते उरोज, मुड़-मुड़कर देखते हैं। इतने में लगता है, रात हो रही है। दुबे जी हाथ-पैर दुखने का बहाना करते हैं, फिर व्हिस्की खरीदते हैं। पार्क के कोने में जाकर गटकते हैं और कहते हैं, ''चायघर में बैठेंगे।''

चायघर में बैठते ही दो-तीन दुआ-सलाम वाले मित्र करीब आ जाते हैं। दुबे जी ज़ोर-ज़ोर से बतलाते हैं कि वे 'फलाँ हाउस' से पार्टी लेकर आ रहे हैं। स्कॉच और तंदूरी मुर्गा। फिर काफी ऊँची-ऊँची बातें। थकने पर उठते हैं। आवाजाही कम हो गयी है। हम बस अड्डे की ओर जाते हैं। वे कोई चीज़ गुनगुना रहे हैं। यकायक मुझसे पूछते हैं, ''और शहर के क्या हालचाल हैं?''

शहर माने...

शहर माने...

शहर माने...

कोई पाठ हो, इसके पहले ही बोलता हूँ, ''आप ही सुनाइए!''

दुबे जी एक किस्सा चुनते हैं। प्रेमिका के बारे में। हम रुककर एक छोटे-से होटल में भोजन करते हैं। दुबे जी का किस्सा जारी है। वे सुबकने लगते हैं और उन्हें बहुत-सी बातें याद आती हैं। ''काश, मैं कोई सिलसिलेवार जिन्दगी जीता। अब नहीं है। कुछ नहीं है। मेरा कोई नहीं है। न आगे न पीछे। में किसी को भी माड्डालूँगा। जेल चला जाऊँगा। मेहनत करने पर दो रोटी वहाँ भी मिल जाएँगी।''

कमीज़ से नाक पोंछकर वे उठते हैं। मैं सरदार जी को पैसा देता हूँ।

वे दुबे जी को विनोदी ढँग से देखकर हँसते हैं।

कमरे पर आते ही वे बिस्तर पर लेट जाते हैं। फिर नाक बजने लगती है। मैं होल्डाल पर पसर जाता हूँ। बिजली बन्द कर देता हूँ।

दहशत
एक साफ-सुथरा अन्त
बस इतना ही होगा?
नींद आती नहीं

मैंने चिट पहुँचा दी। केयर ऑव श्रीमंता। चेंबर के अन्दर गहमागहमी है। जो चिट ले गयी थीं, उन्होंने आकर कहा कि ''मीटिंग चल रही है। यहीं बैठिए।'' सोफे पर मैं बैठा रहा और डरता रहा। वे टाइपराइटर खटखटा रही थीं। मालूम

नहीं क्यों सेक्रेटरी के नाम से हेलन की छवि याद आती है (स्त्री हेलन मुझे माफ करें)। मगर इस शालीन चेहरे को देखकर अच्छा लगता है। अपना डर, कनखियों से देखकर कम कर रहा हूँ।

अचानक दरवाज़ा भड़भड़ाकर खुलता है। एक सज्जन विलाप करते हुए दोनों कमरों के बीचोबीच पसर गए हैं। वे अत्यन्त करुणा के साथ रो रहे हैं। गले की टाई ढीली हो गयी है। कुछ लोग अन्दर हैं। कुछ लोग बाहर जमा होते जा रहे हैं। मैं भी हड़बड़ाहट में खड़ा हो गया हूँ। सब जस के तस खड़े हैं। वे रो रहे हैं, ''मुझे मैनेजर साब ने मारा।'' और इसके बाद ही कहते हैं, ''मेरी नौकरी चली जाएगी।'' वे ज़ोरों से रोते हैं। बार-बार यही शब्द। मैं समझ नहीं पाता, वे सम्मान के लिए रो रहे हैं या नौकरी के लिए।

लुप्प् लुप्प्

लुप्प्

सब पत्थर की तरह जड़ हैं। अन्त में मैनेजर कहते हैं, ''इसे पानी पिलाओ और आप लोग अपना-अपना काम करिए।''

लम्बी-चौड़ी मेज़ के पीछे से मैनेजर ने हाथ हिलाकर आदेश दिया। कर्मचारीगण घिसटते हुए कुर्सियों की तरफ चले जाते हैं दो, व्यक्ति उन्हें उठाकर चल दिए हैं। वे लिफ्ट से नीचे उतर जाएँगे। दस मिनट में सुनसान हो गया।

साँय साँय लुप्प् लुप्प्

''जाइए'', सेक्रेटरी ने कहा।

मैं चोर जेब से पत्र निकाल लेता हूँ। उन्होंने पत्र पढ़ा और स्नेह से मुझे देखा। पूछा, ''घर में सब ठीक हैं उनके?''

''जी।''

''उनके रिश्ते में हो?''

''जी नहीं।''

''फ़िर?''

''घरेलू पहचान है।''

''ठीक है।'' उन्होंने एक फार्म निकाला और लिख दिया, जिसका मतलब यह कि ले लिया जाए।

मैं बाहर आकर फॉर्म भरने लगा। उन्होंने यह भी नहीं पूछा, मेरी योग्यता क्या है? मेरी रुचि किसमें है?

लिखते हुए ऐसा लगा, मानो मुर्दा अंगों का प्रदर्शन कर रहा हूँ।

रुचि और विशेष योग्यता के खाने में एक लम्बी लकीर खींच दी।

कम्पनी की शर्तों के नीचे, जो मेरी ओर से छपी थीं, उसके नीचे हस्ताक्षर घसीटे। लुप्प् लुप्प्। फार्म जमा किया। कल से यहाँ आना है। बाहर आया तो देखा, वह अपना भारी चेहरा लिए, बाँहों में बैग दबाए प्रतीक्षा कर रहा है। टाई यथास्थान है। मैं उससे नज़रें बचाता निकल गया (हालाँकि मुझे जानता थोड़ी)।

कोई एक निर्धारित कुर्सी। फाइलें। पानी, चाय, लंच। घंटे, दिन, महीने।

लुप्प् लुप्प्

धड़ाम् ऊँ ऊँ हा हा हा

मारा मारा मारा

नौकरी नौकरी नौकरी प्रतीक्षा

लुप्प् लुप्प्

दुबे जी हँसते हैं। दुबे जी रॉयल आदमी हैं। दुबे जी कहते हैं, व्यावहारिक हैं। दुबे जी सुबह हँसते हैं, रात को रोते हैं। दुबे जी कहते हैं, अच्छा अब छोड़ो। चलो कनॉट तक हो आएँ। मैं मना करता हूँ। मुझे कनॉट से दहशत होती है। वे कँइयाँ में लेने लगते हैं। ''चलो चलो। यू आर अ यंग चैप।'' वे समझते हैं, मैं थक गया हूँ।

हम वही सड़कें पार करते हैं। उसी घास को रौंदते हैं। उसकी मार्के की शराब वे पीते हैं।

लौटते हैं तो कार्यक्रम बनता है, एम.पी. कैंटीन में खाया जाए। बस बदलकर जाते हैं।

कैंटीन में साफ-सुथरे कपड़े पहने विक्रम स्वागत करता है।

''अबे तू यहाँ?''

''हाै।''

''कैसे?''

''वो साला समझता है कि चौबीसों घंटों के लिए खरीद लिया। अपने शौक के लिए कुछ करो तो चिढ़ जाता है।''

''दारू कब से पीने लगा?''

''दारू नहीं साब, कपड़े, सिनेमा।''

''अच्छा-अच्छा।''

''साब, मेहनत करेंगे तो अपने लिए ना!''

''अच्छा, खाना लाओ।''

दुबे जी बतला रहे हैं, ''जब नौजवान थे, तव एक लड़के की कितनी पिटाई की थी। वैसे अब भी किसी को पछाड़ सकते हैं।''

भोजन करते हुए मैंने कहा, "मैं दिल्ली छोड़ना चाहता हूँ।" हाँ! मेरे कानों ने भी सुना।

घूरकर उन्होंने मुझे देखा, फिर कहा, "तुम्हारी फैमिली बै' ग्राउण्ड है। कर सकते हो। अरे, मेरे पास जायदाद होती न, तो मैं जरूर आई.ए.एस. में आ जाता।" वे रुआँसे हो गये। उन्होंने मुझसे कहा, "तुम्हें दिल्ली से कतई नहीं डरना चाहिए। यहाँ तो बस छह महीने..."

दिल्ली से मैं डरा नहीं हूँ। शहर किसी को डराता नहीं है। मैंने फिर कहा, "मैं दिल्ली छोड़ दूँगा।"

शायद, उन्होंने सुना नहीं।

वे गिलास में ही हाथ धोकर कमीज़ से पोंछने में व्यस्त थे।

भूमिका

सीमेंट की नयी पुलिया बनी है। सिपाही नम्बर...नहीं जी, मातादीन, ऊब जाने पर पुलिया पर धम्म से गिर जाता है। इसके बाद पेटी खोलकर, पेट फुलाकर देखता है। दोनों हाथों से तबला बजाते हुए पेटी कस लेता है और टोपी डंडे की मूठ पर रखकर हाथों से थामे-थामे निर्विकार हो जाता है। सामने बने और बन रहे नये बँगलों को एकटक देखता रहता है। कुछ समय गुज़र जाने के बाद, हवा में उपस्थित किसी अनजान को गाली देते हुए उठ खड़ा होता है।

साफ और काली चमकदार सड़क पर सधे कदमों से काफी दूर तक निकल जाता है।

फिर लौटता है।

फिर पुलिया।

फिर अकबकाहट...ऐसी की तैसी इन साहबों की! ससुर चवन्नी की चोरी और धमाचौकड़ी इतनी! अकेले खड़े चटो साले को। हाँ, नहीं तो!

मातादीन पुलिया पर बैठ जाता है। नीचे नाला बह रहा है, जो कॉलोनी की तमाम गंदगी को चुपचाप समेटते हुए यहाँ तक ले जाता है। और जैसे यहीं आकर आवाज़ खुलती है। बारिश होने की वजह से पानी तेज़ी से भाग रहा है और निश्चित रास्ते को छोड़कर झुग्गियों के आसपास फैल गया है। घास के कारण पानी खुरदुरा और जमा हुआ-सा लगता है। इधर की लाल बजरी और सड़क कोमल धूप में सूख रही है।

हल्ला सुनकर मातादीन नीचे झाँकता है। नाले में लड़के खेल रहे हैं। काले, नंगे-से, मस्त बच्चे। एक-दूसरे पर पानी उछाल रहे हैं। कुछ बच्चे बिलकुल नंगे हैं, कुछ फटी हुई कमीज़ पहने हैं, जिनसे पानी चू रहा है। दो लड़के एक बड़े-से कपड़े को नाले के मुहाने पर ताने मछलियाँ छेंकने में तल्लीन हैं। अंदेशा होने पर फुर्ती से कपड़ा ऊपर, पानी से ऊपर उठाते हैं। तब दूसरे लड़के भी इस ओर देखते हैं। कभी-कभी मछली पकड़ में आ जाती है। कपड़े पर छोटी-छोटी उछाल

मारती हुई। लड़के सटकर खड़े हो जाते हैं और गौर से देखते हैं। खुश होते हुए गालियाँ बकते हैं। सीटी बजाते हैं। कोई लड़का बड़ी सावधानी से मछली को मुट्ठी में बाँधकर एल्यूमीनियम की टूटी गंजी में डाल देता है। चार-पाँच छोटी मछलियाँ गंजी में जमा हैं। लड़के कपड़े को फिर से पानी में फैलाते हैं। दूसरे लड़कों में खेल फिर शुरू हो जाता है।

हो-हल्ला पहले-पहल मातादीन को अच्छा लगा था। अच्छा है, लड़के खेल-खेल में खाने के लिए मछलियाँ जुटा ले रहे हैं। वैसे तो मांस-मच्छी खरीदकर खाने का नसीब नहीं है, परन्तु ज़ोर-ज़ोर से चिल्ला क्यों रहे हैं? और गालियाँ तो देखो कैसी दे रहे हैं, हर बात पर। मातादीन को गुस्सा आ जाता है। अपने मुँह के सामने नाचते भुनगों को हाथ में चपेटते हुए थोड़ा और झुककर कहता है, ''क्यों सालो, तुम लोगों के पास कोई काम-धाम नहीं है क्या?''

लड़कों ने इस तरह देखा, जैसे मातादीन की उपस्थिति अभी हुई हो। एक ने हिचक और डर से कहा, ''मुंशी जी, काम तो कर रहे हैं!''

मातादीन समय गुज़ारने की गरज़ से बातचीत बढ़ाना चाहता था, इसलिए कहा, ''अबे, ये काम है? हरामखोरी है, और क्या! ऊपर से हल्ला।''

''हल्ला कौन कर रहा है, मुंशी जी! हम तो खेल रहे हैं।''

''माँ-बहन की गाली खेल है? हैं? ऊपर से जवाब देते हो! उठाकर बन्द कर दूँगा जेल में। सालो, चोर-चमार के लड़का हो, शऊर काहे आएगा।''

आत्मीयता के ऊबड़-खाबड़ को लड़के समझ नहीं पाए। एक लड़के ने कायदा पकड़ते हुए कहा, ''मुंशी जी, मच्छी चाहिए?''

मातादीन तल्खी से भर गया। अकसर ऐसा होता नहीं, पर इन नान-बुद्दी लौंडों की समझदारी खटकने लगी। ये लौंडे भी चालू हो गए हैं। समझते क्या हैं? फिर भी, गंजी में पड़ी हुई मछलियों को तोला। ऊँह, बहुत कम हैं। छोटे बच्चे हैं। मगर देखो तो कितने चालबाज़ हैं! ''बड़े अच्छे लच्छन हैं तुम लोगों के। खूब उन्नति करोगे। मच्छी नईं खाते हम। नईं चाहिए।''

मातादीन के नरम पड़ जाने को लड़कों ने समझा।

''मुंशी जी, अच्छा, एक नहीं आधी।''

''मुंशी जी, पुच्छी नहीं मुंडी।''

समूह-गान के अन्दाज़ में, गलाफाड़ आवाज़ में, लड़के चिढ़ाने लगे, हँसने लगे और एक-दूसरे पर पानी उछालने लगे।

मातादीन का गुस्सा बढ़ गया। इच्छा हुई, एक-आध को पकड़कर बेहिसाब डंडे मारे जाएँ। होश ठिकाने लगें। दिमाग आसमान में दौड़ रहे हैं। हद है! मातादीन ने सारी शक्ति बटोरकर फटकारना चाहा, किन्तु अचानक ही मन ठंडा पड़ गया।

करने दो उत्पात। ससुर समय खराब करने के लिए और दूसरी जगह कहाँ है? यहीं मरें! "अच्छा-अच्छा, ज़्यादा बदमाशी मत करो। दो लात पड़ेंगी तो मस्त हो जाओगे। चुपचाप मच्छी मारो, समझे?"

सुरती की डिब्बी निकालकर उठ खड़ा हुआ। देखा भी नहीं कि लड़के क्या करते हैं। सड़क की पीठ पर आकर इच्छा हुई कि काफी दूर तक निकल जाए। बहुत दूर तक, लौटते वक्त थोड़ा अँधेरा हो जाए। इसके बाद छुट्टी। फिर लगा, बेमतलब टाँगें दुखाने से क्या फायदा! चलें, जाकर बैठें।

लौटते वक्त देखा कि पुलिया पर दो कम-उम्र लड़कियाँ खड़ी नीचे देख रही हैं। लड़के बिना शोर किए, सबके सब काम में जुट गए हैं। मातादीन खुश हुआ। पुलिया के किनारे पर बैठने के बाद टोपी उतारकर घुटने पर रख ली और डंडे को चित्त कर दिया। अजीब हालत है, साली! यहाँ-वहाँ तको। फिर बैठो। कल और ड्यूटी न लग जाए यहाँ। इन मुन्नियों को देखो। झुक-झुककर देख रही हैं और खुश हो रही हैं। गिर पड़ें तो अपनी मुसीबत। बड़े घर की मुन्नियाँ होएँगी। कैसी मुलुर-मुलुर देख रही हैं। चाहती तो होंगी कि पानी में नहाएँ, मगर करें कैसे? दादू आ के गरदनियाँ देंगे। देखो-देखो और का। तुम्हारे खेल दूसरे हैं। कीमती और सलीकेदार, किन्तु ये न मिलते होंगे। इस कारण से जी ललचा रहा होगा, इनका भी जी बहुत ललचाता है। हमारे मुन्ना भी बहुत चिल्लाते हैं। क्रिकेट चाहिए। हॉकी चाहिए। अब तुम भी देखो, ललचाओ। अच्छा है। कुछ पता तो लगेगा। अरे! बिलकुल गिरने के लिए उतारू हैं, "ऐ मुन्नियो! इधर आओ। यहाँ आ जाओ।"

लड़कियाँ देखती हैं और लगभग दौड़ी चली आती हैं। साफ-सुथरी और फूलों की तरह डोलतीं।

"गुड आफ्टर नून, सर!"

"गुड आफ्टर नून, सर!"

मातादीन का मन ठंडी फुहार से खुश हो गया। यह है सलीका। सर! ओ, हो, हो। सर! ठीक है, ठीक है। कितनी भोली और प्यारी बच्चियाँ हैं। मातादीन वात्सल्य से लबालब हो जाता है।

"मुन्नी, क्या नाम है तुम्हारा?" तुरन्त ही गलती सुधारकर बोलता है, "हाँ, बेबी, तुम्हारा नाम?"

"ईरा!"

"और बेबी, तुम्हारा?"

"मीरा।"

"वाह, अच्छा देखो, उधर मत झाँको, गिर पड़ोगी। बैठना हो तो यहाँ बैठो।"

"आप यहाँ क्या कर रहे हैं?" (मीरा)

"निगरानी कर रहे हैं। चोरी-चपाटी बहुत हो रही है इधर। इसलिए।"

"आप चोर को जेल ले जाते हैं?" (ईरा)

"हाँ।"

"आप चोर को खूब-खूब मारते होंगे? है नू!" (मीरा)

"बात ऐसी है...।"

मातादीन उत्साह से भर गया। मार-कुटाई की तमाम टेक्नीक का विस्तार से मज़ा लेकर वर्णन करने लगा। मातादीन मशीन की तरह शुरू हो गया और यह उसे खुद को भी लगने लगा था। ऐसा हमेशा से होता रहा है। मातादीन की कथाएँ एक योद्धा के कारनामों की तरह शुरूआत लेती हैं। फिर अन्त में योद्धा अपने आकार में जीवित नहीं रह पाता। हनुमान बदलते-बदलते मातादीन हो जाते हैं।

मातादीन चुप हो गया है, लड़कियों को देख रहा है। यह जानता है कि ग्लानि का छोटा-सा भी छोर लड़कियों को न छू पाएगा। स्वयं मातादीन में, लहर की तरह वह गुम हो जाती है। लड़कियाँ सिर्फ आतंकित हैं और डरी हुई आँखों से परख रही हैं। मातादीन हँसा। आघात को बदलने वाली हँसी। ईरा के सिर पर चंपी-सी करता हुआ कहने लगा, "यह सब तुम लोगों के लिए ही करना पड़ता है। नहीं तो, साले को...चारों तरफ बदमाशों का राज हो जाए। खराब लोगों को मारपीट से ही ठीक किया जा सकता है।"

"अच्छा, आप मारते हैं तो आपको कोई डाँटता नहीं है?" (ईरा)

मातादीन मुस्कराया। लापरवाह होकर बोला, "हमको कौन क्या कहेगा? सब नियम-विधान के अनुसार करते हैं।"

"आपको यह कमीज़ सरकार से मिली है?" (ईरा)

"हाँ!"

"ये डंडा?" (मीरा)

"ये भी।"

"ये टोपी?" (ईरा)

"ये भी।"

मातादीन ने टोपी को झटकारा और फिर मीरा के सिर पर रख दी। टोपी से उसकी आँखें तक ढक गयीं। मातादीन हँसा। खिलखिलाहट की हद तक। मीरा इस

सम्मान से चहकी। फिर टोपी उतार दी, "बास करती है! आप इसे धोते नहीं।"

"धोते तो हैं, ससुरी दिन-भर सिर पर चढ़ी रहती है! मैली तो होना ही है।"

मीरा जेब के ढक्कन से खेलने लगी। सीटी निकालकर देखने लगी। ईरा डंडे को पेटी के अन्दर घुसाने का प्रयत्न करने लगी। मातादीन बेहद प्रसन्न था। चुपचाप बच्चों की हरकतों का मज़ा लेता रहा। उसे ऐसा लगा कि वह एक पहाड़ है, जिस पर बच्चे मस्ती से दौड़-धूप कर रहे हैं।

मन भर जाने पर ईरा और मीरा पुलिया पर मातादीन के पास बैठ गयीं। लड़के मगन हैं। कुछ लड़के कपड़ा ताने हुए हैं और कुछ, कपड़े में मछली फँस रही हैं या नहीं, इसकी फिक्र कर रहे हैं। गंजी में काफी मछलियाँ इकट्ठी हो गयी हैं। एक छोटा लड़का भुनगों के घेराव से परेशान होता मछलियों की गिनती कर रहा है। ईरा-मीरा देखतीं और लगातार परेशान होती जाती हैं। आखिर मीरा ने ही कहा, "हमारे पास भी मछली होती तो अच्छा रहता! बोतल में रखकर खिलाते।"

दोनों सहमत थीं, किन्तु मछली नहीं थी।

मीरा ने लड़के से कहा, "ऐ, एक ठो मछली हमको भी दो नू!"

"मुफ्त में आती है क्या, जो तुमको दे दें?"

"अच्छा, कित्ते में दोगे?" (ईरा)

"हे-हे! खरीदना है तो बाज़ार जाओ। नहीं है हमारे पास मच्छी-उच्छी बेचने के लिए।" लड़के ने फटकार दिया। ईरा और मीरा रुआँसी हो गयीं।

मातादीन चुपचाप देख रहा था। नहीं...खरीदो। खरीदो। तुम्हारे बाप का राज है। हर चीज़ खरीद सकती हो। मच्छी क्या चीज़ है। मातादीन मन ही मन आनन्दित हुआ।

फिर भी ज़िम्मेदारी महसूस करके मीठी झिड़की देते हुए कह पड़ा, "क्यों रे, एक ठो दे देगा तो कौन कंगाल हो जाएगा। पैसा लेना हो तो ले लेना।"

लड़के को मातादीन की बात जँची नहीं।

"हमें नहीं देना तो फिर ज़ोर-जबरदस्ती काहे की। हम पकड़ते हैं। हमारी चीज़ है। और ये मुंशी जी भी अजीब हैं। सब साले बड़ों के पैर धोते हैं।"

"लो मुंशी जी, अब तुम भी बोलने लगे उस तरफ से! का लोगे उनसे?"

ईरा-मीरा मातादीन को अपनी तरफ समझकर निश्चिंत हुई। ईरा ने कहा, "सिपाही जी, आप हमको एक ठो मछली दिला दो। आप इतने बड़े-बड़े चोर पकड़ते हैं और इनसे कुछ भी नहीं कहते।"

मातादीन कसाव में आ गया। ये लड़के साले, चोर-चमार बड़े मुँह लग रहे हैं। औकात क्या है इनकी। साले, मुझसे मुँहजोरी करते हैं। डंडे मार-मारकर

चूतड़ सुजा दूँगा। हद है! कमीन की औलाद, भले घर के बच्चों से तू-तू कर रहे हैं! "सुन बे, एक ठो सबसे अच्छी वाली मछली ले के आ, नहीं तो मार-मारकर बकरा बना दूँगा।"

लड़के ने अचरज से देखा।

मुंशी जी राचमुच ही कह रहे हैं। काहे न बोलेंगे! "काहे दें हम? पकड़ी तो हमने है।"

"देख बे, जादा बक-बक मत कर! तू ले के आ रहा है या मैं आऊँ?"

लड़का और तन गया।

तेज़ होकर बोला, "आओ।"

मातादीन डंडा लेकर ढलान पर उतरने लगा। ईरा-मीरा उत्सुक होकर देख रही थीं। छोटे लड़के भाग खड़े हुए थे। जवाब देने वाला लड़का अविचल खड़ा था। मातादीन जैसे ही पास पहुँचा, लड़के ने गंजी को लात मार दी। बुलबुलों के साथ गंजी पानी में बैठ गयी। मरी हुई मछलियाँ पानी के बहाव में बल खाती हुई गुम हो गईं।

मातादीन ने डंडा कसकर पकड़ लिया और लड़के को चिपकाना शुरू किया। "ले! ले! सूअर के बच्चे! और ले।"

"अरे बाप रे, मुंशी जी, गाली मत दो!"

"हाँ-हाँ, अभी क्या है। और ले।"

"माड्डाला रे!"

"और मारेगा चोरी से मच्छी, ऊपर से भले घर के बच्चों से तेहा!"

हूँ हुँ-ऊँऊँ!

ईरा-मीरा ने भयभीत होकर दौड़ लगा दी। लड़का कभी सिर पर, कभी कमर पर, दोनों हाथों से बचाव कर रहा था।

मातादीन आखिरकार थक गया।

लड़के को एक तरफ ढकेलकर ढलान पर चढ़ने लगा।

मातादीन ने अंदाज़ लगाया कि ड्यूटी ऑफ हो गयी होगी। हलका सलेटी अँधेरा पड़ने लगा था। नीचे बड़े पत्थर पर बैठ लड़का हिचकी ले-लेकर रो रहा था।

मातादीन जब सड़क पर आया तो उसे लगा कि रोना एकदम बन्द हो गया है। मातादीन की इच्छा हुई कि देखे, लड़का बैठा है या उठकर चला गया है। हरामज़ादा...। फिर टाल गया।

मातादीन ने बाहर निकल आई कमीज़ को खोंसा और सधे कदमों से सड़क के बीचोंबीच चलने लगा।

नया सबक

गाएँ हड़बड़ाती भाग रही हैं। उनसे बची हुई जगह में बछड़े उछल रहे हैं। सड़क पर वे दौड़ रही हैं। अनिष्ट की दुर्गंध से सिहर रही हैं। जो सयानी बनने की कोशिश में सड़क छोड़ मैदान में भागना शुरू करती है, तभी डंडा पड़ता है। चटाक्। रोयेंदार त्वचा से तनिक रेशे झर जाते हैं। डकरती हुई गाय फिर सड़क पर आ जाती है। आँखों के सफेद कोए फैल जाते हैं। सड़क के दोनों ओर मोटे डंडे लिए खाकी वर्दी में कर्मचारी दौड़ रहे हैं। साँस, बीड़ी और गालियों से ताजा दम होती है। गायों के पीछे रिक्शा है। हरी जाली से घिरा। बूढ़े और विकराल कुत्ते एक दूसरे से सटे बाहर देख रहे हैं। खाज से बेहाल कुतियों के भरे थन घंटी की तरह डोल रहे हैं। रिक्शा तेजी से जुलूस में चल रहा है।

सुबह की नरम धूप धीरे-धीरे धूल से गाढ़ी होने लगती है। कुंद। जीप ऊँची आवाज़ करके ठहर जाती है। पालिका निरीक्षक कूदकर सड़क किनारे लगी सफील पर खड़ा हो जाता है। कमर पर योग का गुर आजमाकर टेढ़ापन लाता है, जीप में बैठे अधिकारी को देखने की यही आसान विधि है। अधिकारी नया प्रशासक है और चयन के बाद सीधे आ गया है। जल्दी उठने के कारण बची हुई नींद अभी भी पलकों पर जमा है। बदन पर अरारोट का कड़क पुट देता हुआ ताँबई मूँछों को थपथपाता है। पुराना प्रशासक होता तो वह भी उतर पड़ता और ठीक उसी जगह थूकता जहाँ निरीक्षक थूक रहा है।

निरीक्षक मैदान में बिल्ली की लचक से चलने लगा। मैदान के बड़े हिस्से पर लौहपीटों की स्याह बैलगाड़ियाँ फैली हैं। पालनों सी। बूढ़े चिलम पी रहे हैं। औरतें लोहे के घन ऊपर उठातीं तो लगता मानो हर बार आकाश से नया घन लाती हैं। ताकत से लबालब। हिलोर लेते वक्ष झट गुम हो जाते। टन् से आवाज़ फूटती। घन लोहे की कील को थोड़ा और तीखा करते। बेडौल लाल दहकती सुम्बी। उनके मर्द उकड़ूँ बैठे सुम्बी पलटते रहते। मैदान का किनारा मनोकामना मन्दिर पर रुक जाता। सेंदुर की मोटी तह से बड़ी-बड़ी आँखें विस्फारित होकर मैदान

देखतीं। मन्दिर के परकोटे पर लोग आन्तरिक शक्ति का नाप-जोख कर रहे हैं। यहीं इसी से लगे टुकड़े पर मूर्तियाँ बिखरी पड़ी हैं। अधबनीं। बेरंग। कुछ टूटी।

मगन पहले सलेटी कबूतरों का जोड़ा बनाता था। ताखे में रख दो तो धोखा खा जाओ। बस गुटरगूँ नहीं होता था। मगन का शरीर फूली उभरी नसों के कारण अनगढ़ लगता था। उखड़े पीपल की तमाम जड़ें। कबूतरों के चिकने-चिकने पंख मगन बनाता। लोगों की पसन्द कबूतरों से फिर गयी। अब मगन स्वागत में झुके सिर और हाथ जोड़े औरत की मूर्ति बनाता है। न्यायदेवी की एकदम सफेद मूर्ति बनाता है। देवी हाथ में तुला उठाए रहती हैं। तुला हिलती रहती। न्यायदेवी सन्तोषपूर्वक सीधे देखतीं। लोग तुला की हलचल देखते। मगन फिर काली पट्टी से आँखें ढक देता। कबूतर, असली दिखते फल और दवात नहीं बनाता। निरीक्षक को आता देख मगन उठ गया। प्लास्टर ऑफ पेरिस से सने हाथ मूर्ति का हिस्सा लगते। सफेद दस्ताने। मगन ने हँसकर जेब से पाँच रुपये का नोट निकाल लिया। 'नमस्ते जैन साहब, ये गायें सुबह-सुबह कहाँ हाँके ले जा रहे हैं।'

मगन जानता है कि सीधे नोट टिकाने पर जैन साहब बुरा मानते हैं। बातचीत का परदा करता। मगन धीरे-धीरे यह काम सफाई से करने लगा। जैन पास आ गया। गाय या कुत्ते की बात नहीं की। सूखी आवाज़ में बोला, क्यों बे ये तूने दुकान क्या लगा रखी है?

मगन स्तब्ध रह गया। चकमक पत्थर खूब खेले हैं। नोट अधर में लटक गया। रोज की तरह जैन के हँसते मसूढ़े गायब थे।

''जैन साब!''

''जैन साब, जैन साब क्या लगा रखा है। दुकान की परमीशन है तेरे पास?'

'साब वो क्या है कि...''

''मारूँगा लात साले तो एको न बचेंगी। कहाँ है तेरी रसीद?''

''वो....''

डूबती कंकड़ी को मगन खोजने लगा। बहुत बड़े मैदान में जैसे केवल जैन ही हो। बाँस की पत्तियों में सरसराता। जैन का चेहरा माहुर से रँग गया। कोमल गाल काँपने लगे।

''साब, आज तो आप! मतलब ये पाँच...''

मगन पाँच के अलावा कुछ सोच नहीं पाया। भूलभुलैया में भटकने के डर से सीधे रुपयों की बात की।

जैन की आवाज़ गुस्से में सन गयी। हर समय झगड़ा करने की आदत नहीं थी। घर में बच्चों से तुतलाकर बोल लेता था। रुँधे गले से गालियाँ बड़ी मुश्किल से

निकल रही थीं। जैन को लगा वह ढंग से वजनी गाली भी नहीं उठा सकता। झपाटे में उसने मगन की कमीज़ का एक हिस्सा दबोच लिया। मुसी हुई कमीज़ के टुकड़े से छिटककर मगन जमीन पर लद् से गिर पड़ा। जैन की गुलाबी हथेली में पुराना टुकड़ा चूहे सा हिलता था। जैन ने घृणा से ताकत लगाकर फेंका और मगन को बालों से पकड़ा। कड़वे तेल से हथेलियाँ गँधा गईं। मगन हारे बकरे सा उठा। जैन ने कोमल जगह तलाश की। वह जानता है उसकी हथेलियाँ कोमल हैं। मगन कहीं से भी कोमल नहीं। सब तरफ हड्डियाँ ही हड्डियाँ। जैन ने नाक के पास घूँसा मारा। बस आलू का छिलका उतर गया। खून की पतली धार गाल से बहकर गर्दन पर जाने लगी। जैन की उँगलियाँ कल्ला गयीं। हरे पन्ने का नग जैसे लौकने लगा। खून की धार हाथों में मसल मगन ने महसूस किया कि धरती की चिपकाने की ताकत छूट रही है। जैन ने बिना रुके चूतड़ों पर लाते जमायीं। मगन उठा नहीं। जमीन पर लेट गया। घूँसों और लातों की मेहनत से जैन की गालियाँ का रेला खुल गया।

लौहपीटों की औरतें घन बरसा रही थीं। मर्द सुम्बी पलट रहे थे। लाल और गर्म। पान की दुकान पर कालर ऊँचा करके नवयुवक रूमाल बाँध रहा था। दूल्हे की घोड़ी दौड़ाता घुड़सवार चला गया। रुन् झुन रुन् झुन। छन् छनान छन्। सरकारी दुकान पर बड़ी छुरी से मुर्ग के टुकड़े कट रहे थे। मुर्ग मरा था।

जैन थक गया। मगन भी हिला-डुला नहीं। जैन साँड़ की मस्ती में धीमे-धीमे लौट पड़ा। जीप में नये प्रशासक ने जैन के लिए काफी जगह बनायी। चोरी-चोरी उसने जैन के हाथ देखे। फूल की तरह रँगे थे। जासौन?

जैन ने हँसकर कहा, 'सर, आज काफी गाय-बैल पकड़ लिए।'

''हाँ। हमें अभी बहुत काम करना है।''

''जी सर।''

''कुत्तों को अधिक से अधिक जहर दें।''

''हाँ।''

''जैन! आम नागरिक को तकलीफ न हो यह देखना है।'

'जी सर। किसी का बगीचा अब चरा नहीं जाएगा। अब आप आ गए हैं न सर!''

प्रशासक ने 'हुँक्' सा कहा और चाय की माँग की। चोरी-चोरी जैन के हाथ देखे। जैन ने जाँघों के बीच हाथ छुपा लिए।

मगन जीप के जाते ही चट से उठ खड़ा हुआ। इससे शरीर और दुखा। इस फुर्ती

से उसे लगा जैसे कोई मामला सुलट गया हो। मगर हड्डियों पर चढ़ा थोड़ा बहुत माँस, इस बात से अलग, सुलग रहा था। चारों तरफ बेरोकटोक काम चल रहा था। मगन ने सबको देखा। वे हँस नहीं रहे थे। उन्होंने मगन को न देखा, न इशारा किया। मगन डगमग करता मंदिर के परकोटे पर बैठ गया। ओ हो! तो ये है दुनिया। हरामजादी। मजे से अपना काम करता हूँ तो करने नहीं देती। किसी का क्या बिगाड़ा है? कल से चोरी करूँ तो हाथ मिलाएँगे। जैन साले को देखो, रोज पैसे देता हूँ। हँसकर बात भी करता है। आज ऐसे बन गया जैसे जानता ही नहीं। हठात् मगन हिचकी लेकर रोने लगा। बेआवाज। सचमुच उसे नहीं मालूम वह क्यों रो रहा है। शरीर दुखता नहीं।

एक बूढ़ा जो शौकिया पंडितगीरी करता है, आसन खिसकाकर मगन के निकट आ गया। 'बहुत लगी है भाई!'

वह शब्दों को घी में लपेटकर बोलता था। दोपहर बच्चों को चीखकर पढ़ाते बीतती। मगन बोला नहीं। मैदान में बहुत नहीं है। मगन अकेला है। यह पंडित भी नहीं।

''हद है। देखिए मारा। अरे। ये काम तो पुलिस का है। है न! वो करती तो ठीक था। है न्!'' पंडित बोला।

मगन सिसकियाँ लेता रहा।

बूढ़े को समझ नहीं आया क्या बोले। वह जानना चाहता है, कितना पिटा। कितनी चोट। उस समय वह मन्त्रोच्चार में लीन था। उसने फिर शब्दों को डुबाकर पूछा, ''क्यों, दरद है?''

''पंडित जी, काम का समय हो गया। कितना दिन चढ़ गया।''

मगन उठ गया। फटी कमीज़ उतारकर वह शरीर रगड़ने लगा। सालों को पड़ेगी तब पता चलेगा। दरद क्या होता है। खैर, ठीक है। पानी पीकर छाती पर छींटे मारे। हाथ-पैरों को फैलाया। ऊँह! सब बड़ी-बड़ी बातें करते हैं। अपना कोई नहीं। बताओ कौन है? किस पे भरोसा करें। वह साँचों से अनगढ़ मूर्तियाँ निकालने लगा। साँचा खोलो तो लगता है, देवी आँखें मूँदे सो रही है। सोओ। और क्या। हल्की सौंधी गन्ध नाक में भर जाती। मगन मूर्ति की दरारों को साँटता। लुग्दी मुट्ठी में दबाव पाकर उँगलियों की सन्ध से केंचुए की तरह निकलती। बहुत केंचुए निकाले। बार-बार करते हुए यह खेल नहीं था। मुट्ठियाँ थीं। ताकत। सटाक् से केंचुए। लुग्दी का कचूमर निकालते हुए मगन उसके करीब पहुँच गया। पहली बार उसे लग यही सब उसके अपने हैं। बस। मगन लुग्दी की गोलियाँ बनाने लगा। मगन लुग्दी से चेहरे की सुन्दरता गढ़ता था।

सफेद रंग करता। हाथ में लोह की तुला लगाता। रोज के इस काम में आज मगन ने बहुत देर की। नहीं, उसके बदन के बारे में सोचने की जरूरत नहीं है। मगन भी भूल गया। चूल्हे में ठुँसी लकड़ियों का धुआँ उसके शरीर में रेंग रहा था। सब के सब पत्थर हैं। किसी को दिखता नहीं। क्यों? है न बाई! और तुम भी। कैसी हँस रही हो। ये लहँगा-साड़ी उतार ले कोई तब हँसना। क्या? मगन धीमे स्वर में बतियाता। उसने तबियत से मूर्ति को गढ़ा। सफेद रंग किया। फिर मूर्तियों के सूखने की प्रतीक्षा करने लगा। मूर्तियाँ तभी अच्छी लगती हैं जब देह से पानी की परत लुप्त हो जाए।

मगन की बाँहों में दो मूर्तियाँ थीं। न्यायदेवी की बेदाग मूर्तियाँ। सफेद। आँखों पर बँधी काली पट्टी से वे अप्रतिम लगतीं। मगन की बाँहों में लगता जैसे हज़ार सालों से सो रही हैं। केवल तुला का मँजीरा बजता। मगन अपने पसीने से उन्हें बचाता। वे झट पसीना सोख लेतीं और पीली पड़ जातीं। मगन उन्हें लिए-लिए घूमने लगा। मूर्तियाँ लेकर वह एकदम बाजार नहीं जाता। सब्जी मंडी और किराना भंडारों से बचता। वहाँ ग्राहक उनकी ओर देखते तक नहीं। दोपहर एम्पोरियम, आइसक्रीम दुकान और चमकदार कार्यालयों के आसपास बीती। मगन यहीं आकर बैठ गया। जमीन साफ की और दोनों मूर्तियों को जमा दिया। उसने ध्यान से देखा, बिल्कुल जुड़वाँ बहिनें लगती हैं। कितनी सारी बहिनें बना दीं उसने। कहाँ-कहाँ वे न्याय तौलती होंगी। वह खुली हँसी में बोला, "काहे! अपना तराजू हवा में हिलाती रहोगी। कुछ और काम नहीं है! भूख नहीं लगी तुमको!"

"खा लो! खा लो। रोटी है। बैंगन है।"

"क्या बैंगन अच्छे नहीं लगते? कलिया खाओगी?"

"अच्छा बहन जी, तुम न खाओ। अपने खाते हैं।"

"देखो बाई, तुम तो हो सबकी। एँ! बहन। और क्या। पर बिक गयी तो लोग कहेंगे भूखी आई। मान लो।"

"ठीक है। तुम अपना काम करो। अपन अपना करते हैं।"

उसकी बातचीत टूट गयी। तीन-चार साहब लोग खड़े थे। वह तनिक झेंपा फिर रोटी छुपाने लगा।

"क्यों, ये औरत कितने की दी।"

"साब, ये न्याय की देवी हैं।"

"हाँ-हाँ बे। कितने की है ये देवी जी।"

"शर्मा जी, तै कर लो, येई ठीक है। पिछली बार साहब की बिदाई में कचरा कर दिया था। इनको ये दो। ठीक है।"

"गुप्ता जी, साहब शिकायत पर आफिस अटैच हो रहे हैं तो क्या। तब भी अपने साहब बने रहेंगे।"

"शर्मा जी, तै कर लो। अच्छी है। दाम ठीक लगाओ।"

मगन समझ गया खरीदेंगे जरूर। उत्साहित होकर बोला, "ले जाइए साहब। आजकल खूब बिक रही हैं। आफिस में रखिए। दुकान में रखिए। घर में रखिए। खूब बिक रही है साहब।"

"ठीक है।"

"आज तो साहब, ये दो बनाईं। ले जाइए।"

"शर्मा जी, तै कर लो। ठीक है।"

"अच्छा, एक लेते है अभी। इसके साथ कुछ और लेना होगा। सुनो बाद में तीन चार और लाना। गुप्ता जी, क्या यार फंड में चाय-पान कुछ नहीं। जर्दे का पान ही सही।'

एक मूर्ति बच गयी। मगन उठ गया। अकेली मूर्ति की चुप्पी मगन को अच्छी नहीं लगती। वह जल्दी बेचकर लौटना चाहता है। अक्सर न बिकने पर वह अधबनी मूर्ति के पास रख देता है शायद रात को आपस में बतियाती हों। "जल्दी सोना बाइयो," वह हमेशा कहता, 'कल काम पर जल्दी जाना है।"

शाम से पहले दिन डूबने के पहले वह लम्बे-चौड़े बगीचों से घिरे घरों की ओर जाता है। पानी से तरबतर बगीचे से सोंधी खुशबू ज़्यादा उठती। मगन लम्बी साँसें लेता। मगन थकी आवाज़ में साफ-साफ चिल्लाता। आलू-प्याज वाला होता तो पिपहरी-सा बोलता।

लोहे के गेट पर झूलती लड़की मगन को बुलाती है। लोहे का गेट आहिस्ते से खोलकर, वह लड़की के पीछे चलता है। मूर्ति को वह मजबूती से पकड़ता है। यकायक लड़की ट्रेन का इंजिन बन जाती है। मगन हिचकिचाहट में डिब्बे-सा घिसटता है। मगन को लगता है बहुत दूर स्टेशन पर जाकर गाड़ी रुके। किन्तु लड़की रुक जाती है। वह हर बार गरदन मोड़कर सिर ऊपर उठाती है। दाँत, बटुए से सिक्के की तरह झाँकने लगते हैं। सिर झुकता है तो सिक्के गायब। लड़की दरवाज़े पर बैठ अपने पापा को आवाज़ देती है। मगन को दरवाज़े से एक अनजानी दुनिया दिखती हैं चमकीले रंग, रोशनी, आवाज़। शुरू के दिनों में मगन हर चीज़ को खूब ध्यान से देखता था। परन्तु उसका कोई मतलब न था। वह भूल जाता क्या देखा। बस याद रहती चमक। वह दरवाजे से हटकर खड़ा हो गया। न देखने के लिए नहीं। दरवाजे के ठीक सामने रहो तो शक सबसे पहले निकलकर आता। कहीं बेचने के बहाने चोर तो नहीं। बन्द होते दरवाज़े,

आदमियों की आड़। मगन अपने लिए अब सुविधाजनक जगह चुन लेता है।

पापा निकलकर आते हैं। किसी नयी मुसीबत का सामना करने। वह पापा के कमर में हाथों का घेरा बनाकर आदेश देती है, इसको जरूर ले लीजिए।

''ये बेटा, न्यायदेवी है। अभी रहने दो बाद में ले लेंगे।''

''क्यों? बाद में क्यों? अभी।''

''अभी तुम्हारे पास बहुत खिलौने हैं। बाद में।''

''नहीं पापा, ये आपके लिए। ड्राइंगरूम में रखेंगे।''

''देखो...''

''लो न। बिल्कुल अभी।''

पापा असमंजस में हैं। लड़की ध्यान बाँटना जानती है। ''अच्छा पापा, इनके आँख पर पट्टी क्यों?''

'बेटा, ये आँख बन्द करके समान भाव से सबको न्याय देती हैं। कोई छोटा नहीं। कोई बड़ा नहीं।'

पापा थोड़ा हड़बड़ा गये। उन्होंने चारों तरफ देखा। माली नहीं था। ''नहीं, जैसे तुम। और जैसे ये।''

मगन केवल ओंठ खोलकर हँसा।

''अच्छा तभी ये तराजू है। कितनी सुन्दर है। लो ना।''

पापा मोलभाव के गुर आजमाते हैं। मगन घर जाते वक्त इस खेल में कमजोर पड़ जाता है। मेहनत, महँगाई बोल नहीं पाता। वह ले लीजिए के अलावा कुछ बोल नहीं पाता।

लड़की मूर्ति को उठा लेती है। तुला की झनझनाहट से मगन को लगता है ये भी गयी। उसे लगा आज उसने बहुत बड़ा काम किया है। कोई नयी चीज। कोई नया सबक। उसे अपने हाथ खाली और हल्के लगते हैं।

''अरे धीरे उठाओ। टूट जाएगी।''

''पापा, आप मुझे दीजिए। मैं रखूँगी।''

''तुम तोड़ दोगी। मैं रखता हूँ।''

लड़की के खेल से मूर्ति निकलकर ड्राइंगरूम का इंतज़ार करने लगती है। मगन के पीछे लड़की कूदती हुई चलती है। जैसे सीढ़ियों पर चल रही हो। मूर्ति से उसका लगाव घट गया। जानती है वह उसके हाथों से दूर है।

''सुनो भैया तुमने बहुत अच्छी बनाई। खूब प्यारी। शेक हैंड करो।'' मगन अपने दोनों हाथ बढ़ा देता है। लड़की हँसती है। दो नहीं एक। हँसी अनजान नहीं लगती। कोमल हाथों की गुदगुदी अनजान नहीं लगती। भीगी आवाज़ में झूठ

बोलता है, मुन्नी कल तुम्हारे लिए चिड़िया लाएँगे। कबूतर। एकदम असली।''

''सच!''

''तुम्हारा नाम क्या है।''

''नोनी।''

निस्संकोच उसके गाल पर चुटकी काटकर प्यार करता है। मगन को लगता है वह किसी से नहीं डरता।

मगन टाटा कहना सीखता है। मगन मुड़-मुड़कर देखता है।

दोनों ओर के घने पेड़ों का अँधेरा सड़क पर गिरता है। मगन जाते हुए रुपये निकालता है। गिनता है। बहुत देर हाथों में मुड़े-तुड़े रुपयों को सीधा कर गिनता है। जेब में रख लेता है। सूनी निस्पंद सड़क। वह ठिठककर फिर रुकता है। जेब से रुपए निकाल कर पाँच का नोट अलग करता है। उसे दूसरी जेब में रख लेता है। इसके बाद बूढ़े की तरह झुककर सड़क के एक किनारे धीरे-धीरे चलने लगता है।

नोनी मूर्ति को अच्छी जगह देने के लिए ड्राइंगरूम में इधर से उधर फिर रही है। टी.वी., स्टीरियो और किताबों के बीच उसे जगह मिल जाती है। बहुत सारी रोशनी में तुला चमकदार उपग्रह की तरह तैरती है। ऊपर से नीचे।

''पापा, बहुत प्यारी है न!''

''हाँ बेटा।''

''पापा, खूब सफेद है न! इसकी रिबन निकाल दो। मुँह अच्छा लगता है।'

पापा पीछे से काली रिबन खोल देते हैं। अकस्मात् उन्हें लगता है वे ठगे गए हैं।

बेहद कुरूप चेहरा हो गया है। वीभत्स। यहाँ कोटर नहीं है। बोलती आँखें नहीं है। सपाट सफेद पट्टी पर गुबरैले कीड़ों के दो लोंदे। असंख्या छिद्रों पर उसके पैरों के निशान। तुला धीरे-धीरे नीचे झूलती है।

मगन बहुत दूर चला गया है।

पर्व

ढेला लम्बी पीली उँगलियों के बीच भुरभुरा गया। सूखे आटे की तरह मट्‌टी झरने लगी। सिया ने चुन-चुनकर एक के बाद एक ढेला उठाया। फिसलती हुई मट्‌टी हल्की-सी गुद्‌गुदी करती जाती। हरे दोनों को पूर सिया ने हथेली से जमीन को सहलाया और बचे-खुचे टुकड़ों को उठाने लगी। काली मट्‌टी बहुत महँगी आती है। आठ आने बेकार ही चले गए। बताओ भला। सिया हथेलियाँ झाड़कर खड़ी हुई। हुँक् की आवाज़ करते। पहले चट से खड़ी हो जाती थी। निःशब्द। अब रोकने की इच्छा होते हुए भी आवाज़ थमती नहीं। सिया इस करुण हुँक् से दुःखी हो जाती है। कभी-कभी घबरा जाती है। फँसा-फँसा बीमारी का बोल पसलियों से होते हुए ऊपर आ रहा हो। सिया दाबकर खड़ी होती है, उतनी ही चतुराई से पतला धारदार बोल उठ आता है। हुँक्।

सिया उठकर बल्ब जलाती। तभी दूसरे कमरे के छोर पर, खिड़की के छोटे हिस्से से बाहर का नज़ारा दिखता हैं वह मन्त्रमुग्ध दूसरे कमरे में आ गयी। बाहर झूँसी पड़ रही थी। रेशा-रेशा पानी। सारी चीज़ों पर मानो झिल्ली चढ़ा दी गयी हो। बस मैदान दूब-घास से चमक रहा था। पानी दूब में कहाँ समा जाता पता ही नहीं चलता। हरे स्याही-सोख की तरह दूब बेपरवाह फैली थी। जिसके किनारे से बच्चों का छोटा-सा झुंड निकला। आठ-दस बच्चे। मूक वर्षा में भीगते बच्चे लोहे की सरिया से गुप्पी खेल रहे थे। जमीन पर एक कतार में निशान खुद रहे थे। निशान किसी अनचीन्हे पशु के गुजर जाने का आभास देते। नख नहीं दिखते। बच्चे गिनते जा रहे थे। सरिया जमीन में गुपकर तनिक देर तक थर्राता रहता। बच्चे जल्दी निकाल लेते और लम्बे-लम्बे डग भरने की कोशिश करते। झुंड के आखीर में लड़की थी। उसका नम्बर अभी नहीं आया। वह सिर से टपकते पानी की बूँद जीभ पर लोकती, पीछे-पीछे, खुदे निशानों पर सधे कदम रखते बहुत देर से चल रही थी। वे बहुत जल्दी निकल गये। बच्चों का हल्ला भी चला गया। शहर के इस सुनसान कोने में हरा स्याही-सोख धीरे-धीरे फूल रहा था। चुपचाप बारिश का कोई मतलब भी नहीं था।

सिया लौटकर आयी। डरते हुए एक काँपती हुई उँगली के सहारे उसने रोशनी की। दीवारें पानी से तरबतर थीं। करेण्ट के डर से पहले सिया लकड़ी का गुट्टा खोजने में काफी समय लगा देती थी। बाद में सिया को लगा कि एक उँगली से कुछ होता-जाता नहीं। कभी करेण्ट लगा नहीं। सिया पीपे से दो मुट्ठी गेहूँ निकाल ठंडे फर्श पर बैठ गयी। 'रोशनी के बाद समय का पता ही नहीं चलता। दोपहर है कि रात है।' फिर एक पुराना गाना। दोनों में मट्टी को अपनी पतली पीली उँगलियों से टटोल-टटोलकर सिया गेहूँ-बीज डालने लगी। मट्टी से अच्छी तरह से तोपकर उसने लोटा उठाया। पानी नहीं था। सिया हँसी। 'बाहर इतना कीचड़ है और देखो तो भला दोने की माटी सूखी पड़ी है। कैसी लीला है।' सिया ने हथेली पर लोटे को तौला। झुलाया। जैसे तौलने से वह अपने आप भर जाएगा। आदतन बैठे-बैठे बत्तक की चाल से वह मटके के पास पहुँच गयी। वैसे ही लौटी। पोंछा लगाते रहने से घुटने अब विनम्र हो गये हैं। सिया लोटे से पानी निकाल, अंजुली से, बाहर की नकल करने लगी। सूखी काली मट्टी के दाने पानी पाकर हल्के-हलके उफने। सिया को मट्टी की फुसफुसाहट और सौंधी खुशबू ने झुमा दिया। उसने चोरी से, नेवले की तरह चारों तरफ देखा। अल्मारियों समेत चार पानी की दीवारें देख रही हैं। सिया ने अब-तब घुल जाने वाले नन्हें डले को झट् से निकाल मुँह में भर लिया। हल्का नमकीन। इसके बाद दो-चार गेहूँ के दाने। वह मुँह चलाते हुए छूटे गाने में से ढूँढ़, साजन-साजन करने लगी।

दाने की मोटी एकरस हो गयी। सिया ने याद किया, अम्मा और क्या किया करती थीं। सूत, हल्दी, चंदन। ठीक से कुछ मालूम नहीं। ऊँह! सब चलता है। क्या फायदा, जाने दो। उठकर सिया ने टोकनी उठायी और दोनों को ढँक दिया। फिर कपड़ा ढूँढ़ा। पेटीकोट। छी! पानी छन्ने से टोकनी को अच्छी तरह लपेट सिया कमरे को घूरने लगी। चौंककर उसने बिजली बन्द कर दी। मीटर कितना तेजी से घूमता है। कमरा अँधेरे से झट भर गया। बस बाहर के कमरे से दरवाजे तक रोशनी का एक मुलायम टुकड़ा गिरता था। बुझा-बुझा। सिया ने आँखें फैलाकर देखा। कुछ नहीं। पानी की दीवार, आईना, मसाले के डिब्बे, ढँकी-छुपी टोकनी। कुछ नहीं। सिया को लगा वह दलदली काली मट्टी में कमर तक धँसी है। उसके चलते हुए जबड़े रुक गए। सिया ने हाथों को सूँघा। मट्टी की महक आ रही थी। उसे लगा हवा कहीं नहीं है और लगातार वह धँसती जा रही है। नीचे और नीचे।

सिया बदहवास दूसरे कमरे में चल आयी। उजाले में आकर लगा सुदूर से थकी आ रही है। खिड़की के बाहर चहल-पहल नहीं थी। उसने खिड़की बन्द कर

दी। बाहर को खुलने वाले दरवाजे की सिटकनी देखी। पहले से बन्द थी। सिया अखबार से ढूँढ़-ढूँढ़कर डरने वाली खबरें पढ़ती है और सिटकनी छूकर कई बार देख लेती है। जंग खाई सिटकनी मेहनत से लगती है। तेल डालना भूल ही जाती है। अखबार में उसकी मनचाही खबरें जल्दी ही मिल जाती हैं। सिया बिस्तर पर आहिस्ता से लेट आलस और नींद का इंतज़ार करने लगी। जम्हाई लेकर उसने मुँह पर हाथ फेरा। चूड़ियों की ठंडक छुआते। सिया का हाथ बिस्तर के सिरहाने गया। सिया ने टटोलकर किताब निकाल ली। किताब रंगीन और मैग्जीन के आकार में थी। कोई शब्द नहीं, कोई कथा नहीं फिर भी सचित्र कथा। 'हाय राम! जरा भी शरम नहीं। इन्हें तो बस पढ़ने-देखने के नाम पे यही मिलता है।' सिया ने तीन-चार मोटे पन्ने यूँ ही पलट दिये फिर बिस्तर पर पाल्थी मारकर बैठ गयी। जम्हाई। सिया ने अबकी उस तन्दुरुस्त बेदाग औरत को ध्यान से देखा। जम्हाई। ये सब जानती होंगी। तभी निर्विकार है। सारी हरकतें खिलवाड़ की तरह चेहरे पर बेमतलब लिखी थीं। कारीगर की तरह बिल्कुल। धातु के चमकीले तार जैसे बालों का उफान फैला था। आँखों में नीले काले मेकअप के बावजूद आदमी की कमजोरी भाँप लेने का दम्भ छुप नहीं रहा था। बाकी तन सज्जाविहीन। जम्हाई। सिया ने औरत की टेढ़ी टाँगों के नीचे फैले विशाल क्रोशिए के काम को बारीकी से देखा। 'एक दिन इसकी डिजाइन उतारना है।' किबाड़ बन्द कर सिया ने मानो आखिरी जम्हाई ली। जम्हाई के फीते को काटते। उठकर सिया ने अखबार ढूँढ़ा। अखबार और महिलाओं के लिए छपी पत्रिका लेकर वह फिर से बिस्तर पर आ गयी। पत्रिका में चालबाज प्रेमियों, रूठे पतियों और सड़ने को आतुर अचार के लक्षण बहुत थे। शुरू-शुरू में सिया एक डायरी में इन्हें उतारा करती थी। बाद में छूट गया। मटर और पनीर और मक्खन से ज़्यादा वह लौकी-तुरई की सब्जी के कई प्रकार सीख गयी। सिया लेटकर अखबार की खबरें बोलकर पढ़ने लगी। उसने कई बार कथित, जैसा कि और हेतु का उच्चारण किया। हेतु हेतु हेतु। छी! अखबार बड़ा था इसलिए एक चौपर्त में जितना लिखा था वही पढ़ने लगी। फिल्म का कोना पढ़ते-पढ़ते वह सो जाएगी यह जानकर उसने सिटकनी की ओर एक बार देखा और अखबार ओढ़ने लगी। उसमें से सिरके जैसी स्याही की तीखी गन्ध छूट रही थी।

अब सिया को सपने अच्छे नहीं लगते। वह नींद की पहली सीढ़ी पर स्वप्न का इंतज़ार नहीं करती। वे सब बेरोकटोक आ जाते हैं। रंगीन नहीं। काले और सफेद सपने। वे सिर झुकाए रोज चले आते हैं, मुन्नी के पास। हर सपने में मुन्नी धुला हुआ तोतापरी फ्राक पहनकर ताली बजाती है। पंजों के बल फिरकनी लगाती

है। हल्के सेन्दुरी तन पर तोतापरी रंग खूब झिमिर-झिमिर करता। उसे बाउजी कन्धों पर उठाकर सरकस के कुछ करतब दिखलाते। सिया-सिया बोलते। सिया के कितने ही बिगड़े रूप हो सकते हैं वे सब बोलते। टुइंया। डुमडुम। पीन्नु। इन सब बिगड़े नामों में मुन्नी की आदतें छुपी हैं। भैया भी आता और जोरदार घूँसा मारकर दौड़ लगा लेता। बदमाश। सिया अपने सपने का वर्णन इससे भी अच्छा करना जानती है। छोटी-से-छोटी बात याद करके वह बतलाती। बताते-बताते ग[illegible] के पीले रंग पर हँसी की गहरी रेखाएँ खिंच जातीं। वह सिनेमा के तर्ज पर बखान करती। बाद में सिया ने जान लिया कि रमेश, सिनेमा के रद्दी गाने के बीच उठने की आदत यहाँ भी डाल चुके हैं। अकेले बोलते हुए सिया ने कई बार अपने को पकड़ा। जी कड़ा किया। पर सपने में बाऊजी अभी तक आते हैं। बिना टिकिट। एक बेरंग फुग्गा लिए।

बाउजी एक बहुत बड़े खेत में बीज डाल रहे हैं। अरे, ये तो गेहूँ है। बाउजी का चेहरा पसीने से भर गया है। आगे-आगे बाउजी चल रहे हैं। पीछे मट्टी में बीज सुगबुगा रहे हैं। और लो। भुरभुरी मट्टी को आहिस्ता से हटाते हुए अंकुर आ रहे हैं बाहर। भैया खिलखिलाकर हँसता है। 'पूरे बीज डालकर बाउजी घर जाएँगे। हँसिया लाने। पर हंसिया मैं ले आया। बाउजी खूब परेशान होंगे जिज्जी। जब तक वे आएँगे तब तक हम सारी की सारी बालियाँ काट डालेंगे।'

''एई! अकेले-अकेले तुम हँसिया मत चलाना। मेरे को भी दोगे न?'

''धत्!''

''बाउजी को बता दूँगी। तब तो हँसिया मुझे मिल जाएगा।''

''वा-वा, खूब मजा आएगा न। ऐसे।''

भैया ने नकल करी और धकिया दिया। मुन्नी लहराती हुई गिर पड़ी। मट्टी ने मुन्नी को तोप लिया। पानी-पम्प की आवाज़ आ रही थी। भक् भक्। टक्-टक्। लगातार भैया आम पेड़ के पास जाकर चिल्लाने लगा, ''मुन्नी मुन्नी। ओ सिया।'' तुम्हें चिल्लाने की पड़ी है और वहाँ चमड़ी से अंकुर फूट रहे हैं। ''बाउजी बाउजी। भैया हो। रक्षा करो।''

आवाज़ निकलती नहीं। अंकुर सपाटे से नाजुक तनों में बढ़ रहे हैं। हरे-हरे। भैया आम के पेड़ के नीचे खड़ा अभी तक चिल्ला रहा है–

''सिया जीजी। सिया जीजी!''

बाउजी पागल की तरह आते हैं।

भक् भक्। टक् टक्। भक् भक्।

''हँसिया कहाँ है? हँसिया है कहाँ?''

भैया हँसिया देता है। मूठ हँसिए से निकल गयी है।

भैया कहता है, "जीजी बिला गयी बाउजी, इसी खेत में।"

बाउजी हँसते हैं। थूकते हैं। "बालियाँ देखो कितनी मुटल्ली हुई हैं। काटो। काटो।"

वे टूट पड़ते हैं। बालियों का ढेर लगता जा रहा है। भूसे के तिनके उड़ रहे हैं। ढेर के करीब उकड़ूँ बैठा भैया सुबक रहा है।

हँसिया तेज-तेज चल रहा है।

हाय! एकदम गरदन के पास हँसिया आ जाता है।

खचाक्!

'नहीं-नहीं! बाउजी! मैं! मैं!'

भक् भक्। टक् टक्। भक् भक्।

नींद खुल जाती है।

सिया आँचल से माथा पोंछती हुई याद करती है, क्या कहा था बाउजी ने हँसते हुए? शरीर टूटी नींद की सनसनी से भर गया। कुछ याद नहीं आया। सिया ने खिड़की खोल दी। वर्षा नहीं थी। वह हड़बड़ा गयी। बाप रे! खूब समय हो गया। आते होंगे। वह कुल्ला क सब्जी छाँटने लगी।

बाहर भुट्टे की आवाज़ें लग रही थीं। सब्जी काटना रुक गया। एक मन हुआ ले लिए जाएँ। सिया को भुट्टे अच्छे लगते हैं। परन्तु असमंजस में आवाज़ का दूर चले जाना सुनती रही। उनकी रुचि तो है नहीं। जाने दो। फिर भी उसने कान लगाए कि देखें एक रुपये में कितने मिल रहे हैं। आवाज़ आई नहीं। वह सब्जी में डालने के लिए आलू काटने लगी। सिया का मन अच्छा होता है तब आलू के एक समान टुकड़े करती है। जैसे छोटी-छोटी ईंटें तैयार कर रही हो। वह एक से टुकड़े काटती हुई सोचने लगी कि बाउजी काहे पर हँस रहे थे। देखो तो कुछ दिन बाद ही राखी है। हो सकता है भैया आ जाएँ। शायद। अब लिफाफे में राखी भेजना सिया को अच्छा नहीं लगता। भैया को अंदाज़ रहता है दो दिन पहले आएगी। या गुम हो गयी होगी। गुमने की शिकायत वह कहीं करता।

सिया ने हाथ का काम छोड़ ताक पर रखी घड़ी को सीधा किया। घड़ी औंधी पड़े-पड़े चलती थी। परन्तु घड़ी बन्द थी। उसने हिलाया-डुलाया। कान के पास लाकर सुना। धड़कन बन्द थी। चाभी ऐंठते हुए बोली, 'क्या मालूम, क्या समय हुआ है। पता नहीं चलता।' घड़ी चलने लगी। सिया ने अन्दाज से समय बजाया और सोचने लगी, देखूँगी भला घड़ी से कितना पीछे हूँ। कितने घंटे! उसके गुमान का गणित काँटे की तरह चलने लगा। तभी बाहर आहट हुई। जानी-पहचानी जूतों

की घिस-घिस और दरवाजे पर थाप। हालाँकि किर्र-किर्र करने वाली बेसुरी घंटी लगी है। वह सरपट दौड़ी। दरवाज़ा खोल वह खड़ी हो गयी। पल्ले के सहारे। पहले रमेश आया फिर हवा का झोंका। रमेश टेढ़ी गरदन किए हाथ में ब्रीफकेस थामे अन्दर आया। थकान के मारे होंठ भिंचे हुए थे। और चेहरा ढीला पड़ गया था। सिया ने पल्ले खुले रहने दिये। वह रमेश से सटकर मुआयना करने लगी। बहुत काम था दफ्तर में।

''हाँ!''

''लंच खाया?''

''हाँ।''

''बहुत काम होता है न। कुछ बनाऊँ।''

काम के नाम से रमेश की गरदन कुछ और झुक गयी। उसने जूते उतारकर बदबू को आजाद किया। अकस्मात् वह फुर्ती से भर गया। ब्रीफकेस खोलकर उसने समोसे का पुड़ा निकाला। फाइल और पुड़े पर तेल के उभरे चकत्तों के बीच उठते हुए रमेश ने एक समोसा सिया के हाथ पर धर दिया।

''तुम्हारे लिए सिया।''

''अरे! में आज सोच रही थी भुट्टे ले लिए जाएँ। चलो अच्छा हुआ। समोसे तो आ गए।''

''भुट्टे भी ले लेती।''

''क्या फायदा।''

''क्यों सिया, तुम्हें तो पसन्द हैं।''

''अरे चलता है। बेकार का खर्चा होता।''

''बस, तुम्हारे साथ यही है।''

फुसफुसाकर रमेश बोला और सिया का समोसा खाना देखता रहा। वह कोई भी चीज़ लाता सबसे पहले खुद नहीं खाता। कौतुक के साथ सिया को देखता रहता। याद रखकर सिया की पसंदीदा चीज़ लाने का दर्प उसके मुँह में घुलता। आँखों में खुशी छलक जाती। रमेश जानता है कि बहुत थोड़ी-सी चीज़ें हैं, थोड़े-से गुर हैं जिनसे सुखी परिवार बनता है! 'हमेशा याद रखूँगा। हर दिन कम से कम दस मिनिट इस बात को सोचने में दूँगा। आखिर सिया की खुली हँसी ही सब कुछ है। सिया खुश रहेगी तो घर मजे से चलेगा।' रमेश ने कहा, 'सिया, तुम्हें जो पसन्द आए वो जरूर करना, हाँ। मनमानी करने की तुम्हें भी छूट मिलनी चाहिए कि नहीं?'

दोहरी आवाज़ में ढुलकते कम्प पर रमेश को शरम लगी। नये प्यार जैसा।

"मनमानी? काहे की। अपन कोई मनमानी नहीं करते। और तुम्हें भी न करने देंगे।" सिया रमेश पर झुककर बोली। समोसे के कण रमेश पर गिरने लगे।

रस्सी के धागों की तरह बातचीत ऐंठ गयी। बुनती हुई रस्सी जहाँ धागों का अता-पता नहीं लगता।

"सिया! मेरी मनमानी को न कहो। सब भूल गए। कहो कि करते नहीं। नहीं क्या?"

"खूब जानती हूँ तुम्हें।"

इसके जवाब में सिया को मालूम है रमेश क्या कहेगा। रमेश की आँखों में ओस जमा होने लगती है और न रुकने वाली लम्बी मुस्कान। वह एक पुरानी-धुरानी कहानी सुनाता जिसमें लड़कियाँ अक्सर डोलती रहतीं। सिया एक मोड़ पर रमेश के पराक्रम से लड़कियों को ढकेल कर पूछती है, "चाय बनाऊँ?"

"पहले तुम समोसे तो खा लो। देखा! अपनी सारी मनमानियाँ भूल गया। और अब तो बस तुम्हारा ही ख्याल रखना है।"

अपनी खिंची हँसी को समेटते हुए रमेश ने कहा। वह सिया से किस मनमानी की, किस पसन्द की बात कह रहा था, भूल ही गया। त्यागमय गर्व की खुशबू से सना। सिया ने हाथों में झूलते हुए कहा, "हूँ, सब जानती हूँ!" सिया की आँखें शरारत से भारी हो गयीं—'माने आज बहुत काम है जी।'

उसे अपनी आवाज़ की लचक पर खुशी हुई।

रमेश के हाथों की सख्ती थोड़ी नरम हो गयी। खीज को बराबर करते हुए धीरे से बोला, "बस, तुम्हें तो हर चीज़ में यही दिखता है, यही। मैंने तो सोचा, कहाँ बाहर फिरोगी। ले आया।"

वह उठ गया। सिया ने कुछ कहा नहीं। अन्दर के कमरे में जाकर रमेश ने अचरज से पूछा, "इसमें क्या है?" टोकनी उठाकर देखना चाहा। "नहीं-नहीं, अभी नहीं। टोकनी मत उठाओ। कजलियाँ हैं। ऐसे बार-बार उठाते रहे तो हरी पड़ जाएँगी।"

"इतनी रोशनी ही कहाँ है। हरेपन के लिए सिया, कड़क रोशनी चाहिए।"

"छोड़ो, जैसी है वैसी रहने दो।"

"आज लगाई? अच्छा आगे देखूँगा। कितनी बड़ी पीली निकलती है।"

"बड़ी मेहनत से लगाई हैं। सुनो रमी, भैया आएगा क्या?"

रमेश स्नानघर में घुस गया। पानी के छींटे मार दफ्तर की चीमड़ पपड़ी छुटाने लगा। वह पानी उछाल-उछालकर खाँसने, छींकने और खँखारने लगा। खूब जोर-जोर से। जैसे किसी दुबले जानवर को बेरहमी से पीटा जा रहा हो। इसके

बाद शोर बन्द हो गया। रमेश लम्बी साँसें लेने लगा। धक्-धक् करते हुए पेट और इंजन की तरह आगे-पीछे चलते हुए सिर को देखकर सिया का दिल बैठने लगता है। खुली चौखट के पीछे जाँघिया पहने, पानी गिराते आदमी में ऐसा क्या है जो उसे घेरे रहता है। मन को और उसके हर दिन को।

सिया जानबूझकर अपना ध्यान हटा चाय छानने लगती है। ठीक ही तो है, उसने रात को घर्राटे बन्द करना सीखा तो आखिर रमेश ने भी तो उसकी पसन्द से मूछें उगाईं। सिया को काफी कुछ सिखाया। सावधानी से बातचीत। कायदे-करीने से काम। हर छुटपुट चीज़ में सजगता। तू एक चौकन्नी हिरनी है, रमेश लाड़ से पुरानी बात कहता।

चौकन्नी हिरनी?

भक् भक्। टक् टक्। भक्

''देखो, देखो सिया। यहाँ आओ। आठ-दस दिनों में कितनी प्यारी कजली निकल आई है।''

रमेश की आवाज़ में मजे की ताजगी थी।

हरे दोने कुम्हला गए हैं। थोड़ा कड़ापन आ गया। काली मट्टी और सीधे-सीधे सुई की तरह खड़ी कजली के जड़ों के पास फूँद की सफेद महीन जाली पड़ गयी हैं फाहे की तरह। इसी जाली में से तो पनीले सफेद तने फटे हुए हैं जो धीरे-धीरे पीली नोकों में बदल गए हैं। हरापन कहीं नहीं है। चुप खड़ी कजलियाँ। सपाट।

''जानती हूँ। मैंने ही पाला-पोसा है। रोज पानी में ही देती हूँ।''

''सिया, पीली कजली कैसी अनोखी दिखती है। पीले में खूब भव्यता होती है।''

''छी! मुझे तो नीला रंग पसन्द है। या लाल। या खूब हरा।''

''तो इसे खुला छोड़ देती।''

''लो। ऐसा भी कभी होता है रमेश! हमेशा से ऐसी ही बोई जाती है।''

''ताकि पीली निकले?''

''ये तो पर्व है और क्या। पीली कजली का रिवाज है इसलिए ऐसा होता है।''

''सिया, सारे पेड़-पौधे इस तरह बोए जाएँ तो कुछ न हो। सारे पौधे जल्दी ही सड़ जाएँ।''

''कजली भी कहाँ रहती है। किसी काम के लायक नहीं रह जाती। इसीलिए तो जल्दी तोड़ लेते हैं, रमेश।''

थिरी हुई सी सिया बोली। जैसे कजली से मतलब ही न हो। रमेश इसे

जानता है। वह सिया के पीले कोमल गले पर मोटी उँगली से अज्ञात रेखा खींचता है। मानो थिरेपन में से निकाल अपनी ओर ला रहा हो, ''इस बार भी लगता है तुम्हारा भैया नहीं आ पाएगा।'' फिर बहुत नरम पड़ कर बोला, ''सुनो क्या इस कारण से सिया तुम उदास रहती हो?'' सिवा को लगा वह सचमुच रमेश के निकट है। कपड़ों से अलग। सिवा के गले में पानी की छोटी-छोटी बूँदें जमा होने लगीं। जहाँ अज्ञात रेखा तैर रही थी। ऐसे वक्त पर उसकी बनी हुई सतर्कता छिप जाती है वह ठीक-ठीक जवाब नहीं देती। वह बात को कपड़े की तरह उलट देती हैं फिर सिया तुरपन, रफू या छूटे हुए कोर देखना चाहती है। बेसुध होकर वह बोली, ''रमेश ऐसा नहीं है। अब मैं बहुत अकेलापन महसूस करती हूँ। बहुत बड़ा दिन लगता है। दोपहर अच्छी नहीं लगती। दो-चार तरह की चीज़ें हैं बस। रोज वही। ऐसा लगता ही नहीं एमए-वैमे किया। कभी कुछ पढ़ा। भूल गए सब।''

रमेश ने हिलते ओंठों को कुछ पल देखा। हँसने लगा। बोला, ''पढ़े-लिखे का क्या है सिया। जो पढ़ी हैं वे भी तो ऐसी ही हैं। वे खाना बनाती हैं, चप्पल घसीटती नौकरी करती हैं। फिर घर आके खाना बनाती हैं। नहीं?'' सिया ने सिर झुका लिया और अनमने होकर एक-दो कजली खूँटने लगी।

''दरअसल बात यह है कि तुम भैया के न आने से दुःखी हो। चलो लाओ, मेरे कानों पर कजली चढ़ाओ।''

दोनों पर से अधखुली टोकनी उठाकर उसने इधर-उधर देखा फिर खुलकर हँसा। टोकनी उठाकर धप् से सिया के सिर पर ढाँक दी। दोनों हाथों से कुछ कजलियाँ नोच लीं। कानों पर खोंसा। दोनों ओर। फिर ताजिए के शेर की तरह उसने सिया की तरफ पंजे फैला दिए। घुटने मुड़ गये। एक कदम आगे। एक कदम पीछे। दाँत खोल दिए। लाल-लाल मसूढ़े। जिनसे अभिनय की हँसी छूट रही थी। कानों पर कजली डंडी की तरह हिल रही थी।

गला डुकरने लगा।

हाऊँ। हाऊँ। हू्। हू्। हाऊँ। हाऊँ।

कान से मुड़ी-तुड़ी कजली गिर रही थी।

उसे सिया का चेहरा दिखा नहीं। छुपा था। केवल टोकनी हिलती थी।

वह महीन तरीके से डुकरने लगा।

धूप में अंडा

शूकर विकास निगम के लोगों ने सूअरों के पौष्टिक दाने के बारे में नहीं सोचा। उनकी ज़िम्मेदारी केवल सूअरों का वज़न था। इनमें से बहुत सारे लोग अनाज विभाग से चले आए थे। वहाँ चूहों से अनाज बचाने का काम किया करते थे और सुंडी, टिड्डी तथा माहो के प्रजनन में रुचि रखते थे। फसल उपज के आँकड़े वे आखिर तक नहीं पढ़ पाये। गेहूँ से उन्होंने सीलन ली। यहाँ खाँसते हुए आ गये। यहाँ आकर वे एक-दो बार अपने पुराने विभाग में घूमने गये। आँकड़े तैयार नहीं हो पाए थे। वहाँ उनकी जगह पर बैठे लोगों ने कहा कि हम देख लेंगे, चाय पीजिए।

जब तली में जमी चाय-पत्ती दिखने लगी, तब वहाँ के लोगों ने पूछा कि और क्या खास है?

"प्रजनन का कोई काम वहाँ नहीं है। सूअर हैं।" चिन्तित होकर उन्होंने कहा। उन्हें लगा कि वे माहो के बारे में नींद में भी मज़े से बोल सकते हैं। सूअर के बारे में कुछ फुटनोट्स ही जानते थे। सुंडी, टिड्डी और माहो की छोटी-छोटी हरकतों को वे मुग्ध होकर बताने लगे। चूँकि ये भी इन कीड़ों की बदमाशियों से परिचित थे, इसलिए शूकर विकास निगम के लोगों के बाल-बच्चे समझने की भूल नहीं की। वे भी मोटी-मोटी किताबों के हवाले देने लगे। एक-दो बार किन्हीं अयंगार और स्वामीनाथन् का नाम भी आया।

इन्होंने फिर पूछा, "और क्या खास है?"

हँसकर शूकर विकास निगम के लोगों ने अनाज विभाग की अलमारियाँ खखोल डालीं। कुछ फाइलें खींचीं। "इन्हें सँभालकर रखिए। साहब लोग अकेले में इनको बहुत पढ़ते हैं।"

वे पान दबा-दबाकर हँसने लगे। फाइलें खोलीं तो आँकड़े दिख गये। सिलसिलेवार। उन्होंने कहा, "भाई साहब, मिल गए ये हैं।"

जानकारी है, जताने के लिए हँसे और बोले, 'ये तो हम भी जानते हैं। काम

के हैं। पर कभी वो आँकड़े नहीं बनेंगे, जिनकी हमेशा ज़रूरत पड़ती है। पान जादे न खाया करिए। पान खाने से खाने की आदत पड़ जाती है। दाँत खराब होते हैं।''

''तो इन फाइलों का क्या किया जाए?''

''लाल रंग का कपड़ा लाओ।''

कपड़े के अनेक टुकड़े थे। सफेद। हरा। लाल।

उन्होंने लाल गट्ठर बनाकर अलमारी के पीछे डाल दिया। वहाँ और कई लाल गट्ठर अपना रंग बदल रहे थे। फिर खुशी में चाय-पान दुहराया और लौट आये। आँकड़ों की हूक धीरे-धीरे मिट गयी। सूअरों का भारी बदन था। विकास के कारण लगने लगा कि जगह कम पड़ रही है। नयी-नयी योजनाएँ चली आती थीं। सूअरों के विकास के लिए चारों दिशाएँ ढील दी गयीं। इंग्लैंड, अमेरिका, जापान, ऑस्ट्रेलिया से सूअरों के फोटो आने लगे। नयी नस्ल को देखने के लिए प्रबन्धक लोग उतावले हो गये। नयी नस्ल में मांस खूब होता है। बार-बार वे कहते। प्रथम प्रबन्धक बारीक अध्ययन के प्रेमी थे। वे थूथन से प्रति मिनट निकलने वाली साँस का अध्ययन कर रहे थे। वे अमेरिकी पद्धति के हामी थे। पहली विदेश यात्रा, पहला पासपोर्ट और पहला हवाई जहाज़ उन्हें न्यूयॉर्क के कारण नसीब हुआ था। इसलिए वे दूसरी पद्धतियों से घृणा करते थे। देश का नाम बताने की क्या जरूरत! काफी दिन यहाँ-वहाँ हुए, लौटने पर छोटे प्रबन्धक ने गेंदे की माला पहनाई और पिपहरी की नाईं बोलने लगा, ''सर, आपका स्वास्थ्य खूब हो गया है। वहाँ की हवा पानी ने कुछ नहीं तो पन्द्रह किलो वज़न और दिया होगा। आपके मार्गदर्शन से बहुत सीखने को मिलेगा।'' फिर वह डरते हुए कहने लगा कि ''हमारे यहाँ के हर आदमी को अध्ययन का मौका मिलना चाहिए। लोग देखें कि नयी नस्ल का वजन कैसे बढ़ता है। हम देखें कि मोटे सूअर कैसे मिलें।'' इसके बाद उन्होंने प्रोजेक्टर पर अनेक सूअरों के साथ अठखेलियाँ करते हुए अपनी तस्वीरें दिखलाईं। गोदी में लिए हुए सूअरों के शिशुओं के थूथन उठे हुए थे, किन्तु वे तटस्थ दिखलाई पड़ते थे। प्रोजेक्टर पर उन्होंने अपनी पार्टियों के सनसनीखेज़ रंग भी दिखलाए। उनकी हँसी बिलकुल अलग तरह की थी और मोटी स्त्रियों के बीच वे अपनी नाक उठाए हुए थे। हाथ में विचित्र किस्म का जाम था। वे बारीकी से नयी शराब के नाम गिनाने लगे। बाद की तस्वीरों का सिलसिला गड्डमड्ड हो गया। पार्टी और सूअर फॉर्म दिखलाई पड़ते। इसलिए उन्होंने कमरे की लाइट जलाने को कहा। छोटा प्रबन्धक उत्साह के हिलोर में हिल गया। प्रोजेक्टर पर हाथ फेरते हुए सोचा, 'जीवन का स्वर्णिम अवसर आ

रहा है, जब अस्सी किलो का सूअर देखूँगा। यहाँ क्या धरा है—पचास किलो!'

इनसे कनिष्ठ श्रेणी में, वजनी सूअरों की हरकत नहीं होती थी। ये सभी कभी बाबू और कभी वैज्ञानिक होने का आभास देते थे। हवाई अड्डा दूर था। विदाई के बाद बस से आना पड़ता था। कभी-कभी बस नहीं मिलती थी। उन्हें लगता, एक शहर के आदमी को छोड़ने दूसरे शहर जाना पड़ता है। इन्हें केवल सूअरों के आगमन की प्रतीक्षा थी। आने दो। काफी दाना लगेगा। अस्सी किलो! बाप रे बाप। राजाराम और बलदेव को मिला के होएगा इतना वज़न!

अचानक शूकर विकास निगम का दफ्तर छोटा लगने लगा। अध्यक्ष जी का कमरा छोटा हो गया। सिगार के धुएँ और एयरकंडीशनर की आवाज़ से बहुत जल्द कमरा भर जाता। दफ्तर का सामान ढोया गया। नयी बस्ती थी। बाहर नक्शे बुलाकर मकान तैयार किए गए थे। उनींदी चुप्पी बस्ती पर बड़े तरीके से मढ़ी गयी थी। लोग दबे पाँव चलते थे। मुट्ठियों को काँख में दबाए। नीलगिरी, पाम और अशोक वृक्ष छनी रोशनी में जासूसी का रुतबा तैयार करते। आदमी बस्ती से गुज़र रहा हो, तो कहीं भी खड़े होकर मुत्ती नहीं कर सकता था। उतरती ही नहीं।

बस्ती का खुलापन अन्दर के कपाटों को थपथपा रहा था। छोटे प्रबन्धक से निबटकर वे मेज़ और कुर्सी के बीच अपने को डाल देते। निस्पंद। उन लोगों ने साफ-साफ साँकलों का मधुर झनझनाता संगीत सुना। जब वे झुंड में खड़े होते, तो उन्हें हैरानी होती और खुशी होती कि वे वाद्य मंडली की तरह हाथ-पैर हिलाते डूबे हैं, तल्लीन। बातचीत में शब्दों और अर्थों का सावधानी से इस्तेमाल करते। शब्द और उन सबके अर्थ मुरली की तरह बजते थे। उन्होंने मन ही मन प्रार्थना की कि इस मंडली को ज़रूर बनाए रखेंगे और कुशलता प्राप्त करेंगे। प्रार्थना में गिड़गिड़ नहीं थी।

उन्होंने तय किया कि बहुत दिनों तक सूअर के बारे में नहीं सोचेंगे। जब तक बने। सूअर को टाला नहीं जा सकता था। कई बहानों से चले आते थे। नस्तियाँ थीं। एक को दूसरे पर फेंक देते। अभी बड़ी गड़बड़ है। फिर देखेंगे। फिर। होये होये। हिप् हिप्। बस्ती ने संतरे-सा छीलकर धर दिया था। कलियाँ निकल आई थीं। वे मन ही मन आनन्दित थे। एक-दूसरे की कलियाँ छूते। उनको अचरज हुआ था। सबकी कलियाँ मौजूद हैं। पहले कहाँ थीं आखिर? दिन-भर छुआछाई करते।

सुबह का अन्तिम हिस्सा था। एकदम खिंचा। लोगों को कुलबुलाहट लगी

थी। सबेरे-सबेरे कौन काम करे। एक के बाद एक बाहर आ गये। घरों की कतार में दफ्तर भी दुबका, जैसे घर बनने की कोशिश में हो। बाहर बोर्ड लगाया जा रहा था। बोर्ड नया नहीं था। मकान के आगे काफी ज़मीन छूटी थी। मेहँदी की हद थी। वहीं पर मज़दूर गड्डा खोद रहे थे। बोर्ड ज़मीन पर औंधा था। दोनों मज़दूर लगे थे। एक गड्डा गहरा हो गया, तब कुदाली एक तरफ रख दी और हाथ डालकर गहराई देखने लगा। ताज़ा मिट्टी बालों पर चिपक गयी। दूसरा उकड़ूँ बैठा गड्डे को गोलाई दे रहा था।

बैठे-बैठे। पहले ने कहा, ''का कर रहे हो बेकार में?''

''देखो दादा, कितना गोल है। बढ़िया बना है। भोंपा घाईं!''

उसकी आवाज़ में खुशियों के कण चिपक रहे थे।

''ठीक है।''

''दादा, कहते हैं सूअर मिलेंगे यहाँ?''

''कहाँ हैं सूअर। यहाँ तो एक भी नहीं है।''

''दादा बतियाना। शायद मिल जाए अपने को एकाध।''

''अबे! कागज-पत्तर की झंझट है। फिर देने को कुछ है तेरे पास।''

''पूछने में क्या है?''

''तू काम कर। तू जहाँ जाता है, वहीं की सोचने लगता है। कभी मिला है?''

''ये तो है!'' वह हँसने लगा। उसका सुर टूटा नहीं था। 'सूअर अरे रे रे' करके एक गाना उसने निकाला। दादा भी मज़ा लेने लगा। उसे लगा, गड्डा सचमुच बढ़िया बना है। सूअर के बारे में उसने नहीं सोचा।

बड़े बाबू वहीं जाकर खड़े हो गए। उन्होंने एक ढेला उठा लिया और अँगूठे से भुरभुराने लगे। मज़दूरों ने बोर्ड सहित खम्भे को उठाया और गड्डे में उतारने लगे। बड़े बाबू दूर चले गए। वे काफी समय तक बोर्ड को निहारते रहे। फिर लौटे।

प्रकाश ने कहा, ''बड़े बाबू की चाल में डग है, सुधारते क्यों नहीं?''

सुधीर-''यही आदत है। किसी काम के बीच फँसे हैं, यह बराबर लगते रहना चाहिए।''

वे झुंड के किनारे पर खड़े हो गये।

''बड़े बाबू, बतलाइये, आखिर क्या किया जाय।''

''क्यों?''

''देखिए, क्या है कि अब इसकी आदत पड़ गयी है। कब से इसे देख रहे हैं। हवा-पानी लग के रंग उघड़ गए। मैं उधर गया था देखने। पढ़ाई कहाँ आया? मगर ठीक समझ आता है, पीछे दफ्तर है। वही दफ्तर। लोग हँसने लगे,

''बड़े बाबू हैं मज़ेदार आदमी।'' लोगों ने कहा, ''बड़े बाबू, बड़े बाबू, आप तो हैं पुराने आदमी।''

''अपने साथ बोर्ड रँगा के लाए थे, तभी ऐसा कहते हैं, हम तो नया लाएँगे!''

बड़े बाबू के होंठ ज़रा टेढ़े हो गए। किसी लापता नियम और पुरानी फाइल मिल जाने पर बनते हैं। बोले, ''रंग बदल जाते हैं, इबारत वही रहती है। मालूम है प्रकाश, फाइल का कवर बदल देने से इरादे नेक नहीं हो जाते।''

''आपको नया कुछ पसंद नहीं?''

''है। इंक्रीमेंट। चलें। बहुत काम है, आपको क्या? अन्दर अम्बार लगा है। रोज़ नया पसारा है।''

''हम लोगों ने तो फिटफैट कर लिया।''

''अच्छा है। आप लोगों का काम हो जाए तो अन्दर आइए। साहब आने को होंगे।''

''आते हैं। साहब तो बँगले पर गए होंगे। चार-ठो बकरे पहुँचाना है।''

''बकरे?''

''भाई साहब की सालगिरह है।''

''अच्छा, अच्छा। ठीक याद दिलाई। सूअरों की खरीद वाली फाइल देखना है। न जाने कहाँ है!''

बड़े बाबू गए। उनके दरवाजे के अन्दर घुसते ही दीनानाथ निकला। सबको चहल-पहल दरवाजे पर दिखी। हम सब इससे घुसेंगे। एक साथ नहीं जा सकते। एक-एक करके जाएँगे।

दीनानाथ सीढ़ी पर बैठ बीड़ी पीने लगा। जल्दी-जल्दी पीता था। धुआँ इधर-उधर फालतू न जाए। इसी में खोया था। गड्ढा पुर गया था और मजदूर पानी डालकर ठाँस रहे थे। किसी ने पूछा, ''पानी डालकर मज़बूत कर रहे हो? मज़बूती है?''

''हमारा काम है साहेब। ठीक है। पेड़ जैसा उगा है। निकलेगा नहीं।''

''हाँ। बाद में इस पर नया बोर्ड लगाएँगे। तो हिले-डुले नहीं।''

''हाँ-हाँ साहेब, ज़रूर लगाइए।''

''कितने दिन टिक जागा,'' किसी ने चालाकी से पूछा।

''जब तक आप चाहें,'' कहकर हँसा। अनुभव है या काइयाँपन, वे जान तक नहीं पाए।

''फिर भी?''

'माल पर है साहेब। लकड़ी है तो धीरे-धीरे गलेगी।''

''अरे, ठीक-ठीक बताओ यार।''

''खूब साल,'' वह हँसा, ''बुरा लगेगा, तो आप पहले ही बदल देंगे। है कि नहीं साहब।''

सबको हर्ष हुआ। ओंकार ने कहा, ''चलिए, थोड़ा टहल आएँ। समय है।''

''बस्ती देखी जाए।''

उनके मन में खुशी की रबर लचक रही थी। दरअसल आदमी को अपनी सुख-सुविधा के लिए खुद तैयार होना पड़ता है चीज़ें मिल जाती हैं। नायाब कुछ नहीं होता। धीरे से सब कर लेंगे! उन्होंने सड़क की तरफ देखा। सड़क चमकदार काली थी। वहाँ हरी-पीली घास को चीरती हुई अंडे की तरह कोई चीज़ उन्हें हिलते हुए नज़र आई। घास पर थिरकते। वे मालूम नहीं कब से इंतज़ार कर रहे थे। अंडे में थरथराहट थी। हिलडुल। अन्दर से कोई टुक्का मार रहा हो। उन्होंने थरथराहट को माँसपेशियों में पाया। इसे सहेजने में बहुत चतुराई लगेगी। बहुत ताक़त। क्या होता है।

वे चुपचाप चलने लगे। रोएँ-रोएँ के नीचे उन्होंने फुरफुरी को भागते देखा। बस्ती में बाहर कुछ ज़्यादा नहीं था। यह है ज़िन्दगी। मस्त। ठाठदार। बिलकुल यही होना चाहिए। तिवारी जी ने कहानी शुरू की, ''आपको बताता हूँ, ये सब कैसे होता है। भगवानदास जी को तो जानते हैं न? लोटा लेके चले थे। पीतल का लोटा और डोरी।''

प्रकाश ने काटकर कहा, ''साहब का घर है।''

तिवारी जी चुपा गए। सबने देखा, लॉनचेयर बगरी पड़ी हैं।

कोई था नहीं। तिवारी जी बोले, ''सुनसान है, चले चलो।''

सब तेज़ी से गुज़र गये। प्रकाश ने कहा, ''एक दिन मैंने अजीब चीज़ देखी।''

''क्या?''

''क्या?''

''काम से बुलाया था।''

सब लोग पेड़ के नीचे खड़े हो गये। खुरदुरी पींड पर एक कोंपल उगी थी। सुधीर ने नाखूनों से कुतर दिया, फिर चूसने लगा।

''साहब लॉन पर बैठे थे। माउथ ऑर्गन बजा रहे थे।''

''अरे!''

''हाँ। हाँ।''

लोग अचरज से भर गये। साहब का चेहरा मोटा था। कड़ा और लाल। भला बाजा कैसे बजा सकते हैं? उनकी आवाज़ ठोस थी और कम बोलते थे।

"साहब सचमुच बजा रहे थे?"

"हाँ। मैंने बेकार बताया। आप लोग समझते हैं, मैं झूठ बोलता हूँ।"

"नहीं। नहीं। चलिए।"

लोगों ने ज़ाहिर नहीं किया कि अचरज कर रहे हैं। प्रकाश गुस्साता बहुत है। मन ही मन इस बात से अपने को हलका किया। फटे बाँसों की बाँसुरी और टिमकी पर ठिठकते हाथों के अनुभव सहसा याद आए। कोई मौका ज़रूर निकल सकता है, जब पेपरवेट की बजाय धुनों की चर्चा हो।

"देखिए, मालूम नहीं पड़ता। साहब अच्छा बजा लेते होंगे।"

"मालूम नहीं।"

"अब तुम्हीं देखो प्रकाश। कल तुम्हीं पहुँचे हुए आदमी हो जाओगे।"

"तो क्या टिकट जमा करना बन्द कर दोगे?"

"चलिए, लौटें।"

एक उतावली थी। साहब से सबसे पहले कौन बात करता है। माउथ ऑर्गन। बैंजो। रमतुला।

सड़क किनारे रिक्शे आकर खड़े हो रहे थे। बच्चे उतर रहे थे। पहला पोंगा सुनकर माँ और आया आ गयी थीं। उन्होंने बस्ते अपने कन्धे पर डाल लिए। बच्चे गाते हुए चल रहे थे। बस्ती की चुप्पी को वे भौंरे की तरह काट रहे थे।

"ये बस्ता डाले स्कूल जाएँ तो कैसा लगे?"

"ये सब खूब-खूब पढ़ी हैं।"

"फिर भी मज़ा आएगा।"

"बच्चे गाते अच्छा हैं।"

"स्कूल की राइम है।"

"बढ़िया!"

उन्हें अच्छा लगा। निश्छल पारावार। मलाल नहीं था। वे बचपन में इस तरह क्यों नहीं गा सके?

"तुम्हें कुछ याद है?"

"अरे, कहाँ?"

"जो कोई पूरी सुना दे, उसे एक सिगरेट!"

"छोड़ो यार!"

"नहीं।"

"लो सुनो—

घंटाघर में चार घड़ी,

चारों में ज़ंजीर पड़ी।
जब-जब घंटा बजता है,
खड़ा मुसाफिर हँसता है।''

प्रकाश सुनाते-सुनाते हाँफने लगा। लगा, सिगरेट अभी चाहिए।

''मालूम है प्रकाश, कौन हँसता है?''

अकस्मात् प्रकाश खो गया। क्यों याद रह गयी बचपन की कविता? अब कौन है जो मुसाफिर की जगह आकर खड़ा हो गया है? कीमती सूट डाटे, सिगार का धुआँ उड़ाते। सब चुप चाप चलने लगे।

सीढ़ियों पर दीनानाथ अभी बैठा था। दूसरी बीड़ी चल रही थी। मज़दूरों का काम खत्म हो गया था। वे दीनानाथ के पास ज़मीन पर एड़ी के बल बैठे थे। लोगों को खयाल आया कि बोर्ड देखा जाए।

''बड़े बाबू खड़े कहाँ थे?''

''चले चलिए, जहाँ से दिखाई न दे!''

कपड़ों और कदमों की रगड़ सुनाई देने लगी। किसी ने कहा, सूअर बाड़े में घुसो, तो ऐसी ही आवाज़ होती है। रग्ग् रग्ग्। घिस्स्। घिस्स्।

''कौन है? अरे भई दफ्तर की बात तो न करो।''

''लगता है, बड़े बाबू यहीं खड़े थे। तमाम थूक पड़ा है।''

''रुक जाइए। रुक जाइए।''

पहचाना बोर्ड था। रंग उतर गया था। पढ़ना मुश्किल था।

''बदलना ज़रूरी है।''

''शुरूआत इसी तरह होती है।''

इस शानदार इमारत में वे ही मेज़ हैं, कुर्सियाँ हैं, फाइलें हैं, जिन्हें लाए थे। सब कुछ पुराना। बगल के घरों से बिलकुल अलग है। शाम को लौट जाना है।

वहाँ इसकी खूबसूरती का कुछ लेना-देना नहीं है।

कोई मौका धीरे-धीरे हाथों से सटक रहा है। या चिड़िया? गुम होने पर खोजना बेकार है।

''इसे एकदम बदल दिया जाए।''

''कहेगा कौन?''

''देखिए, आदत बदलनी पड़ेगी।''

''ज़रूर।''

''इसके बारे में द्विवेदी जी कह देंगे।''

''द्विवेदी जी ठीक हैं।''

"आप लोग जैसा कहें।"

वे साहब के घर आते-जाते थे।

"एक तो द्विवेदी जी की बात मान ली जाएगी, नहीं तो दूसरा उपाय करेंगे।"

"नहीं, हो जाएगा।"

मुलायम शब्दों में द्विवेदी जी ने कहा। वे जानते हैं, उनके शब्दों की त्वचा इन लोगों से रगड़ नहीं खा सकती।

दरवाज़े के पास आकर एक ने कहा, "चपरासी! तुमने देखा? कितना सुहावना मौसम है!" दीनानाथ ने धुआँ उलीचना बन्द कर हवा को अन्दर जाने दिया। हवा ने बताया, मेहँदी है और क्या?

"चपरासी हो तुम रकम आदमी। बस्ती नहीं दिखती? बागुड़ दिखाई पड़ी!"

दीनानाथ बोला कि साहब, मौसम का सूअरों से क्या लेना-देना।

मज़दूर हँसने लगे।

दीनानाथ बोला, "क्या बात है? पैसे मिल गए?"

वे सकपका गए। एक बोला, "राह देख रहे हैं। दिला दीजिए।"

उन दोनों ने एक साथ सबको देखा। सबको कोई मतलब नहीं था। सुधीर बोला, "मिल जाएगा, मिल जाएगा। धीरज रखो। बड़े बाबू अन्दर हैं।"

वे लोग धीरज से हँसने लगे। एक ने कहा, "साहब, जल्दी कर दीजिए। कहीं और ढूँढ़ें काम!"

"हैं। काम। क्यों? क्या दिन-भर को इंगेज नहीं किया?"

"साहब, काम हो गया।"

"देखिए द्विवेदी जी! ये हाल है! दिन-भर के लिए मजूरी है। अभी भागना चाहते हैं।"

"सही बात। तुम्हारा आज का दिन हमारे नाम। अभी से भाग लोगे!"

"दीनानाथ, एक-एक मिनट का पैसा है। तुम लोग... क्या बताएँ, यार प्रकाश कुछ काम है?"

"ये जो कुछ पत्थर-वत्थर हैं न, तुम लोग उठाके बाहर कर दो।"

"दीनानाथ, तुम बस गप्प मारोगे। कुछ काम लो भाई। तुम्हीं हो इनके बॉस!" सब हँसकर दिन-भर के मजूरों को देखने लगे। मजूर उठे तो घुटनों के पास नसें बोलने लगीं। उन्होंने मजूरों से ध्यान हटा लिया। वे दीनानाथ से कहने लगे, "चपरासी, धूप में सुस्ता रहे हो? दिन-भर सुस्ती आती है फिर।"

"चाय-समोसा बुलाओ, तब इसकी सुस्ती तुरन्त दूर हो जाती है।"

"मज़े हैं।"

“सारा खर्च तो यहीं से हो जाता है। मज़े हैं। एक हमीं लोग हैं कि खर्च पर खर्च है।”

दीनानाथ ने थोड़े-से दाँत दिखलाए। चतुराई झलक गयी। बातें वही पुरानी हैं। बार-बार पीटते हैं। फर्क यही है कि कभी-कभार साहब लोग सामने कह देते हैं। चुप्पा हँसी के दोनों तरफ सन्तोष है। वे बड़प्पन में बोलते हैं। दीनानाथ हँसता है। देखा? यही है! बोलकर गलती नहीं करता।

“साहब, आप लोग की दया है।”

यह सुनकर उन्होंने देरी महसूस की।

“ठीक है, ठीक है।” कहते हुए एक-एक करके दरवाज़े में घुस लिए। कमरे में बहुत लोग थे। आना-जाना यहाँ भी सिकुड़कर होता था। दो मेज़ों के बीच आना-जाना। फिर भी प्रकाश को लगता था कि लोग कम हो गए हैं। वहाँ प्रकाश ने एक अलग कमरे के बारे में सोचा था। एक कमरे में एक आदमी। सुविधा के क्षणों में फाइल को सरकाकर घर के बारे में सोच सकता था। सिर मेज़ पर डाल कुछ तबला-सा बजा सकता था। कमरा यहाँ नहीं मिलेगा, यहीं आकर पता पड़ा। जो-जो पहले अगल-बगल में बैठते थे, यहीं थे। ऊपर वाले वरिष्ठों को सुविधा थी। उनमें से, जिन्हें जगह की कमी से साथ बैठना पड़ता था, वे आगंतुकों के सामने चपरासी को डाँटकर बताया करते थे। लोग-बाग जान जाते थे। फिर वे टाई पहनकर आने लगे। अब इधर कमरे थे। टाइयाँ पुरानी पड़ गयी थीं। वे ब्रीफकेस में आईना और साबुन लाने लगे।

जैन भी लाने लगा। प्रकाश को मालूम पड़ा कि कंघा भी है। कंघा पुराना था। प्रकाश का था। दोनों इसी से ऊँछते थे। बराबर थे। जैन के टूटे बालों से लिपटे कंघे को प्रकाश किसी प्यारे जानवर की तरह पकड़ता था। फिर पदोन्नति हुई। जैन ने कन्धा प्रकाश से छुड़ा लिया। जैन उसी कमरे में बैठा-बैठा ऊँछा करता। होंठ गोल करके गाना निकालता। फिर नया आईना खरीदा।

प्रकाश को टीप लेकर कमरे तक जाना पड़ता था, मगर साहब नहीं बोलता था। व्याकरण अच्छी थी। तिवारी को और ओंकार को बताया था, कैसे भी हो, साहब नहीं बोलता हूँ। अच्छी-भली व्याकरण की चर्चा नहीं की। यहाँ आने के बाद प्रकाश को कमरे की हवा खड़ी-खड़ी लगने लगी। घुम्म। दस-ग्यारह दिन भोजन को जाँचा। भोजन कम करता था और गरमी नहीं थी। बाद में जान गया, जैन है।

ओंकार आ गया। शुरू में ओंकार किसी फाइल पर मार्गदर्शन लेने या स्टोर में किसी चीज़ के घरेलू बन जाने की सूचना लेकर आता था। अब खाली हाथ आता है। कुर्सी पर वह रबर की एक ऐंठन की तरह पसर जाता है। पिन कुशन

से एक पिन निकालकर दाँतों में फँसे रेशे के एहसास को ढूँढ़-ढूँढ़कर निकालता। फिर पिन कुशन पर गाड़ देता। वह घर की खुशियों, तथाकथित सर्कस और दफ्तर के भारी बोझ की चर्चा करता। प्रकाश आसानी से उसकी पत्नी की भी आने वाली तारीखों को बतला सकता था। शुरू में प्रकाश को लगता, वह ओंकार के लटके ओंठ, खसखसी आवाज़ और बात-बात में हाथ पकड़ने की आदत को बिलकुल सहन नहीं कर पाएगा। वह आवाज़ पर ध्यान नहीं देता तो लटके ओंठ दिखने लगते। धीरे-धीरे प्रकाश ओंकार के कुछ मुहावरे बोलने लगा। वे मुहावरे जो ओंकार अपने ज़िले से लाया था। ओंकार के जाते ही वह पिन कुशन से पिन ढूँढ़ निकालता। रद्दी की टोकनी में कुट् की आवाज़ होती।

बलदेव आकर खड़ा हो गया। बोला, ''जैन साब बुलाते हैं।''

''चपरासी, चाय लाओ। ओंकार पियोगे? दो ठो। पूछेगा, कहाँ घूमते-फिरते हो।''

''बता देना।''

''अंडा! अरे साहबी बहुत है। जबरन बुलाता है।''

''तुम्हारा ही यार है।''

''काहे का?''

चिड़चिड़ाकर प्रकाश आगे बोलता, परन्तु गहरी तरलता में जाता हुआ चुप हो गया। दोस्ती धरी की धरी रह गयी। दूसरे हैं, ठीक है। मगर दोस्त को क्यों रगड़ते हो भाई? काम होता है तो यार-यार कहेगा। घुम्मड़ नहीं होना है। साफ कह दूँगा। काम-वाम ठीक है। बनेगा तो करेंगे। दोस्ती-वोस्ती तो खैर छूट ही गयी (साहब)। चाय आने पर सन्तोष हुआ। काफी देर लगी। चपरासी को तो मालूम रहना चाहिए। दोस्त हैं। कल को तो हमीं हैं।

ओंकार ने कहा, ''साहब लोग कमरे में दबे रहते हैं।''

''सो तो है। मौसम की जानकारी क्या होगी, अँधेरे में?'' प्रकाश हँसने लगा।

''बताओ, बाहर कितना बढ़िया नज़ारा है। कहो कि ज़रा निकलें।''

''हो आएँ?''

प्रकाश ने फाइल उठा ली। किस समय क्या चाहिए, जानता था। मन ही मन खुशी हुई कि आखिरकार उन लोगों से मज़ेदार प्यारी दुनिया छूट गयी। रम नहीं सकते। जैन और क्या सीखेंगे? व्हिस्कियों के लेबिल। जान नहीं सकते ज़िन्दगी-भर, तितलियाँ कैसे लहराती हैं। प्रकाश ने कार्यक्रम बनाया कि वह इन सबसे सुखमय जीवन के गणित ठीक करेगा।

कमरे की लम्बाई के अन्तिम कोने पर टेबिल थी। जैन पहले कहा करता था,

साहब के कमरे की लम्बाई जितनी ज़्यादा होगी, घुटनों की ताकत उतनी ही कम हो जाएगी। कुर्सी पर बैठते ही वह मुद्दे की नहीं, घुटने की चिन्ता करेगा। यह फायदा है लम्बाई का। कालीन न सही दरी, मुख्यमन्त्री का फोटो, ज़िले का नक्शा और अगली मीटिंगों का चार्ट हथियार की तरह दीवार पर टँगे थे। नकली फूलों के अनेक गुलदस्तों के बीच जैन का काला सिर धीमे-धीमे हिल रहा था। जैन बड़े चार्ट पर डटा था। प्रकाश को 'बैठो' कहा और नक्शे पर रेलवे लाइन देखने लगा। यह प्रदेश का राजनीतिक मानचित्र कहलाता था। एक समय था, जब प्रकाश जैन के साथ इसी नक्शे पर किसी कस्बे का नाम ढूँढ़ा करते थे। नया आविष्कार? या खोज! ऐसे कितने ही नगरों की शामें याद हैं। इससे शहर की ऊब की तोड़फोड़ आसानी से हो जाती थी। जैन कहता, दिन के अधबीच पहुँचो तो पूरा डीए पकता है, जैसे भरापूरा दिन एक वृक्ष हो, जिसमें भत्तों के पीले फल पकते हों। जैन उँगलियों के सहारे प्रदेश के राजनीतिक मानचित्र पर रेल-यात्रा कर रहा था। काफी देर हो गयी। प्रकाश ने इधर-उधर देखा। कुर्सी के पीछे ब्रीफकेस रखा था। क्या होगा। एक सरकारी डायरी। आईना। रूमाल। लंचबॉक्स। कंघी और काफी खाली जगह। प्रकाश हँसकर कहा करता, पहले जैन बैग लाता था। यानी रेक्ज़ीन का छोटा थैला। अब इतने बड़े सन्दूक में सम्मान और बासी हवा ढोकर लाता था। कितनी मेहनत! प्रकाश ने पहलू बदला। गले में सुकड़ आए समय को खँखारा।

जैन बहुत दूर नहीं गया था। मुश्किल से पाँच-छह ज़िलों का सफर था। फूलों के साथ सिर हिलाते हुए बिना देखे ही पूछा, "जगदलपुर के सूअरों का क्या हुआ?"

प्रकाश को लगा, जैसे तेज़ मेल गाड़ी से फेंका हुआ छिलका उसके मुँह पर आ पड़ा हो। सतर्कता के साथ उसने भी सधे शब्दों में पूछ लिया, "ब्रुश की इंडस्ट्री किसके पास जाएगी?"

"ओफ्को! यार, तुम भी प्रकाश। अभी तक निपटारा नहीं हुआ। यार, तुमसे कहा था, देख लो। आदिवासियों की टोली, कम से कम उसमें होना ही चाहिए। जल्दी करो यार।"

प्रकाश एकदम से डर गया। फाइल उसने मेज़ पर धीरे से सरका दी। पहले का जैन होता तो अपनी मेहनत का बखान करता। वह चुप रहा। कहने से पहले उसे लगा कि तुतला सकता है।

"ये हो नहीं पाएगा, साहब!"

विस्मय से जैन का चेहरा तीखा हो गया। फोन उठाकर नम्बर मिलाने लगा।

प्रकाश को उम्मीद थी, जैन गुस्सा करेगा। मिन्नतें करेगा। दोस्ती की याद दिलाएगा। प्रकाश ने स्वयं को थकान से घिरा पाया। रोने की हालत। जैन फोन पर साहब से विधानसभा के प्रश्न पर सहज होकर बोल रहा था, "यस सर, सब ठीक है।"

"हो गया सर। बस, ब्रुश इंडस्ट्री सैट हो रही है। उन्हीं को सर।"

"यस सर, उन्हीं को मिल रही है, जिसके बारे में वे रिकमंड कर रहे थे।"

"जी। टोली भी है। आपने उनकी चर्चा की थी। उन्हीं को।"

"वही।"

"जी, उन्हीं की ज़मीन है।"

"जी सर, ये प्रोजेक्ट महत्त्वपूर्ण है। ओंकार को दे रखा है। वही कर रहा है।"

"जी। रिलाएबल और मेहनती। नमस्कार।"

जैन ने यूँ ही जगदलपुर वाली फाइल खींचकर दूसरी ओर डाल दी।

प्रकाश ने घबराकर खिड़की के बाहर देखा। सड़क के दोनों ओर बड़ी-बड़ी घास हवा में हिल रही थी। पकती और फूलदार। प्रकाश ने पूरा का पूरा देखा।

घाम में रोएँ काँच की तरह झलक रहे थे।

घास, घास, रोएँ, रोएँ, काँच, काँच।

अंडा वहाँ नहीं था।

अनार

वे कौन लोग हैं, जो समुद्र-तल से चार हज़ार फुट ऊँचे इलाके को कीमती हड़बोंग में बदल देते हैं? वे कौन लोग हैं, जो चटख परिधानों में कसे विदेशियों को खींच लाते हैं? वे कौन लोग हैं, जो काली ग्रेनाइट मूर्तियों के अच्छे दाम तय करते हैं? कौन हैं वे लोग, जो यहाँ नहीं हैं?

यहाँ सुनते हैं, बरसों से जगह सस्ती की सस्ती है।

पर्यटकों के लिए वहाँ रंगीन फानूसों में बेचैन दौड़ते वेटर, हाथीदाँत की रहस्यमयी पीली पट्टिकाएँ, कंठियाँ, घंटियाँ, रेशम, पुरानी नक्काशी को तम्बाकू की तीखी गन्ध में छुपाए हुक्कों, तेज़ मसालों, काजू, किशमिश और टोह लेते आवारा लड़कों की दुनिया गायब है।

उनके लिए, पर्यटक घबराए जिंस नहीं हैं। वे डूबी आँखों से पर्यटक का सिलबिल्ला फैशन देख, नज़र फेर लेते हैं। जंगल से निंचोड़ा छोटी मधुमक्खी का शहद और बुहारी झाड़ू दुकान के सामने सजी रहती है। किसी को इनमें दिलचस्पी नहीं है। झाड़ुओं की कतार के पीछे पीले आवरण की दुबली किताबें सजी रहती हैं।

दो-एक दिन बाद मैंने उस किताब के बारे में पूछा, तो मुँह से साँस लेता दुकानदार चौंक पड़ा। तोंद को जनेऊ से दो भाग में बाँटने का मन-गणित वह कर रहा होगा। उसने मुझे ऐसे देखा, मानो छज्जे का पट थोड़ा-सा खोल झाँक रहा हो। "यह पुस्तक आप लेंगे, लीजिए, लीजिए।"

"यह तो पुरानी दर्शिका हैं छह साल हो गए, कोई नयी वाली हो तो दीजिए।"

"नयी ही है। जब खत्म हो जाती है, तब छपती है। वो कोने वाला घर दिख रहा है न। आटा चक्की है जिसके नीचे। उनकी पुस्तक है। उनके बाबा ने लिखी थी। अब वे रहे नहीं। उनके बच्चे छपा लाते हैं।"

"यह तो 1930 की लिखी है। बहुत बातें बदल गयी होंगी?"

वह तिरछा मुस्कराया, "पेड़, पहाड़ रोज़ बदलते हैं क्या? यह मुहल्ला, हमारा धन्धा, यहाँ के लोग बदल जाएँगे क्या? फिर नयी पुस्तक लिखने की क्या ज़रूरत

है? हाँ, टूरिज़्म की होटलें हैं अन्दर, उनके रेट बदलते रहते हैं, सो वहीं जाकर पता कर लीजिएगा।''

यह कहकर दुकानदार रुका। मुँह खोला और ताज़ा हवा को अन्दर जाने दिया। फिर छज्जा दूसरी ओर कर झाँकने लगा। मुझसे मतलब न था। तभी घरेलू अन्दाज़ में औरत ने दुकान की सीढ़ियों पर पैर रखा। उसके चेहरे पर पर्यटक की अलमस्ती नहीं थी। कामकाजी तनाव था। उसे देखकर दुकानदार पास में रखी कमीज़ टटोलने लगा। वह एकदम आ गयी। दुकानदार ने जनेऊ हाथ में लेकर आड़-सा कर लिया। ''जी क्या चाहिए?'' उसकी फुर्ती से दुकान में चमक आ गयी।

''दूध है?''

वह फिर हँसने लगा। बेफिक्र। ''दूध कहाँ मेमसाब! पूरे इलाके में न मिलेगा। यहाँ बाजार में नहीं है। देखिए, अन्दर देखिए। स्यात् वहाँ मिल जाए।''

वह तेज़ी से घूम गयी। अब उसकी चाल में हड़बड़ी नहीं थी। दूर कार का दरवाज़ा खोलकर लड़का दौड़ने लगा। उसने हाथ हिलाया तो लड़का ठिठक गया। हाथ-पैर फैंक रूठने लगा। गोदी से बहुत बड़ा लड़का माँ को तने-सा हिला रहा था। गोदी में बेकाबू। दुकानदार ने समझदारी से कहा, ''बताइए बच्चे क्या करें? दूध है नहीं। क्या करें?''

''हम बाहर से आने वालों को बड़ी परेशानी है।''

''हाँ, गाय है नहीं। जितना आता है बाहर से, वह चाय-पानी में चुक जाता है। आप ले लीजिए ये पुस्तक। अच्छी है। इसमें यहाँ की जड़ी-बूटियों के बारे में भी खूब लिखा है।'' दुकानदार को लगता होगा कि वह भूमध्य रेखा पर चौकी डाले पड़ा है। इधर बाहर से लोग आ रहे हैं। सामान आ रहा है। दूध आ रहा है। लोग इसे पार कर अन्दर जा रहे हैं। होटलों में रुक रहे हैं। पहाड़ों पर फिर रहे हैं। जैसे यह एक बिन्दु है।

''यह एक चौक है, जहाँ से आपको रमणीक स्थलों की सैर के लिए जाना है।''

दर्शिका-लेखक ने इस बिनगाय के दुकानदार को बिन्दु बनाकर यात्रा शुरू करने का निवेदन किया है। हो सकता है, दर्शिका-लेखक ने इसके पिता के पिता को रखा होगा, दर्शिका का पहला विक्रेता। लेखक ने पहाड़ झरनों, मन्दिरों और जड़ी-बूटियों को चार हिस्सों में बाँट दिया हैं उन्होंने चेतावनी दी है कि चौक से शुभारम्भ करके ही सफलता प्राप्त की जा सकती है, अन्यथा पहाड़ों पर बने सभी स्थानों को उचित व भली प्रकार से देखा नहीं जा सकता है और न ही सर्पगन्धा बूटी की खोज की जा सकती है। शीघ्रता करने वाले सैलानी दो-चार बड़ी जगह और हर्र-बहेड़ा पाकर प्रसन्न हो लेवें तो अलग बात है।

यहाँ सबसे ऊँचे पहाड़ की चोटी पर धूप की पहली कली खिलती है। सबसे पहले कुम्हला जाती है। चक्करदार और बाद में सीधे चढ़ाई की कठिनता से इस स्थान का महत्त्व बढ़ा है। नौ किलोमीटर की पैदल चढ़ाई के लिए मैं दोपहर के पहले से शुरू हो गया। आदमी जान-बूझकर दूसरों से अलग हो जाता है तो घास, पत्तियों और हवा का साथ बहुत होता है ऐसे साथी जो फिर कभी याद नहीं आते। पहाड़ों पर घनेरी चुप्पी लगी थी। उनके शीर्ष जल से भरे बादलों में खुब रहे थे। मैं एक बड़े पत्थर पर बैठ उन्हें देखने लगा। पत्थर अनगढ़ न था। गोल। काला। रोमछिद्र लिए। और ये ऐरे-गैरे किस्म के पहाड़ नहीं थे। नीलाभा से तने। अनन्त के पहले बने आड़। पहाड़ लहराए खड़े थे। उन पर पेड़-पत्तियों की डिजाइन छपी थी। हरी, कहीं-कहीं गुलाबी। धूप दौड़-दौड़कर रंग भर रही थी। अनन्त के पहले यह नज़ारा। पहाड़ के किनारे से निकल जाओ तो फिर एक आड़। आखिर हरी-भरी प्रकृति के कितने कमरे हैं!

खुशी से साँस में लय आ गयी। एक बहुत पुराना गाना खोज निकाला। कुछ जर्जर टुकड़े बच गए थे। उन्हें धीरे-धीरे गाते हुए मैंने सोचा कि रोज़ थोड़े पैसे बचाकर हारमोनियम लूँगा। गमलों में पौधे लगाकर सुबह-सुबह पानी दूँगा। कुछ नये काम करूँगा। ठीक आदमी बनूँगा। मन्द-मन्द गले के अन्दर नम करती ओस को सहलाया। गाना यूँ ही चलता रहा।

सामने पतली सड़क पर गाड़ियाँ ऊपर की ओर जा रही थीं। पहले कुक्कुट विकास निगम की गाड़ी निकली। फिर मूक-बधिर संस्थान। फिर विद्युत विभाग। फिर चल-चिकित्सालय। इनमें ठँसी औरतों और बच्चों की हँसी न होती तो ऊपर कलेक्ट्रेट होता। बच्चे काँच से सिर निकाले हँस रहे थे। एक ने हाथ हिलाकर टा-टा किया। पतंग की तरह मैंने हाथ डुला दिया। पुच्छी की तरह अनायास मुस्कान निकलने लगी।

पीछे चल रही बेआवाज़ कार ने हॉर्न दिया। वह रुक गयी थी और पीछे बैठा हुआ बच्चा इशारे से बुला रहा था। उसके गुलाबी हाथ धूप में चमक रहे थे। सामने दोनों थे। पति-पत्नी। पत्नी ने पीछे झुककर दरवाज़ा खोल दिया। "बैठिए। ऊपर ही जा रहे हैं?"

"हाँ।"

"आप तो भाई गज़ब हैं। इतनी दूर पैदल चलते-चलते घुटनों की ग्रीस खतम हो जाती है। हा-हा!"

खनक को धीमे से तराशते हुए वे बोलीं, "आपको काफी शाम हो जाती।"

चुप रहा। पति ने भी मेरे जवाब की प्रतीक्षा नहीं की। कार स्टार्ट कर एक बार लड़के को देखा। वह आधी सीट पर पसर गया था।

मैं कहाँ से शुरू करूँ? बार-बार दूध वाली बात याद आती थी। अब गायों के न होने की बात अटपटी लगती। लड़का सन्तुष्ट-सा सेब कुतर रहा था।

वे लगातार बोल रहे थे। धीरे-धीरे उनके कारोबार, विदेश यात्रा, शौक और पसन्दगियों की सन्दूकें खुलती चली गयीं। वे उन लोगों में से थे, जिन्हें जीवन के हर पाँच-पाँच साल की योजनाओं का पक्का नक्शा मालूम था। जिसमें जनरल नॉलेज बगीचे की तरह खिला था। राजनीति का अन्तरंग। खेल। इंडिया टुडे। वे रवि, नीना और सोनू। पर्यटक के खुलेपन, उत्साह और अधिकार से वे बोलते थे।

"रवि, सामने देखकर चलाओ। आगे एकदम अंधा मोड़ है।"

"नीना, ये तो कुछ भी नहीं। पिछली बार का याद है? उफ! वहाँ की खाइयाँ! कितनी तेज़ी के साथ वहाँ हम पहुँच गये थे। ये तो कुछ भी नहीं।"

पत्नी की हलकी घबराहट का सिरा उन्होंने पकड़ लिया। चाल तेज़ हो गयी। गाड़ी हलकी चिड़िया-सी भागने लगी। पत्नी थोड़ा पास सरककर जैसे टिक-सी गयीं, "रवि! नहीं।"

उन्होंने हँसकर कहा, "ब्रेक फेल हो जाएँ तो पता न चले।" वे स्टेयरिंग को किसी हिंसक पशु की तरह दबोचे हुए थे। घाटियों के बीच छोटे-छोटे शिखर चेहरा दिखाकर हट जाते। लड़के ने एक पल के लिए सतर्क होकर पिता की ओर देखा, फिर ऊबकर बाहर देखने लगा। पत्नी ने जैसे निश्चित किया। वे घबराहट को हटाते हुए आखिरकार टिक गयीं। रवि हँसे। फिर वे बातचीत की बजाय हँसते हुए चलने लगे। गति धीमी हुई।

लड़के ने मेरी कुहनी को थपथपाया और बोला, "वो देखो आम का पेड़। कितने सारे!"

यह हमारी बातचीत की शुरूआत थी। मैंने उत्सुक होकर उसकी उँगली की सीध में देखने की कोशिश की। "कहाँ है, कहाँ है?"

"नहीं दिखा न?"

"न।"

"मैंने देखा। अब वो देखो। एक था। सबके बीच में। मैंने देखा।" वह ताली बजाकर खिलखिलाने लगा। उसके दाँतों के किनारे घिस नहीं गए थे। पंखुरी-सी किनारियाँ मौजूद थीं। द्युति से मुँह लबालब था।

''सोनू!'' मैंने उसका नाम पहली बार लेते हुए उसे देखा। उसके चेहरे पर अनजान भाव नहीं आता। ''सोनू, इनके बीच बहुत सारे बेल के पेड़ हैं। गोल-गोल बेल का शरबत बहुत अच्छा लगता है।''

''बेल? बहुत मीठा शरबत?''

''हाँ, जब हॉकी की गेंद न हो तो इसी से काम चला सकते हैं।''

''अंकल, गेंद भी, शरबत भी?'' वह मेरे पास आ गया और टिककर बाहर बेल का पेड़ खोजने लगा। मैं जल्दी-जल्दी बातें बनाने के लिए दूसरे पेड़ों को देखने लगा। उसकी माँ ने मुड़कर एक चमकीली डिब्बी दी, ''लो सोनू बेटे!''

''ममा! गेंद से शरबत भी निकलता है।''

''ये ठीक से खा लो बेटे! बहुत महँगी है।''

अपनी बहुरंगी सजावट में वह कीमती ही होगी। उनके कहने की भला क्या जरूरत। सोनू से पैकिंग खुली नहीं। उसने मुझे दे दी। विदेशी कीमती चॉकलेट। सावधानी से छीलकर चॉकलेट का कोना निकालना पड़ा। सोनू ने लापरवाही से गिलहरी की तरह खाना शुरू किया। सुगन्ध और कण धीरे-धीरे झर रहे थे।

''अंकल, हम यहाँ से खूब सारी गेंदें ले जाएँगे।''

''जरूर। और सोनू, यहाँ के जंगल में बड़ी अजीब चीज़ भी मिलती है। खूब मज़ेदार।''

उसका चलता हुआ मुँह बन्द हो गया। वह मेरी ओर देखने लगा। मैं जानबूझकर चुप रहा। उसने हार मान ली और मनुहार के साथ पूछा, ''क्या?''

''एक ऐंठी हुई पत्ती। रस्सी की तरह। जब उसे पानी में डालो तो वह खुल जाती है। चटाक्। चटाक्। फटाके-सी आवाज़ होती है। फिर बन्दूक की गोली की तरह छोटे-छोटे बीज छर्रे की तेज़ी से ऊपर छूटते हैं। है तो फल्ली ही, पर पत्ती की तरह होती है।''

''वो कहाँ मिलेगी?'' अचानक वह चिन्तित हो गया, ''कब लाएँगे?''

''यहीं है।''

उसने कमीज़ की जेब में धीरे से हाथ डाला। दो पत्थर थे। लाल पत्थर को जेब में वापस डाल दिया। पीला पत्थर उसने मेरी हथेली पर धर दिया।

''झरने के पास ढूँढ़ा। इसके पेट में पानी है।''

पीला पत्थर लगभग बंटी की तरह था। अँगूठे-सी सफेद रेखाएँ पड़ी थीं। पीले रंग के बीच में पनीला आकार था। पानी जैसा आरपार लगता था। वहीं एक काली चित्ती उभरी थी।

"देखो सोनू, यह सुनहरी मछली की खुली आँख लगती है।"

"सुनहरी मछली!"

उसने बंटी को सँभाल लिया। पहली बार देखा हो जैसे। बहुत आग्रह से बोला, "इसे मैं ले लूँ?"

शायद वह मुझे दे चुका था। उसकी हथेली पर बंटी रख अपनी हथेली से हौले से दबाया, "यह तुम्हारी ही है।"

हथेलियों के बीच एक खुली आँख थरथरा रही थी। उसकी गम्भीर आवाज़ सुन माँ ने सिर पीछे किया और कहा, "सुनिए, आपको तकलीफ तो होगी, पर ज़रा ब्रीफकेस नीचे से निकाल दीजिए।"

ब्रीफकेस एकदम नया था। उसके हैंडिल में एयर इंडिया का टैग घिस चुका था। आजकल शायद टैग इतने मज़बूत नहीं बनाए जाते कि यात्रा के बाद भी चाहें तो काफी दिन तक लगा रह सके! इंड माने इंडिया। बाकी हिज्जे पढ़ना आसान न था। उन्होंने फूलदार नीला शॉल निकाल लिया और सोनू बेटे को लाड़ करने लगीं। ब्रीफकेस लौटाते हुए वे बोलीं कि "जैसे-जैसे ऊँचाई बढ़ रही है ठंड बढ़ेगी। इसे सोनू को अच्छी तरह लपेट दीजिए।" शॉल गुदगुदा था। चीनी ड्रैगन फूलों के बीच दाँत निकाले था। यह उन्हीं का शॉल होगा। हलकी सुगन्ध उसमें से पसीज रही थी। अनचीन्हे सेंट की सुगन्ध।

"ममा! फटाके वाली फल्लियाँ अंकल इकट्ठी कर देंगे न?"

अड़ंगों के बावजूद वह भूला न था।

माँ ने हँसकर रवि के कन्धे पर हाथ रख दिया। मोतियों की चूड़ी कन्धे पर चमकने लगी। उन्होंने कहा, "ये पहाड़ देखती हो? अगर इन पर बर्फ जमी होती तो मज़ा आ जाता। आप क्या कहते हैं? बर्फ के कारण ही ये जाने जाते। बर्फ होती तो कीमत बदल जाती।" मैं जान गया। वे सोनू को परेशान नहीं होने देना चाहते। क्या-क्या चीज़ें लेगा वह? गन्दी-सन्दी। इसकी बजाय वह झपकी ले ले। यही बहुत है। अच्छा तो ये बात है! एकाएक मुझे लगा, पैदल यात्रा न करके बहुमूल्य चीज़ खो दी है। कार की छत नीची और तपती मालूम हुई। शरारत से आवाज़ को बचाते हुए मुलायम बनाकर कहा, "बर्फ तो खैर बर्फ है, इससे इनकी कीमत कम नहीं होती।"

"क्यों? क्या है आखिर?"

जानकार बनकर मैंने कहा, "तरह-तरह के हर्बल यहाँ मौजूद हैं।" जड़ी-बूटी कहते-कहते बचा।

वे चौंक गयीं। आखिर सोनू की माँ थीं। आँखों में वैसी ही जानने की ललक। मैं मितभाषी हो गया, "हाँ, बहुत असरकारी हर्बल।"

"कैसी?"

"उम्र एकदम कम हो जाती है।"

"क्या?"

"हाँ। रक्तचन्दन और सफेद मूसली।"

"अच्छा!"

"बालों के लिए भी एक
त्वचा के लिए भी एक
नाखूनों के लिए भी एक
आँखों के लिए भी एक"

दर्शिका के पुराने उखड़े नामों को याद करके बताने लगा।

उन्होंने पूछा कि क्या ये आसानी से मिल जाएँगे? मैंने कहा, "मुझे आए बहुत दिन कहाँ हुए हैं?"

"मगर आप बहुत जानते हैं।"

"आपके लिए मनिहारी की दुकान में देख सकता हूँ।"

"नीना, देखो, यहाँ से यहाँ के सारे पहाड़ दिखते हैं। वो चाँदी के तार जैसी चीज़ नदी है नदी।"

हर्बल के ऊँचे-ऊँचे पहाड़ों से नज़र फिसलकर चाँदी के तार बीनने लगी। वे सहसा मज़ाकिया हो गये। दो-तीन कड़कहे लगाए और चाल में डगमग पैदा कर दी।

"नीना, देखो, तेज़ और तेज़।"

उन्होंने तेज़ चलाने पर फिर गुस्सा किया। पास सरक गयीं। गाल थपथपाए। थोड़ा आतंकित हुईं। सोनू की ओर खयाल किया, अन्ततः हँसने लगीं। उनकी कामयाब चाल को बचाते।

कार फिसलती हुई पठार पर आ गयी। बहुत सारे लोग दिखने लगे। अचानक। जमे हुए। जैसे सदियों से प्रतीक्षारत हों। सूरज की तरफ मुँह किए वे लोग दूर-दूर तक तर्जनी ताने अनन्त में वस्तुओं की खोज कर रहे थे। एक अलग कोना बनाकर बैठूँगा। मैं थोड़ा अलग हटा। वे सामान से लदे-फँदे खुशी में ज़ोर-ज़ोर से बोल रहे थे। उन्होंने सामान पकड़ने के लिए बुला लिया। सभी खाने-पीने की चीज़ें थीं। छितरे हुए झुंडों में से रास्ता बनाने लगे। लोग पुरानी बातों को निकाल रहे थे। मूँगफलियाँ चटका रहे थे। टेपरिकॉर्डर से शराब और

प्यार के गहरे सम्बन्धों पर गीत बज रहा था। नारंगी सूरज को आहिस्ता-आहिस्ता नीचे फिसलते देख रहे थे। सबके चेहरों पर सूरज का ताँबा छिटक रहा था। रवि बैठते ही केले खाने लगे। पेस्ट्री। सेब। उन्होंने अनार निकाला और पुचकारते हुए बोले, ''ये तुम्हारा है।'' अनार ताज़ा लाल था। इतना कि रँगा हुआ लगता था। उसका सिरा कलदार बन्द थैली का मुँह लगता। टनाटन। फिर कैमरा निकालकर बतलाने लगे कि एकदम नया है। नया और अत्याधुनिक। बस, बटन दबाते जाइए। सारा काम अपने-आप। वे नीना और सोनू की फोटे लेते रहे। सोनू अनार गेंद की तरह उछाल रहा था।

सामने पहाड़ के आगे पहाड़ के आगे पहाड़ है। बाद में बताशे से घुलते। धूसर। धुँधली उदास साँझ में एक चिड़िया भी नहीं बोलती। आसमान की भट्टी में लगातार आग जल रही है। सूरज भट्टी का मुहाना है, धीरे-धीरे सरक रहा है। विशाल निर्जन गाँव पर अंगार बरसाने। मगर यह क्या? सूरज पर छाए हलके बादल अपनी कोरों में कार्बन पेपर-से जलने लगे। सूरज आराम से नीचे फिसल रहा है जैसे उसे मालूम है। सब देख रहे हैं।

''देखिए, बस कुछ देर में सूर्यास्त होगा। उस पहाड़ की नोक पर सूरज तनिक देर के लिए टिक जाएगा। सारे पहाड़ एक झटके में पीले हो जाएँगे, फिर लोप हो जाएगा।'' रवि ने किसी पुराने आशिक की तरह खोते हुए कहा, ''सुनिए, आप हमारी एक फोटो ले लें। करना कुछ नहीं है। मैं दूरी बनाए देता हूँ, बस आप बटन दबा दें। उस समय जब सूरज टिका हो।''

उन्होंने परिचित अन्दाज़ में मुझे खड़ा कर दिया। मैं ठंडे काले कैमरे के लैंस में झाँकने लगा।

सूरज के ठीक बगल में वे खड़े हो गये। उन्होंने नीना को भींच लिया। लैंस के बाहर एक पल के लिए देखा। सभी लोग सूरज का साथ छोड़ भिंची हुई नीना को देख रहे थे।

रवि उन्हें लिए सूरज के ठहरने का इंतज़ार कर रहे थे। ठहरे हुए सौन्दर्य में नीना की लाल साड़ी उड़ रही थी। मैंने लैंस में आँख गड़ाकर सूर्यास्त की प्रतीक्षा की। सोनू हाथ में अनार पकड़े धीमे-धीमे चलकर माँ की साड़ी पकड़कर खड़ा हो गया।

''नहीं-नहीं, तुम नहीं।'' रवि ने चीखकर कहा। बाँहों से नीना को छोड़ अपरिचित व्यक्ति की तरह सोनू का कन्धा पकड़ फोटो फ्रेम से दूर कर दिया। वे इस तरह लौटे जैसे धरती बहुत गुदगुदी हो। नीना की छोड़ी जगहों पर पंजे

भींचकर मुँदी-मुँदी आँखों से होंठ ऊपर कर लिए, ताकि मुझे स्माइल प्लीज़ न कहना पड़े। जैसे कुछ हुआ नहीं।

नीना की आँखों में नमी, चेहरे पर दुविधा और बेचैनी की पतली परत थी। वह लगातार सोनू को देख रही थीं। धीरे-धीरे परत गायब होने लगी। होंठ खिंच गये। वे लैंस में झाँककर मुस्कराने लगीं। आजमाई ओर मनोहारी।

विशाल भीतों वाले उजड़े धूसर घर में हँसते दम्पति।

सोनू ने हँसी से अपने को काट दिया। दोनों होंठ बटुए-से बन्द हो गये।

सोनू ने ज़ोर से अनार उछाला। अनार लम्बी उछाल के साथ खोने को तैयार था। सोनू की दो गुलाबी हथेलियाँ फैली थीं। दोनों के बीच अनार था। सूरज था। कैमरा कीड़े की तरह घरघराकर चुप हो गया।

सोनू की दो गुलाबी हथेलियाँ फैली हैं। दोनों के बीच अनार है। सूरज है। सूर्यास्त हुआ।

उतरन

छोटे तालाब से सटकर निकली हुई सड़क पर टेम्पो चतुराई से घूम गया। यहाँ तालाब का कोना है जो मोटी हरी जलकुंभियों से गसा है। मछराइन गन्ध के बाद ही जलकुम्भियों पर ध्यान जाता है। जिन पर छोटे-छोटे फूल हिलते दिखते हैं। फूल बहुत नहीं हैं। जलकुंभियों की मुटाई में कुछ पुरानी बोट खुबी हुई हैं। आड़ी तिरछी, जो लहर के टूट-टूटकर किनारे आने पर डूबती-उतराती हैं। टेंपो के आगे बढ़ आने पर तालाब का पाट मिल जाता है। पाट तालाब और सड़क के बीच बौनी दीवाल की तरह पसर गया है इस पर थके लोगों को घुटने मोड़ने और धरती की खूबसूरती जाँचने का दोहरा काम मिल जाता है। तालाब टेंपो की खिड़की से पूरा दिखाई नहीं पड़ता। यानी उसकी आखिरी हदें। पुराने ज़माने की मजबूत इमारत जिसे रँगकर विधान सभा बनाया है, राजभवन के बूढ़े पेड़ और पत्थर की कुछ कोठियाँ तालाब के आखिरी किनारे को छुपा लेती हैं। नीले, सफेद और हरे रंग के विस्तार के ऊपर सूरज धड़कता रहता है। इस योग से घुटनों का दर्द जाता रहता है, छाती खुल जाती है और थूकने के लिए ताकत मिल जाती है। मुँह दोनों ओर कर सकते हैं। तालाब या सड़क। तालाब में बोटिंग कर रहे लोगों को फर्क नहीं पड़ता। एक घंटे की मियाद में पूरा चक्कर लगा लेने की तेजी है। सवार तेज-तेज, बोट की पैडल चलाकर हँसता और हाँफता है। उसे कुछ नहीं मालूम पड़ता। न खांसी, न घुटने का दर्द। टेंपो में बुरके से औरतें तालाब की ओर झाँकती हैं। टेंपो ढलान से उतरकर थर्राते हुए रुक जाता है।

यहीं जनाना अस्पताल है। मैं कूदकर उतरूँ इसके पहले ही जानवर की तरह लपककर टेम्पो चलने लगता है। गाढ़े डीजल में धुएँ से अवतरित होता हुआ सड़क पर पैर रखता हूँ। जनाना अस्पताल की कतार-दर-कतार खिड़कियों को गिनते हुए कमर सीधी करना सरल काम है। बहुत सारी खिडकियाँ बन्द हैं। टूटे काँच पर लगे कागज भी पुराने पड़ चुके हैं। पीपल के दो-तीन गट्ठल पेड़ हवा की झाड़ू लगाते हैं। हवा इन्हीं कागज़ों की दरार से अन्दर जाती है। अन्दर से कैसी गन्ध

आती है जो हवा को गाढ़ा बनाती है। इमारत गेरू रंग से पुती है। बड़े दरवाजे के अँधेरे से पतली औरत को आते हुए मैंने देखा। उसके पास कुछ सामान था। पीछे-पीछे आदमी था। पतला पर बड़ी मूँछें लिए। उसके पास भी प्लास्टिक के थैले में सामान था। थरमस और कुछ कपड़े। बाहर के उजाले में यही दिखलाई पड़ा। तब मुझे मालूम पड़ा कि उस औरत ने नन्हें बच्चे को सामान की तरह गोद में ले रखा है। वह धीरे-धीरे पान चबा रही थी। पीपल की हवा से बचाने के लिए बच्चे को पूरा ढँक लिया। चेहरा दिखा नहीं।

मैं भी उस पतले आदमी की तरह, ठहर-ठहरकर चलने की कोशिश करने लगा। बना नहीं। उलटे चप्पल निकल गयी। चप्पल की धूल फटककर अँगूठे की मजबूती से पकड़ा। सड़क के दूसरी ओर जीर्ण-शीर्ण बाग था। चप्पल को पैर में डालते हुए बाग को देखने लगा। वहाँ ऊँचे स्तम्भ पर बहुत लम्बी मूर्ति थी। मूर्ति पर गुलाबी रंग का कपड़ा था। मोटे रस्सों से बाँध दिया गया था। मूर्ति, दैत्य का खड़ा शव कफन बाँधे लगता यदि उसके पाँव न दीखते होते। चमकदार काले पत्थर के पैर लगभग जंघा तक दिखते और पाजेब। यह मूर्ति किसी और की ही है। कलाकार ने अपनी पूरी ताकत से इसमें स्त्रीसुलभ कमनीयता भरने की कोशिश की होगी किन्तु विशालता और मोटेपन में हिडिम्बा का बचपन झलकता था। कपड़ा बार-बार कस कर बाँध लिया जाता था और हर नये उद्घाटन में नये नाम के साथ मुँह-दिखाई होती थी। पहली बार यह नदी के स्त्री-रूप पर थी पर शहर के लोग, नदी की पुराण पवित्रता से तुलना करने पर, थू-थू करने लगे। दूसरी बार मूर्ति आदिवासी बाला के रूप में प्रकट हुई। प्रकांड विद्वानों ने अपने दीर्घ अध्ययनों के आधार पर शर्म-शर्म कहा। अन्ततः इस प्रकरण को जल्दी खत्म करने के लिए नगर पिता बेचैन हैं। अब अनामिका नाम रखा गया हैं। रस्से खोलने के लिए कौन आएगा। क्या मालूम। किन्तु बाग वैसा का वैसा ही है। कुछ अदद सिर और कुछ चम्पी वाले एक दूसरे को खोजते बाग में टहलते हैं।

सेंट्रल लाइब्रेरी बाग के सामने है। लाइब्रेरी महल में लगायी गयी है। ईंट के रंग से दीवालें पोतकर ऊपरी कंगूरों को पीला कर दिया गया है। महल के सँवरे रूप से अंदाजा नहीं होता है कि यह शहर का सबसे पुराना पुस्तकालय होगा। यह पुरातत्त्व विभाग का एक हिस्सा लगता है। मगर लकड़ी की कामदार अल्मारियों में न तो शैलचित्र है, न ही नकली सुन्दरियाँ। पुराने पुस्तकालय में नयी-नयी किताबें आ गयी हैं। पुरानी पुस्तकें दुर्लभ संग्राहकों को ही मालूम होंगी। लाइब्रेरी बन्द थी। चारों तरफ कपड़ों की दुकानें थीं।

इज्तिमा आ गया है।

शहर में ठंड की पहली परत के चढ़ते ही इज्तिमा का इंतज़ार होने लगता है। इबादत के लिए दूर देशों से लोगों का सैलाब आता है। पीछे-पीछे कपड़े आते हैं। लोगों के लौटने के साथ ये दुकानें नहीं लौटतीं। कपड़ों का ढेर बहुत है। लाइब्रेरी बन्द है और चारों तरफ इंग्लैंड, अमेरिका, जर्मनी, कोरिया के गरम कपड़े फैले हैं।

लाइब्रेरी मैदान पर धूल उड़ रही हैं, हल्ला हो रहा है। हरेक दुकान की बोली आपस में उलझ रही है। लाइब्रेरी मैदान के गेट पर भजिये बन रहे हैं। चाय के गिलास लेकर बच्चे दुकानों की तरफ दौड़ रहे हैं। गेट के अन्दर घुसते हुए मैंने पुलक अपने शरीर में महसूस की। हल्की ठंड और अच्छा कोट पाने के लिए शरीर को इतना हक है। सबसे पहले तो मैं मेले की हर दुकान देख डालूँगा। एक सुन्दर दुकान में तेज ट्यूब लाइट के नीचे दुकानदार के बताए कपड़ों को खरीद लेने का पछतावा यहाँ नहीं होगा।

पहली दुकान को पार करते ही पाणिग्रही साहब दिख गये। उनको देखते ही मेरी सारी खुशी जाती रही। कहीं यहाँ भी यह देखो, वह देखो न होने लगे। मैंने तत्परता से उनके सामने जाकर हाथ उठाया, गुड ईवनिंग सर।

उनके एक हाथ पर कोट, गाउन, रात में सोने का पजामानुमा पैंट का भार था। दूसरे हाथ में पाइप था।

"ओ! सुरेश तुम!"

"कुछ खरीदने आया था।"

कुछ शरारत से पूछा, "आप!"

"हाँ भई! सस्ते का खेल है। सोचा नौकर के लिए कुछ ले चलूँ।" और फिर मेरी शरारत पर चाकू चलाते हुए उन्होंने खरखरी आवाज़ में पूछा, "तुम क्या खरीद रहे हो?"

"जो शरीर पर आ जाये।"

अपने को खोल देना सीमा ही नहीं बनाता, सामने वाले को चुप कर देने के लिए ताकत देता है।

"अच्छा-अच्छा। काफी माल है। देखो!"

पाणिग्रही साहब की हिन्दी अच्छी नहीं है पर स्वर साधने का कौशल जानते हैं। सपाट स्वर में उपेक्षा ही शब्द हैं। उनका पाइप हमेशा की तरह बुझ गया था। उन्होंने एक-दो कश खींचे। इस सस्ते मेले में दो कश का समय-अन्तराल हमारी दूरी के लिए काफी था। मैंने धीरे से कहा, "लाइए, दीजिए।"

पाणिग्रही साहब ने कपड़े लाद दिये। वे आगे-आगे चलने लगे। उन्होंने जेब से आक्टोपसनुमा यन्त्र निकाल लिया। स्टील के आक्टोपस की हर टाँग का अपना

काम है। तम्बाकू खोदना, निकालना, ठूँसना और मलना। फाइलों और पाइप के बीच आक्टोपस और पेन को पाणिग्रही साहब कुशलता से खेलते हैं। बातचीत तो बहुत सारी आक्टोपस ही करता है। बीच-बीच में वे हूँ-हूँ करते हैं। उन्होंने पाइप तैयार कर लिया और धीमे-धीमे सुलगाने लगे। थोड़ी दूर पर ही जीप खड़ी थी। सामने मिसेज़ पाणिग्रही बैठी थीं। मैं दोनों के बीच स्थिर हो गया। ये कपड़े उन्हें कैसे देता। उन्होंने ही कहा, 'अच्छा तो इतने सारे ले आये।' वे हँसने लगीं। पाणिग्रही साहब धीमे-धीमे धुआँ निकालते रहे।

मेरा रास्ता खुल गया। चतुर दुकानदार की तत्परता दिखाते हुए मैंने एक-एक चीज़ देना शुरू किया। मक्खन के रंग के कोट को उन्होंने खूब पसन्द किया किन्तु रात को पहनकर सोने वाले पैंट पजामे को देखकर बेतहाशा हँसने लगीं, "ये क्या है भई, ये!"

"दिस इज नाइट पैंट! चलो चलें।"

पाणिग्रही साहब ने बेरुखी से कहा।

"अरे बच्चों के लिए कुछ भी नहीं! कुछ भी नहीं है क्या?"

"अच्छा सुरेश, तुम देख डालो भाई अपने लिए। कई च्वाइस हैं।"

मैंने नमस्ते किया और अन्दर की ओर भागा।

पहली दुकान पर कपड़ों के ढेर पर खड़े आदमी को पुकारा। वह अपनी मेंहदी लगी दाढ़ी को नोचते हुए खुजा रहा था और चीख रहा था। चीख में हरेक के दामों को अलग करना मुश्किल था। उसने मेरी बात पर ध्यान नहीं दिया। उसके पास खड़े लड़के का कुर्ता खींचकर मैंने पूछा, "मक्खन रंग का कोट ढूँढ़ सकोगे?"

लड़के ने हिकारत से मुझे देखा और बोला, "जो है यही है। ढूँढ़ लो।" कपड़ों को ऊपर-नीचे कर डाला। मक्खन रंग नहीं था।

मैं खुश था और मन ही मन दुकानदार की लय को दुहरा रहा था। एक-एक करके मैंने दुकानों को खखोलना शुरू किया। लोग कमीज़ उतारकर अपनी फटी बनियाइन के ऊपर दूसरी कमीज़ पहन रहे हैं। कोट की बाँह देख रहे हैं। गाँव से आये पटेल को एक दुकानदार अमेरिकन आर्मी कोट पहना रहा है। चौड़ी जेबों में हाथ डालकर वह खुश है, रहे-सहे दाँत दिखाकर पीतल के बटनों पर हाथ फेर रहा है। दुकानदार बोलता है, "भाई मियाँ, अब लग रहे हो फौजी। पहन जाओ। मूँछें बढ़ाओ और गोबर गैस लगाओ। ऐसा कोट नहीं मिलेगा। अमरीका के जीते फौजी का है। नक्की।"

झुकी कमर को लचकाते हुए पटेल हरे आर्मी कोट का बटन बन्द करते दूसरी दुकान में घुस जाता है। वहाँ साड़ियों का अम्बार हैं। मैंने लाल धारी वाला कोट पसन्द

किया। अच्छी बात तो यह रही कि शरीर ने कहीं से बगावत नहीं की, न छोटा हुआ। सौ रुपये से झिकझिक करके चालीस पर सौदा पट गया। न मालूम किस जानसन और किस निक्सन का यह कोट है। पहने-पहने उतार दिया ऊब से। या इसी में कहीं किसी जगह खाना खाते-खाते मर गया। धुलवाकर पहनना ही अच्छा रहेगा। आह! डेट्रायट का बना यह कोट 40 सेंटीग्रेड गर्म पानी में धोया जाय और हल्के लोहे से प्रेस किया जाये। लाल-सफेद धारियों की रौनक बनी रहेगी। मैंने अन्दर-बाहर की जेबों में हाथ डाले। अन्दर की चोर जेब में कुछ कागज-सा मालूम हुआ। डालर है क्या? निकाला तो मुड़ातुड़ा कागज। पेंसिल से लिखा है, 'इफ यू सी बुद्धा—किल हिम!'

ये क्या है!

आदेश।

आप्त वाक्य!!

क्या?

इफ यू सी बुद्धा—किल हिम।

हमारे देश के बुद्ध के बारे में, बहुत जल्दी में पेंसिल से लिखा गया यह आदेश है या स्मृतिपत्र।

मुझसे यह छोटी-सी चिट फाड़ी नहीं गयी। पुनः उसी जेब में डाल बाहर आ जाता हूँ।

यह कोट किसी मूर्ख का नहीं पढ़े-लिखे का लगता है।

धोने से क्या फायदा। अभी चमक है।

हर कपड़े का स्वभाव होता हैं। कोट शरीर के ऊपरी हिस्से को बाँधकर रखता है। कोट की सतर्क अदा कन्धों पर चढ़ जाती हैं फिर कन्धे आदतन चौकन्ने रहते हैं। टंटी को पसन्द है चुस्ती। टंटी को यह कोट अच्छा लगेगा और मैं नहीं बताऊँगा कि यह लाइब्रेरी मैदान से लाया हूँ। लाइब्रेरियाँ किताबों के लिए होती हैं।

टंटी कोट को छूते ही नरकुल-सी सिहर जाएगी। चेहरा यदि पीला होता तो पीला पड़ जाता या ललछौंह। साँवले चेहरे बातों को पचा लेते हैं। दाँतों की आभा बोलती है।

"बाप रे! मरे आदमी की उतरन पहने हो। छी!"

"तो क्या, अमरीकन है। बढ़िया कपड़ा है।"

"बुद्धू हो तुम। चमक देखो तो। और कोट। मिलेगा ऐसा यहाँ।"

"सब जानती हूँ।"

"क्या?"

"इसकी फैशन सड़ जाती है, तब भेजते हैं। दस-साल पुरानी फैशन।" मैं

हार कहाँ मानता। खींचता हुआ बोलता—"फैशन कभी पुराना नहीं पड़ता। एक जगह चुक गयी चीज़, बेकार-सी चीज़ दूसरे जगह एकदम नयी हो जाती है। बल्कि अद्‌भुत।"

"अरे छोड़ो। बेकार बात।"

"भूल गयी लाल गेहूँ! मोटा मक्का!"

टंटी अकबका कर देखेगी। मैं जानता हूँ अच्छे भले लोगों के राशनकार्ड उस समय इनसे रँगे रहते थे। वह चुप रहेगी।

"जहाज़ों पर लदान आती थी। जैसे ये कपड़े। घोड़े खाते थे घोड़े। फिर तुमने खाया कि नहीं। नन्ही घोड़ी।"

"गेहूँ तो गेहूँ है। ज़रूरी है। पर कोट के बिना चल सकता है।" वह मरे आदमी की देह को जाँच रही होगी। मक्कार या चालबाज या शराबी। और सबसे बड़ी बात मरे आदमी का कोट। सफेद कपड़े पर लाल चाबुक फटकारता।

"तुम नहीं जानती जरूरत की सीढ़ियाँ। वहाँ गाउन है। रात को सोने वाला पजामा जो पैंट जैसा दिखता है। कमीजें। जिसे कमीज़ पहनना है वही तो कमीज़ लेगा, भई।"

"हमें क्या। छी! मरे आदमी का कोट। पहनो खूब। छूना नहीं मगर हमें।" मैं बात बदल सकता हूँ, "तुम्हें मालूम है एक बार क्या हुआ। समुन्दर किनारे एक लड़के को एक टोपी मिली थी। कैप। उसे जब वह सिर पर लगाता तो अदृश्य हो जाता। उतारते ही दिखलाई पड़ता।"

"कहानी रहने दो। इस कोट में तुम वही रहोगे।" (लल्लूलाल?)

"मरे आदमी का कोट।"

परन्तु यह मरा कहाँ होगा। इफ यू सी बुद्धा—किल हिम। छोटी-सी पर्ची। उसने चुपचाप कोट उतारकर बेच दिया होगा। पर्ची भूल गया होगा। वह मरा नहीं होगा। वह ऊब गया होगा। ऊब से कोई मरता नहीं। सब दिखावा है। पर्चियाँ चुपचाप लिखी जाती हैं। और सब कुछ भूल जाता है, भुला दिया जाता है। मैं धुले कोट में भूल जाऊँगा।

टंटी को बताऊँगा ही नहीं। मैं सब समझता हूँ। उसकी सिहरन की फिकर से ज़्यादा कोट में छुपी रौनक की चिन्ता है। कोट और मेरी। मुझे देखते ही वह खतरनाक जंगली बिल्ली की तरह दबे पाँव आए और कोट पर हाथ फेरने लगे। गिलहरी को किया गया प्यार। खतरनाक का दुलार। कहे, तो यह है रेमंड

शूटिंग्स। किन्तु टंटी टीवी से यह सीखकर भी नहीं आजमाएगी। ऐसे समय में वह अनजान चाय की खुशबू लेकर आँखों को तनिक चौड़ा करेगी और मुलायम होकर कहेगी—'हँ उ ऊँ। अच्छा है।'

टंटी इस शहर में ऐसी सुनसान घाटी है, जिसके सामने मैं धीरे-धीरे अपने मन की सारी बातें कहता जाता हूँ। धीरे-धीरे दो होता हुआ। टंटी घाटियों की तरह मौन होकर सुनती है। शाम में डूबी घाटी की तरह धीरे-धीरे टंटी के स्याहपन से मैं प्यार करने लगा। काफी दिन लगे। पहले मैं उजला रंग खूब पसन्द करता था। केवल उजला गोरा रंग। दूसरों की तरह। अब दोनों पसन्द हैं। पर टंटी बहुत ज़्यादा। साँवली टंटी के दुबलेपन से मैं गरिमा के कई हावभाव खोज लिया करता हूँ। उससे बोलो तो कहेगी, "गनीमत है तुम गरिमा से प्यार किया करते हो! अच्छा तुम नींबू चाय पियोगे। तुम्हें पसन्द है," वह हँसते हुए मानो सराहना करती हो। चाय इनाम में अलग। यही प्यार है जी। यही। इसको सम्भालकर रखना बहुत मुश्किल है। तभी तो मैं नहीं भी कह पाऊँगा, कहाँ से पाया मैंने ये कोट।

झूठ है!

मन की सारी बातें!

खुली किताब के काले अक्षर मुहावरे होते हैं। मुहावरे लच्छेदार लोगों के लिए होते हैं।

उस दिन टाइपिंग इंस्टीट्यूट के सामने पुलिया पर बैठा था। मन हल्का था और ढलती दोपहर की धूप को झेल रहा था। धूप अच्छी लगने लगी। हाथ में चूड़ा था। चूड़े में पाँच तरह के सेव। बिना देखे, स्वाद से ही पहचान रहा था—कौन-सा लौंग का है, कौन-सा काली मिर्च का। टमाटर के पता ही नहीं लगते। अलबत्ता हींग के तुरन्त मालूम हो जाते हैं। हींग के सेव सबसे पहले खा लेने चाहिए वरना मंजन कहाँ से लाता। इंस्टीट्यूट के काँच से अन्दर का हालचाल दिखता था। बाहर की धूप घुसती नहीं थी। ट्यूबलाइट से कमरा खूब चौकोर लगता। टंटी काँच के किनारे बैठी काम कर रही थी। उँगलियाँ मछलियों की तरह हौले से उछलती थीं। मैं मन ही मन गिनती कर अन्दाज लगाता कि टाइपराइटर कब टन्न करता है। इंस्टीट्यूट से डुप्लीकेटिंग मशीन की बेसुरी आवाज़ आ रही थी। घर्रघर ट्ट्। घर्रघर ट्ट ट्ट।

टंटी उठने लगी। टाइपराइटर से कागज उसने ऐसे खींचा जैसे तोड़ रही हो। मैंने पास चले आये लालची कुत्ते को जल्दी-जल्दी हींग के मोटे सेव चुनकर डाल दिये। उसने सूँघे, फिर निराश कमजोर चाल में सड़क पार करने लगा जहाँ से टंटी आ रही थी। टंटी थकी हुई लग रही थी। मैंने कई बार कहा कि यह चक्कर

छोड़ दो। टाइपिंग सीखने से क्या फायदा। टाइपिंग क्लास शुरू करने से पहले उसने बी.एड्. का फार्म भरा था। मगर किसी वेदान्ती ने उसे बतलाया कि अक्सर एम.ए. के बाद ब्याह के इंतज़ार में लड़कियाँ बी.एड्. करती हैं। और बी.एड्. करना वैसे भी फायदेमंद है। कर डालो। अच्छा है। यह सुनकर उसने फार्म पर से पासपोर्ट साइज फोटो उखाड़ लिया। जो मेरे पर्स में है। जहाँ उस तथाकथित मरे आदमी की पर्ची सम्हाल ली है। टंटी ने हिन्दी टाइपिंग सीखना शुरू किया। केरल से आए दुबले-पतले टाइपिस्टों ने टंटी को अंग्रेजी जानने से बचा लिया।

टंटी की थकी नज़रों में ताज़गी लाने के लिए मैंने सेव को गाल के एक किनारे करते हुए कुछ ऊँचे में ही बतलाया कि अब मैं नये शहर में आ गया हूँ। कल से।

उसने गाल के नीचे खुले बालों को हौले से दूर किया और सन्तोष की हँसी में बोली, "तो आखिरकार पुराने शहर से मुक्ति मिल ही गयी!"

"कमरा अच्छा मिला है।"

"कहाँ? बताओ कहाँ?"

"खूब सस्ता। आई टाइप। रसीद भाई हैं प्यून। उन्हीं का।"

टंटी ने बहुत मरे-मरे कहा, "अं !"

मैं अचकचा गया। मेरी सफलता यूँ ही गयी। कहीं बहुत थोड़े में कह देने के कारण तो नहीं। "बात ये है कि रसीद पुराने शहर का आदमी है। प्यून तो है ही, वहीं की प्रेसों में कम्पोजीटर का काम भी करता है। क्वार्टर मिल गया है तो फायदा उठाना चाहता है। पुरानी जगह छोड़ना नहीं चाहता। धंधा है।"

"तो तुम प्यून की चाल में रहोगे?"

इतने सीधे सवाल के बदले में मैंने चूड़े का पुड़ा पेश किया। उसने बुरा नहीं माना। टंटी यही कहती। दरअसल शहर नये-पुराने में बँटा है। पुराना शहर दिनों में बँटा हैं और अब सोमवारा, बुधवारा, इतवारा आपस में घने होकर कठिन सप्ताह नज़र आते हैं। नवाब साहब के जमाने को याद करते ताँगे वाले, एक दिन में कर्फ्यू माता का मन्दिर खड़े करने वाले मारवाड़ियों और तिब्बा मियाँ का बीच बाज़ार में मोटे पत्थरों का महल है। जहाँ किसी जमाने में भरी दोपहरी में डाकू लोग छुपने आया करते थे। पुराने शहर में काम होता है। काम ही काम। लोहा गलाने, फर्नीचर बनाने, शहर के कचरे से गत्ता बनाने के कारखानों से लेकर होमियोपैथी की अनेक दुकानें। अखबारों के दफ्तर। मुर्गी बाजार। कपड़े, जूते, सर्राफा की लगातार गहमागहमी आखिर में बस-स्टैंड और रेलवे स्टेशन के दिन-रात चलने वाले भोजनालयों पर टूटती है। आखिरी भोजनालय न्यू पंजाब

रेस्टोरेंट है। सबसे पुराना। जिसने चन्द दिनों पहले अपना नाम बदल कर रखा है दिलबहार वैष्णव भोजनालय। इसी से शहर शुरू होता है या खत्म। वह आने या जाने वाले यात्री पर निर्भर करता है। किन्तु नया शहर यहाँ रुकता नहीं। इसके अलावा उसका भी एक छोटा रेलवे स्टेशन है। जहाँ से होते हुए रेलगाड़ी पुराने शहर पहुँचती है। नया शहर अंकों का खेल है। जितने मकान, नहीं क्वार्टर हैं, उतने का एक मोहल्ला। 1250, 1464, 400, 1100। वेतन का सम्बन्ध इन अंकों से पहले कभी नहीं बनाया होगा। अब इन मुहल्लों का अंकगणित घना हो गया है। सारे अंक मिल गये हैं। इसीलिए बीजगणित का सहारा लिया जाता है। पुराने शहर के और नये शहर के मिलन-स्थल पर एक चमकदार दायरा जरूर नया बाजार है। किन्तु असल नया शहर टाइप आई के क्वार्टरों से शुरू होता है।

आई के बाद तरक्की का सिलसिला शुरू होता है। ई और डी टाइप के बँगले शहर से दूरी बनाते हुए छितरे-छितरे खड़े हैं। दूरी से दिक्कत नहीं होती। जीप और कारें वहीं हैं। सुबह से ही ड्राइवर 'आई' टाइप से टिफिन लिए साइकिलों पर कूच कर जाते हैं। ई और डी बेतरतीब अरेरा पहाड़ियों के इर्दगिर्द तक फैले हैं। वहीं सरकारी इमारतों का यह रंग उतर जाता है। पीले और गेरू रंग छूट जाते हैं। अरेरा पहाड़ी के नाम को गौरवान्वित करने के लिए इसी नाम पर एक मुहल्ला बसाया गया है। सबसे ऊँचे पदों पर से उम्र के कारण उतार दिए गये लोगों ने अपनी हसरतों के मुताबिक अनोखे मकान बनाये हैं। वहाँ के बच्चे ऊँचे पदों पर हैं लेकिन शहर के बाहर। शहर में एक साथ इतने ऊँचे पद बनाए भी नहीं जा सकते। सुबह-शाम सफेद हाफ पैंट में खतरनाक कुत्तों को टहलाने के लिए बूढ़े लोग निकलते हैं। आपस में बूढ़े बात नहीं करते। कुत्ते मनमानी करते हुए जाते हैं। पुराने शहर के कुछ नामी चोर इनकी नस्ल पहचानते हैं। एक कुत्ता चोर से मेरी बात हुई है। देखिए कब लाता है। मगर बुलडाग की नाही की है।

"तो तुम आई टाइप में आ गए हो।"

टंटी दोबारा बोली थी।

"आई से अपना सफर तय कर मैं अरेरा पहाड़ियों तक पहुँचूँगा।"

वह अनमनेपन के साथ हँसी। पर खुश थी। अपने पिता के साथ टंटी नये शहर के बीचोबीच थी। एफ टाइप में। जहाँ बरामदे की जगह थी। टंटी खड़ी हो सकती थी और जब वह हाथ हिलाये तो मुहल्ले की औरतें उसे देख नहीं सकती थीं। वे धीरे-धीरे एच टाइप से होकर आई थीं।

मैं उसे और खुश नहीं कर सकता था। इस धारदार संवाद की हैसियत मालूम थी। तीस वर्ष की सरकारी सेवा चालीस वर्ष तक कहाँ जाएगी।

"बहुत अच्छे। थोड़ा बीच में रुक जाना। मेरे घर से गुजरने के पहले।" उसकी मुस्कुराहट में हो न हो तनिक मादकता रही होगी। कलफ की सूती साड़ी में वह भली और भोली लगने लगी। चलती सड़क पर चूमने की केवल इच्छा ही थी। चलती सड़क इच्छा के विरुद्ध।

"अब मैं टाइपिंग छोड़ दूँगी।"

"वाह, क्या बात है!"

"हाँ, कोई फायदा नहीं।"

"अच्छा है।"

"क़म्प्यूटर प्रोग्रामिंग सीखूँगी।"

"अरे वही बात।"

"नहीं। छः महीने का कोर्स है। अब देखना कितनी पूछ होगी।"

उसने टाइप कागज का गोल मुझे दे दिया। मेरा नाम नहीं था। कम्प्यूटर प्रोग्रामिंग कोर्स। कम्प्यूटर प्रोग्रामिंग कोर्स। कम्प्यूटर प्रोग्रामिंग कोर्स। कम्प्यूटर के स्क्रीन पर मेरा नाम छप सकता है चमकीला हरा?

सुरेश सुरेश सुरेश
सुरेश सुरेश सुरेश
सुरेश सुरेश सुरेश
बी.एड्., टाइपिंग, कम्प्यूटर प्रोग्रामिंग।
टंटी स्क्रीन पर क्या लिखेगी?

टंटी एक सुनसान घाटी है। लाल धारी वाला चमकता कोट पहनकर मैं अपने आप से बातें करूँगा। घाटी के स्याह नर्म और नाजुक उजास में घुलते हुए।

कोट पहनकर टेम्पो में चढ़ना असुविधाजनक हो सकता है। पैदल चलते हुए छोटे तालाब के पास निकल आना आसान हो गया। शहर में बड़े और छोटे तालाब ही ऐसे हैं जो लोगों से लुकाछुपी खेलते हैं। हर कहीं आकर चुपचाप खड़े हो जाते हैं। जलकुम्भियाँ या बगुले लिए।

कालेज के लड़कों ने लोहे का एक बहुत बड़ा पंखा तालाब के किनारे लगा रखा है पंखे की चाल तालाब से पानी खींचती है। अभी पंखा धीरे-धीरे चल रहा है। घर लौटते पंछी पंखे से बचकर निकलते हैं।

पंखे का मुँह पुराने शहर की तरफ हो गया है।

हवा अब नये शहर का दामन छोड़ इस ओर बहने लगी है। पंखा बहुत धीमे-धीमे सरौते की तरह चल रहा है।

हवा कट रही है।

कुट्‌ कुट्‌।

"खोलो, खोलो। सुरेश, सुरेश।"

"जल्दी करो। खोलो, खोलो। सुरेश!"

रात, नींद और सपने को चीरती बदहवास आवाज़ मच्छरदानी के अन्दर भिनभिनाने लगी। पहले लगा सपने में कोई बुला रहा है। फिर सपना कट गया। मेंढक की फुर्ती से उछाल ली। शरीर अकस्मात् आवाज़ से सनसनाने लगा। बाहर हरिहर खड़ा था। उसके पीछे भाभी और बच्ची। वे बाहर की ठंड में काँप रहे थे।

टावेल लपेटते हुए मैंने कहा, 'अन्दर तो आ जाइए।'

"नहीं-नहीं, भागो। जितनी जल्दी बन सके। कार्बाइड में गैस फूट गयी है। लोग मर रहे हैं।"

"मैं क्या करूँ? कहाँ जाऊँ?"

"जहाँ जगह मिले। कार्बाइड की तरफ नहीं। पुराने शहर भी नहीं। गैस यहाँ तक आएगी। मरेंगे। लोग कीड़ों की तरह मरेंगे। हम जा रहे हैं। तुम जल्दी करो।"

"रुक जाते।"

"नहीं-नहीं, जल्दी करो। समय बर्बाद मत करो।"

हरिहर ने मेरी तरफ देखा नहीं। वे खटाक् से मुड़ गए। उनके कदमों में तेजी थी। भाभी की गोद में छुपी बच्ची ने टाटा नहीं किया। उनींदी आँखों से झाँक रही थी।

सड़क पर ट्रकों और गाड़ियों की दौड़ थी। कुछ लोग पैदल दौड़ते दिखे। हरिहर के जाने से मैंने असुरक्षित महसूस किया। बहुत जल्दी करना है, हवा को खींचा। श्वास में हवा नयापन नहीं लिए थी। गैस नहीं थी। इसका मतलब है गैस आ रही होगी। हाथ-पाँव ढीले पड़ गये। चलने पर थरथरी लगने लगी।

पैंट-कमीज और स्वेटर पहनते वक्त याद करना मुश्किल था कि और क्या चीज़ साथ ले ली जाये। खिड़की पर रखे ताला-चाभी को लेकर बाहर आने लगा। एक बार और शायद आखिरी बार अपने कमरे पर हसरत भरी नजरों से देख रहा हूँ। कल शायद यह कमरा बासी हवा से भरा होगा और गैस की गन्दी महक जमा होगी। कल मैं नहीं होऊँगा।

मेज पर माँ-पिताजी का छोटा फोटो हाथीदाँतनुमा प्लास्टिक के फ्रेम में था।

मैं अटक गया। तुरन्त पीछे से फ्रेम खोल फोटो निकाल लिया। उसे मोड़कर जेब में डालते हुए मन बेतरह रोने को हुआ। या शायद कै करने की इच्छा। डर से जैसे यह गले में भरी थी। कै या रोने की इच्छा। काँपते हुए कुंडी पर ताला लगाने लगा। चाभी बार-बार बिछल जाती थी। इस बार बन्द न हुआ तो छोड़कर चला जाऊँगा। आखिरकार ताला लग गया।

सड़क पर गाड़ियों की सर्राहट बढ़ गयी है। दौड़ते हुए सामने के कमरों की कुंडियाँ खटखटाता गया। कुछ पर ताले थे। बहुत से लोग चले गये हैं। पांडुरंग। दीक्षित। सक्सेना। बहुत से सो रहे होंगे। पर भागो, भागो।

मैं सड़क के किनारे आ गया और दौड़ने लगा। हवा हल्की बदबू से भरी थी। नहीं-नहीं, यह गैस नहीं हो सकती। बिल्कुल नहीं। यह तो पेट्रोल की गन्ध और धुएँ की गन्ध होगी। कितनी गाड़ियाँ हैं। फिर मुझे जीभ अजीब सी क्यों लग रही है? कैसी हो रही है जीभ। मोटी और चरपरी। फेन की पतली परत जीभ पर आ गयी है। आँखों में दर्द है। जलन है। गैस आ गयी है। पूरी शक्ति के साथ दौड़ने लगा। कुछ और लोग भी दौड़ रहे हैं। कोई बातचीत नहीं। जिनके पास छोटे बच्चे थे वे जल्दी-जल्दी चल रहे थे। रास्ता रात में लम्बा होता जा रहा है।

सड़क के किनारे ट्यूबलाइट्स खामोशी से जल रही हैं।

रास्ता लम्बा कहाँ है!

मालूम कहाँ है, कितनी दूर तक जाना है।

और बीच में, काली सड़क के बीचोबीच कब गिर जाऊँगा। फिर ट्रकें, कार, मोटर साइकिल। मेरा चेहरा भी पहचाना नहीं जा सकेगा।

सड़क के किनारे आकर मैं दौड़ने लगा। दिल शरीर से बार-बार अलग हुआ जा रहा है। जाँघों में पत्थर भरे जा रहे हैं। इस ठंड में हथेलियाँ पसीने से चिपचिपी हो गयी हैं।

चौराहे के पहले ही स्कूटर लड़खड़ाकर गिरा। स्कूटर के नीचे सवार था। कन्टोप लगाए। उसके होंठ सूजे हुए थे और फेन धीरे-धीरे झर रहा था। उसने दोनों हाथ जो बाहर निकल आये थे, फैला दिए। नहीं-नहीं, प्रार्थना के लिए नहीं। दोनों हाथों की उँगलियाँ अकड़ गयी थीं। खालीपन को भी नहीं पकड़तीं। उस पर लदे हुए स्कूटर का अगला चक्का घूम रहा था। बेआवाज़।

भागो।

मौत आ रही है। आ गयी है।

मेरी आँखों में आँसू आ गए हैं। मैं नहीं जानता शरीर के किस कोने में है ताक़त। केवल दौड़ने की ताक़त। मुझे छोटी-सी ज़िन्दगी दे सके। नहीं-नहीं, मैं

खाली हाथ आसमान की तरफ कर, मरना नहीं चाहता। अभी मरना नहीं चाहता। मुट्ठियाँ कस लीं, शरीर की तमाम-तमाम नसों को कस लिया। हाँ, शरीर मेरे काबू में है। मैं जो चाहूँगा, कर सकता हूँ। सारी नसें झनझनाकर आ रही हैं मेरे हाथों में। मैं मरूँगा नहीं। मैं रहूँगा। बहुत छोटी-सी ज़िन्दगी जी है मैंने। जीवन को तोड़ना आसान नहीं है।

दौड़ने की गति मालूम नहीं। एक लैंपपोस्ट से दूसरे लैंपपोस्ट तक में ज़्यादा समय नहीं लगता। समय थोड़ा और मिल जाए। गैस दबोचे, उसकी हदों से पहले निकल जाएँ।

एक बहुत पुराना ट्रक मेरे बगल से गुजरकर धीमा होकर रुक गया। वह लगातार घरघरा रहा था। मैं ट्रक से थोड़ा आगे निकल गया था। मुझसे चला नहीं जाएगा। कितनी दूर तक दौड़कर जा सकता हूँ। ड्राइवर की खिड़की के पास जाकर मैंने कहा, ''ड्राइवर साहब, ड्राइवर साहब...!''

उसने खिड़की से थोड़ी देर के लिए मुँह निकाला। बूढ़ा सरदार था। पगड़ी नहीं थी। बाल खुले हुए थे। देवदूत की तरह। सफेद।

''मैं, मैं...बैठना है।''

''पीछे देखो। जगह हो तो चढ़ जाओ। लाइट नहीं जल रही है।''

वह फिर झुक गया। उसका दूसरा आदमी बोनट के अन्दर तार हिला रहा था।

मैं पीछे पहुँचा। लोग बैठे नहीं थे। इतनी जगह नहीं थी कि वे सब बैठ जाएँ। हँफनी के कारण कुछ बोल नहीं सका। हाथ ऊपर कर दिए। दो लोग झुके। उन्होंने मेरी हथेलियों को अपनी हथेलियों में ले लिया। फूटी बाल्टी की तरह कुएँ से निकालते हुए।

उन्होंने कुछ कहा नहीं। मैं आगे सरक गया। कोने में रजाई का एक गूमड़ उठा हुआ था। वहीं मैं जगह बनाने लगा। पास में खड़े आदमी ने रजाई पर हाथ मारा—''उठ जा रे! सब खड़े हैं और तू रजाई लपेटे सो रहा है। जगह दे।''

रजाई से मुँह निकाला। लड़की थी। वह चुप थी। खड़ी नहीं हुई।

''उठ, जगह कर दे। खड़ी हो जा।''

वह उठी नहीं। सपाट चेहरे पर हज़ारों चीलों की परछाइयाँ तैर रही थीं। उसने कोई जवाब नहीं दिया।

उस आदमी ने अपनी चादर ठीक से लपेटी और रजाई से लड़की को उठाने लगा। लड़की धीरे-धीरे खिंचती हुई उठी। उसके साथ पूरी रजाई उठ गयी। नीचे भूरे रंग की बकरी का बच्चा दुबका हुआ था। जागा हुआ। ट्यूब लाइट्स में आँखें मिचमिचाते।

"कौन है तेंरे साथ?"

वह चुप थी।

"अकेली है?"

उसने हामी में सिर हिलाया।

"बाकी कहाँ हैं?"

"अम्मा वहीं खत्म हो गयीं। बाकी और तरफ दौड़ गये। बकरी हमारी है।"

उस आदमी के हाथ से रजाई छूट गयी। धीरे-धीरे।

"बैठ जा।"

मुझे लगा इस आदमी की आवाज़ लड़की की आवाज़ से मिलती है। सपाट। कर्री। लचकहीन मगर हमदर्दी लिए।

मैं कोने से हट गया और कोहनियों के सहारे जगह बनाने लगा।

ट्रक चल निकला। हवा के थपेड़े लगने लगे।

ऐसी होती है मौत। कितनी बार बातें हुई हैं मौत को लेकर। बचपन में कुहराम के बीच मौत आती थी। आकर चली जाती थी। निःशब्द। लगातार चलती बीमारी। तरह-तरह की दवाइयाँ। छोटी-बड़ी शीशियाँ। अस्पताल के चक्कर। मौत चुपचाप आकर ले जाती थी। दादी की कठिन खांसी फिर सुनाई नहीं पड़ती। गोबर से लिपा चौक धीरे-धीरे छोटा होता चला जाता। यहाँ तक कि दीये की लौ भी नहीं होती एक दिन। आले साफ हो जाते। पलंग उठा दिया जाता। कपड़े बिरंची जमादार ले जाता। हवन। पंगत। मोतीचूर के लड्डू। कहकहों से घर भर जाता।

फफूँद लगे सीपिया फोटो में दादी पलंग पर लेटी हैं। उनके पीछे घरभर के लोग हैं। हाथ बाँधे। अम्मा ने घूँघट नहीं किया है। पीठ दिखाते कोई इधर नहीं है। तस्वीर खिंचाने के लिए सब खड़े हैं। दम साधे। मौत सामने है। लेटी हुई दादी। दादी ने तस्वीर नहीं खिंचाई।

बचपन में इस फोटो को मैं नहीं देखता। हर दीवाली को पुताई के समय अँधेरी कोठरी में इसे रख आता। बाद में अम्मा ढूँढ़कर इसे ले आतीं।

मौत इसी तरह डराती रहती। रोज नहीं।

किन्तु हरिहर बोलता, मौत में आलोक है। उसने लिखा है।

वह लिखता-पढ़ता है। हरिहर कहता है कि हज़ारों बढ़िया चीज़ें मौत को लेकर लिखी गयी हैं। आखिरकार मौत हमारा अन्तिम पड़ाव है। शान्ति का ठौर है।

नहीं। मौत में आलोक नहीं है। इतनी टुच्ची मौत। इसके बाद करने को कुछ नहीं। जीवन का कुछ भी नहीं करने का क्षण। अन्तिम। मैं क्या जानूँगा अपनी मौत के बाद का हाल। जो है, इसके पहले। इसके बाद तो सब कुछ बदल जाता

है। लोग धीरे-धीरे मरे हुए का भी बदल ले आते हैं। मैंने इतने साल कुछ भी तो नहीं किया। अब क्या करूँगा मैं?

पसीने की एक लहर रीढ़ की नहर में ऊपर से नीचे को रेंग गयी। दूर तक लोग दौड़ते चले आ रहे हैं।

जब मैं दौड़ रहा था तो महसूस ही नहीं किया। इतने सारे लोगों के बीच मैं भी दौड़ रहा था। ट्रक इस दौड़ में शामिल है आगे और आगे। गैस कहीं रुक गयी है।

ट्रक गैस के घेरे से दूर चला जाएगा।

मेरी हँफनी बन्द हो गयी थी। साँस सीने से बड़ी नहीं थी। बाजू वाले आदमी से पूछा, ''पुराने शहर का क्या हुआ?''

उसकी आँखें लाल थीं, उन्हें सीधे गड़ाते हुए बोला, ''गनीमत है हम बच गए। घर में घुटन लगी तो दौड़ लिए। बच गए साब।''

मैंने फिर पूछा, ''वहाँ क्या हुआ?''

''सड़कों पर लाशें बिछी है। बहुत मरे हैं।''

''कहाँ तक?''

''नए शहर के पास तक।''

''क्या मालूम नये शहर में भी लोग खत्म हों।''

''कारखाने के आसपास सुनते हैं, पटापट कर मरे हैं। लोग वहाँ से भागते चले आए पर गैस लग गयी तो रास्ते में ही खत्म हो गये।' उसने सिर घुमा लिया। वह और कुछ नहीं कहना चाहता।

ट्रक के हिचकोलों में मैंने शरीर को टूटते महसूस किया। सभी लोग चुप थे। अलग-अलग मुहल्लों से इकट्ठे हुए इन लोगों से मैं क्या जानूँ। मौत के करीब से गुजरकर आए लोगों ने चुप्पी में सब कुछ बतला दिया है।

ट्रक कच्ची सड़क पर लाल धूल उड़ाता हुआ छोटे से नगर की बाहरी गुमठियों के पास आ गया। बहुत जोर की हुंकार के बाद ट्रक का इंजिन शान्त हो गया। ट्रक का पल्ला खोल दिया गया और लोग कूदने लगे। चाय की दुकानें ठसाठस भरी थीं। शहर से भागते हुए लोग यहाँ तक आ गए हैं।

ड्राइवर को खोजने में थोड़ी-सी देर लगी। संकोच से पूछा, ''कितने पैसे दे दूँ?''

वह बोला नहीं। दाढ़ी पर हाथ फेरता रहा।

संकोच और बढ़ गया। बोल नहीं पाया, सिर्फ खाँसा।

''रहने दो।''

उसने हँसकर नहीं कहा होगा। फैले बालों में भी हँसी छिप नहीं सकती।

"चाय पिएँगे?"

"नहीं। रहने दो।"

कृतज्ञता में हाथ मलते हुए मैं हट गया। उसने मुझे देखा भी नहीं। वह रम्मू, रम्मू कहकर पुकारने लगा। उसने कहा कि वापस लौटने की जल्दी है।

मैं भीड़ में अन्दर घुस गया। भट्ठी की आँच अच्छी लग रही थी। भगौने से चाय की खुशबू उड़ रही थी। दुकानदार की नींद उड़ गयी थी। वह अँगोछे से बार-बार गरदन रगड़ता और प्यालियाँ देता जाता। मैंने बरफी तुलवा ली और चाय लेकर बाहर आ गया। अन्दर लोग इत्मीनान से दीवाल का सहारा लेकर बतला रहे थे कि पुराने शहर का क्या हाल हो गया है। स्थानीय लोग खड़े सुन रहे थे। उनकी तेज बातचीत और हँसी में वे हँस नहीं रहे थे। उन्होंने पूछा कि क्या गैस यहाँ तक नहीं पहुँच सकती?

"तुम सब मरोगे। चाय लाओ।"

वह फिर हँसने लगा। सूखी हँसी मजाक के आसपास बिल्कुल नहीं थी। वह डराना चाहता होगा, इसीलिए हँस रहा होगा।

पत्थर के टीले पर बैठकर मैं बरफी खाने लगा। मैदा अधिक मिला है। पुरानी भी है। इस निरापद नगर में मैंने इतनी रात को अपने जीवन को बचा लेने और पुरानी बरफी खाने के बारे में कब सोचा था। पुराना शहर साफ हो गया होगा। मौत का सैलाब। मैं बच गया। धीरे-धीरे सारी बरफी खाली। चाय पी। पहली डकार के बाद ताँगे पर भर्राती आवाज़ को सुनने लगा। वह कहता है कि शहर अब सुरक्षित है। लौट जाएँ। ताँगे को लोगों ने घेर लिया है। माइक पर बैठा आदमी झुँझला गया है। उसने बैठी आवाज़ में बतलाया, उसे कुछ मालूम नहीं। बस लोग लौट जाएँ। यही खबर है।

उसने लोगों पर से ध्यान हटा दिया। शहर अब सुरक्षित है। निवासियों से निवेदन है, लौट जाएँ।

शहर की ओर जा रही कार में मुझे जगह मिल गयी। पूरा परिवार था। एक बेटी, दो बेटे, माँ-बाप। उन्होंने पूछा कि मैं कैसे भागा।

मेरी हथेलियाँ पसीने से भर गयीं। उन्हें विस्तार में कोई रुचि नहीं थी। वे हँसने लगे। लड़की बोली, 'आप काफी डर गये!'

"हाँ।"

वे फिर हँसने लगे। उनके पिता ने कहा, "हमारे घर में इनकी माँ को छोड़कर कोई भी नहीं घबराता।"

लड़के इस बात से खुश हुए। एक ने कार में लगे टेप में कैसेट फँसा दिया। हब्शियों की तीखी हू-हा से वातावरण भरने लगा।

लड़की ने कहा, 'माँ को तो डरने का बहाना चाहिए।'

''माँ, बताओ अच्छी पिकनिक रही कि नहीं।''

''इतने रुपये हैं जेब में कि महीने भर न आते तो चल जाता।''

''मैंने तो कहा और आगे तक चले चलते हैं। इसी बहाने गोलछा के दफ्तर का इंस्पेक्शन हो जाता।''

''पापा, आपको हर समय काम सूझता रहता है।''

''वो भी ऐसे समय में।''

''बेटे, इतना पेट्रोल किस खाते में जाता। कुछ करना पड़ेगा। गोलछा के यहाँ दिक्कत नहीं जाती।''

''पैसे के मामले में पापा भी कम नहीं घबराते। है न्!''

''तुम्हारी माँ से कम।''

'माँ को छोड़ो। आज तो प्राण ले लेतीं।'

मालूम नहीं उनकी माँ घबराती हैं या सब मिलकर घेर रहे हैं। मोटे भारी चेहरे पर दबंगता के तो कई निशान हैं। वे चुप सुन रही थीं। मेरे सामने उन्हें घेरना, अच्छा नहीं लग रहा होगा। लम्बी जम्हाई लेकर वे बोलीं, ''तब तो सारे रास्ते ये नहीं रखा, वो नहीं रखा करते रहे तुम लोग।''

''माँ, तुम्हारा बस चलता तो सारा घर उठा लातीं।''

''तुम लोगों ने कहा माना! कुता और नौकर तो वहीं छूट गये।''

''दिल हो तो माँ जैसा।''

''इसीलिए माँ चुप हैं। बहादुर को क्यों नहीं लाए?''

''है, न् माँ!'

'अरे, तुम लोगों को क्या है। कहीं बेचारा मरमुरा गया गैस में तो आफत पड़ जाएगी। तुम लोगों से तो कोई काम होता नहीं है एक। मुझे ही खटना पड़ेगा। दिन-रात। फिर बेचारा लड़का अच्छा है। कुछ हो गया तो ठीक नहीं होगा। राम-राम।'

हू हा। हू हा। ठम ठम। या। या।

बाकी चुप्पी थी।

पीछे की सीट पर संतरा छीला जा रहा था। खुशबू आ रही है। आसमान धुल रहा है। हल्के नीले आकाश में नंगी टहनियाँ ऊँची होकर खुब रही हैं।

संतरा। टंटी। हाय।

टंटी तुम कहाँ हो।

चुंगी नाके पर लड़के ने पैसे के लिए रोका नहीं। हाथ हिलाकर वैल्कम किया। लोहे का दरवाज़ा पटरियों पर फिसलकर खुल गया।

अवैध नागरिक का प्रवेश।

ग्लानि।

मन संतरे की फाँक होता तो बताता।

वैसे ही है सुबह।

धूप कोहरे की रजाई चुपचाप उठा रही है। धरती धीरे-धीरे पसीज रही है। वैसे ही खड़े हैं मकान। गुमटियाँ। लकड़ी टाल। घूरे के ढेर। पेड़। दरवाजे पर वैसे ही खड़े हैं सक्सेना। अपनी छाती के बालों को सहलाते हुए।

''कहाँ चले गये थे?''

वे हँसने लगे। उदार हँसी की पतली धार पेट से उठ रही थी।

''ट्रक मिल गया था।''

''हम यहीं रहे। जरा देर आप रुकते तो भागने की नौबत न आती। बड़ी हड़बड़ी मची। हम यहीं रहे।''

''कोई आग तो थी नहीं। पानी भी नहीं कि देखते रहते।''

''हाँ, ये तो है। गैस तो गैस है। सपाटे में आती।''

''जाँचने में समय, ऐसे में कौन लगाता है। भागो। अपन ने सोचा।''

''वहाँ खूब मरे हैं। कारखाने के पास। क्या मालूम यहाँ तक गैस आती तो हम सब भी साफ हो जाते। हमने तो घर बन्द कर लिया। सोचा मरेंगे तो बाल-बच्चे साथ लेकर। मगर खूब बचे।''

धार टूटी नहीं थी। वे फिर हँसने लगे।

''नया शहर तो पूरा बच गया सक्सेना साहब।''

''हाँ-हाँ, अच्छा है। कोई कह रहा था हिटलर के जमाने में लोगों को इसी गैस से मारा जाता था। फास्जीन गैस है। सूँघो तो वहीं के वहीं ढेर। कोई देर नहीं। बहुत खतरनाक गैस है। कहीं नहीं बनती।''

''तो अपने यहाँ क्योंकर बनती है?''

सक्सेना को इतना हँसते और इतना बात करते कभी नहीं देखा था। वह दफ्तर के अलावा कोई बात करना पसंद नहीं करता था। उसका मानना है कि लाला लोग ही कायदे-कानून और अंग्रेजी जानते हैं, बाकी लोग तो केवल नौकरियाँ करते हैं। छोटी-सी उपकंडिका भी सक्सेना की नज़र से नहीं छूटती। मगर वह

हँस रहा था। बोला, "सब ले आइए। जो बाहर दूसरे देश में न होता हो, यहाँ ले आइए। हिटलर की गैस तो खैर मामूली चीज़ है।"

सक्सेना के चेहरे पर क्रूरता की कड़ी परत जम गयी। जो उसकी नहीं थी, अभिनय था, "हम किसी से डरते नहीं। कोई चीज़ हमें नहीं डराती। न अकाल। न बाढ़। न ही ये साली हरामजादी गैस। कोई भी चीज़ नहीं सुरेश। क्योंकि हमें मरने की आदत है। अच्छा, चाय पियोगे?"

"बस। चलें।" बेचैनी में इतनी देर खड़े होकर भी बेचैनी का कारण मालूम नहीं हुआ।

'कभी-कभी आ जाया करो यार। साली ज़िन्दगी का क्या भरोसा।' सक्सेना की लाइन में सनाका था। लोग खिड़कियों और बालकनी में चुपचाप सड़कें देख रहे थे। सड़कों पर रतजगा किए लोग लौट रहे थे। उनसे साइकिल बचाते हुए दूध बाँटने वाले लड़के मकानों पर ठंडी दूध की थैलियाँ रख रहे थे। निःशब्द। एक थैली पर दस पैसा मिलता था।

'आई' की लाइन चुप नहीं थी। कुछ घरों में गहमागहमी थी। शायद पुराने शहर के सम्बन्धी आ गये होंगे। साठ नम्बर से विलाप उठ रहा था। कोई सम्बन्धी वहीं खत्म हो गया होगा।

ताला खोल ही रहा था। हरिहर और खूबचन्द एक साइकिल पर आते दिखे।

ताला खोला नहीं। हाथ हिलाया। बदले में खूबचन्द जल्दी पैडल मारने लगा। पास आकर हरिहर ने अपने दोनों हाथ मेरे कन्धे पर धर दिये। उसके चेहरे पर थकान थी। आँखों में पतले डोरे।

'ठीक हो?"

"हाँ।"

"खाया-पिया?"

"हाँ। बच्ची कैसी है?"

"कहीं तंग नहीं किया। गुमसुम देखती रही। रोई भी नहीं। जैसे सब जानती हो। अब तो उसका नाम बच्ची नहीं बड़ी होगा।"

"बच्चे खतरा नहीं भाँपते। वे तो बड़ों के चेहरे को पहचानते हैं। तुम देखना बहुत बड़े होने पर भी बच्ची को तुम्हारा आज का चेहरा याद रहेगा।"

खूबचन्द ने कहा।

हरिहर ने कन्धों से हाथ हटा लिए, "खूबी, मैं चाहता हूँ बच्ची हमेशा याद रखे। मेरा डरा हुआ चेहरा। डॉली की चीख। निचुड़ा हुआ चेहरा शायद बहुत गलत समय में उसको किसी ठीक-ठीक प्वाइंट पर खड़े रहने में मदद दे सके।"

“हाँ हरिहर। हम लोग तो केवल चिल्लाते हैं। तुम कहते थे बड़े देशों के कारखाने हमारे देश का पैसा खींच रहे हैं। मेहनत और माल खींच रहे हैं। पर क्या होता है? हो रहा है। भुगतो अब नतीजा।”

“खूबी, ये नतीजे बच्ची के दिल में गड़ जाएँगे। तब वे कह सकेंगे कि इसका मतलब हम खूब जानते हैं।’

“यार हरिहर, खूबी। तुम लोग अन्दर बैठो न।”

“आज कोई दफ्तर-वफ्तर नहीं। हर जगह छुट्टी है। हम लोग ऐसा करते हैं कि साथ चलते हैं पुराने शहर। मदद की बहुत जरूरत है। हम कुछ करें।”

“सुनो यार खूबी, बस दस मिनिट। दस मिनिट के लिए साइकिल दे दो। तुम लोग बैठो। बस मैं आया।”

हरिहर ने हल्के से मुस्कराकर खूबचन्द की तरफ देखा।

“गिड़गिड़ा क्यों रहे हो। ले जाओ। पर टँग मत जाना। ये समय अब इश्कबाजी का नहीं है। क्या समझे?”

“बस आया। ज़्यादा देर नहीं करूँगा।”

मैंने अपने आप को बहुत छोटा महसूस किया और विनीत। किन्तु अपनी बेचैनी को खत्म करना चाहता हूँ। टंटी को कुछ नहीं हुआ होगा। यहाँ किसी को क्या हुआ है। पर टंटी से मिलना ज़रूरी है। टंटी याद करती होगी।

“चाभी दो।”

मैंने चाभी हरिहर को दे दी।

वे मुड़े तो मैं भी पीछे-पीछे चलने लगा। दरवाजे पर गोल पीतल का ताला ठंडी हवा के साथ हिल रहा था। ‘सुनो हरिहर, ताला मैं खोलूँगा।’

“तुम जल्दी हो आओ।” हरिहर ने चाभी देते हुए कहा।

“दरवाजा मैं खोलूँगा। मैं वापस आया हूँ।”

कोई कुछ नहीं बोला। ताला खट् से खुला।

खाट पर बिखरे हुए कपड़े। कुर्सी पर मग। खुला ट्रक। प्लेट में सूख गयी दाल। रोटी के टुकड़े। जमीन पर फ्रेम खाली। बिखरी हुई चिट्ठियाँ।

एक भगोड़े का कमरा।

मैं वापस आ गया हूँ।

ताला मेरे हाथ में अब भी था। जमीन से फ्रेम उठा लिया। दोनों मेज पर रख जेब से फोटो निकाल लिया। फोटो पर रेखाएँ उभर आई थीं और पिताजी की नामक उठ आयी थी।

“हरिहर, इसे फ्रेम में लगा देना। मैं आता हूँ।”

हरिहर फोटो ध्यान से देखने लगा। हालाँकि कई बार देख चुका होगा।

"सुरेश, एक बात पूछूँ। पर्सनल है।"

"बोलो।"

"तुम तो अक्सर कहते हो, तुम पिताजी को बहुत कम याद करते हो। फिर?"

"मैं कुछ भी नहीं जानता। कुछ नहीं।"

"ऐसे कैसे हो सकता है। आखिरी दौड़ की उम्मीद में ये फोटो तुम भूले नहीं।"

"हरिहर सचमुच मैं कुछ नहीं बता सकता। बस लगा अन्तिम धड़कनों के बीच ये फोटो बना रहे। बहुत करीब रहें माँ-पिताजी। हालाँकि..."

हरिहर पिताजी के ऐयाशी के अनेक किस्से सुन चुका है। घर की उमस और घुटन को बिना गए जानता है। मेरे ठिठुर जाने को भी।

"हालाँकि मैं पिताजी से बहुत दूर रहना चाहता हूँ।"

"खैर, तुम चलो।"

"और हाँ। टंटी प्यारे तुमसे पूछेगी कि क्या कुछ कर लिया, उसके लिए तो मालूम नहीं का पहाड़ा मत पढ़ना। समझे? वो पूछेगी।"

खूबचंद ने हाथ उठाकर कहा था।

"मैं कहूँगा, मैं सरपट भागा था। कुछ भी याद न था। मैं उसे बहुत प्यार करता हूँ। खूबी।"

"देखो! अपना क्या।"

"सुरेश! अपने लड़की होने पर पहली बार दुःख हुआ। सच्ची! लड़का होती तो भागकर तुम्हारे पास आ जाती।"

टंटी की आवाज़ कम्प और गीलेपन से दूर थी, थिरी हुई। उसके बालों को हथेलियों में समेट एकदम नजदीकी चाहता हूँ। मुलायम बालों पर हल्का दाब। त्वचाएँ अक्सर घर को कमरों में बाँट देती हैं। हथेलियों को खोलते ही बाल कूद पड़े। खरगोश। झरना। कन्धों के नाजुक किनारों के स्याहपन को चमक से ढँकते। बहुत धीमे से कहा, 'तार करना है, पिताजी यहाँ सुरक्षित हूँ।'

'एलाँग विद टंटी।'

मैं बोला नहीं।

पहाड़ी पूरी धूप से भर गयी थी। शहर दिखता था और तालाबों के हिस्से। सड़कों के ओर-छोर और ऐंठे हुए बल। सब कुछ शान्त। पहाड़ी के दूसरी ओर उतर आने पर टेंपो मिला जो कारखाने के करीब जाता था। उत्तेजना और तेज़

आवाज़ों से टेम्पो लदा हुआ था। आधे से अधिक लोग कारखाने के आसपास अपने पहचान वालों को देखने जा रहे थे। जबकि थोड़े से कुछ लोग नये शहर के अस्पतालों के चक्कर लगा आये थे। रात उनके बिछुड़ गये सम्बन्धियों को ढूँढ़ने जो अस्पताल में शायद डले हों।

'हमें तो कुछ नहीं हुआ भैया। कारखाने के बिलकुल दाईं तरफ रहते हैं। रात को ग्यारह-बारह बज रहे होंगे तो खूब भगदड़ मची। बाहर जाकर देखते हैं तो आदिमियों का रेला चला जा रहा हैं। जहाँ जगह मिली वहीं से भगे जा रहे हैं।' औरत ने साँस खींचकर कहा।

''आप नहीं भागे। हम लोग तो नये शहर के भी भाग लिए थे।'' हरिहर ने और अधिक पूछने की गरज से कहा।

''भगने वाले तो थे पर समझ गए हवा दूसरी ओर बह रही है पूरब की तरफ। कुछ न हुआ। भैया, अपनी आँखों के सामने हँसते-खेलते बच्चों को मरते देखा है। नाश हो इन कारखाने वालों का। हम तो पहले ही कहते थे, बहुत बदबू आती है। हटाओ इसे।''

''पता कैसे चला? कब?''

''क्या मालूम भैया। सब कहते हैं आंखों में मिरची लगती हैं, जलन होती है। कुछ दिखता नहीं। फिर उल्टी करते, खाँसते भागते देखा। बहुत से तो भैया रे वहीं तड़पने लगे जैसे कोई गला दबा रहा हो। उल्टी-टट्टी सब हो गयी। मरने लगे तड़प-तड़पकर। घुट-घुट के मरे हैं। हम लोग इस तरपी के, खड़े देखते रहे। बाद में पता लगा हमारे पास के नहीं दूर-दूर के सब मर गये। क्या बड़े, क्या बूढ़े।'

''अम्मा, तुम्हारे पास-पड़ोस क्या, रेलवे स्टेशन और पार्क तक गैस गयी थी। स्टेशन पर तो सारे भिखारी मर गये। कुली भी कई गये। ये कहो कि रेलगाड़ियाँ रुकी नहीं थीं। नहीं तो पूरी गाड़ी खत्म हो जाती। पर साहब, बहादुरी है स्टेशन मास्टर की। कहने लगे, नहीं जाएँगे। गाड़ियों को शहर में नहीं आने देंगे। वहीं कुर्सी पर बैठे-बैठे खतम हो गया।'' एक लड़के ने कहा।

''मगर इधर तो बहुत से बड़े अधिकारी शहर से भाग गये। यहाँ तक कि...''

''भागे। सरकारी गाड़ियाँ लेकर भाग गये। मैंने देखा कई को तो खूबचन्द।'' हरिहर ने तैश में कहा, ''यदि सारी सरकारी गाड़ियाँ ये लगा देते लोगों को ढोने में तो कई बच जाते। हद है।''

''इस शहर पर बहुत बुरा साया आ गया है, बेटा।''

उस औरत के माथे पर लकीरें खिंच गयीं। आँखें अनजान भय से चमकहीन होने लगीं। उसने चेहरे पर जाली गिरा ली। पहली बार महसूस हुआ कि वह

बुरका पहने है। बुरके का रंग काला नहीं रह गया था और उस पर कई जगह सफेद धागों के रफू थे। छोटे-छोटे कीड़ों की तरह। जिनमें वह कसमसा रही है।

सड़क के तीखे शोर में तैरते टेंपो में चुप्पी थी। इधर-उधर देखने वाले अब आमने-सामने देख रहे हैं। चुप्पी में वार्तालाप दिखलाई नहीं पड़ता। होंठ हिलते नहीं। आँखें आहिस्ता-आहिस्ता चलकर सब कुछ बतलाती हैं। भय अपनी शर्म शब्दों में नहीं खोलता। आखीर में मोटा सिंधी, जिसने लाल कमीज़ पहन रखी थी और गले में काला डोरा झाँक रहा था, बोला, ''गैस बहुत दूर-दूर तक गयी थी। सबके अन्दर गयी है। कुछ न कुछ होगा। मैं कहता हूँ, कुछ होगा। धीरे-धीरे पता लगेगा। लोग मरेंगे।''

खूबचन्द उसके बगल में बैठा था। उसने अपनी घड़ी की चेन खोली और फिर चट् से बन्द की। मुँह पर हाथ फेरा। अकस्मात् झुँझलाकर लाल कमीज़ वाले से कहा, ''क्या तुम्हें बैठने की तमीज नहीं है? टेढ़े बैठे हो। ठीक से जगह दो।''

''क्या?''

''सुनाई नहीं पड़ता।''

लाल कमीज़ वाले ने शिकायती नज़रों से दूसरों की तरफ देखा। वे सब उसे ही देख रहे थे। उसने डबलरोटियों से भरा बड़ा थैला टाँगों के बीच कर लिया और बाहर देखने लगा।

टूटा हुआ वार्तालाप फिर शुरू हुआ।

सेना के जवान गश्त लगा रहे हैं। चारों तरफ की बाउंड्री को मोटे बूटों से नापते। बाउंड्री की पीली दीवार के ऊपर काँटेदार तार खिंचे हुए हैं। इन्हीं तारों के बीच कारखाना दिखता है। सिलेटी रंग की परतें लोहे की दीवारों पर पुती हैं। राख की निर्जीव दीवारें। इसी रंग की बहुत बड़ी छत के नीचे बड़ी-बड़ी टंकियाँ हैं। मोटे-मोटे नल। घिर्रियाँ। आँतों की तरह फैली नसें। जैसे किसी का पेट चीर दिया गया हो। सामने पतली किन्तु लम्बी चिमनी के पास एक उतनी ही ऊँचाई का वॉच टावर है। सर्चलाइट। सामने मुख्य गेट तक बगीचा लगा है। फूल कम हैं। हरा लान है। सूर्यमुखी के फूल, यूकेलिप्टस और कुछ बाँस के पेड़ बाउंड्री को छूते हुए। सारे पेड़ पीले पड़ गये हैं। पत्तियों का रस सूख गया है। बाउंड्री से लगे नीले बोर्ड पर 'सुरक्षा सप्ताह' के कार्टून खिलखिला रहे हैं। हेल्मेट पहने श्रमिक कार्टून के दोनों हाथ खुशी से ऊपर उठे हुए हैं। अकड़ी पीली पत्तियाँ लगातार झर रही हैं। कार्टून के हाथ पत्तियों से नहीं भरते। पत्तियाँ बोर्ड को छूते हुए नीचे जमा हो रही हैं। बाउंड्री से सटी नाली में। खामोशी के साथ।

धीमे स्वर में हरिहर ने कहा, ''इस जहर के कारखाने को यहीं लगाना था!''

''तुम्हें मालूम है। पूरी दुनिया में ऐसे दो ही कारखाने हैं। इसी कम्पनी के। एक-दो अमरीका में ही हैं कहीं। दूसरे ये।'' खूबचन्द बोला।

''कम्पनी भी अमरीका की ही है। क्या नहीं बनाती। बैटरी से लेकर युद्ध के सामान तक। और तो और, निरीह देशों में घुसपैठ कर तख़्ता पलटने में भी शायद इनकी रुचि कम नहीं है।''

''सब जानते हुए भी हम ऐसा क्यों करते हैं?''

''पहले ये दूसरे प्रदेश में लगने वाली थी। मना कर दिया। फिर मालूम नहीं कैसे हमारे यहाँ आ गयी।''

''हल्ला तो मचा था कुछ दिन बाद। क्या खेतों में कीड़े मारने की इस खतरनाक दवाई का दूसरा उपाय नहीं है। कारखाने को हटाने की माँग जोर-शोर से उठी थी।''

''यार हरिहर, पहले हल्ला होता है फिर टाँय-टाँय फिस्स।''

''उस समय कहा गया, पच्चीस करोड़ का कारखाना है। मामूली बात नहीं है। कोई पत्थर तो है नहीं कि उठाया और कहीं और फेंक आए। पच्चीस करोड़ लगे हैं। मजाक नहीं है।''

''इस तरह कारखाना रुक गया। और मजे से चले क्यों नहीं। शहर का हर बड़ा आदमी रिटायर होकर यहाँ आ जाता है। हरेक के लिए कोई-न-कोई काम निकल आता है, जो खुद नहीं आ सकते, उनके लाड़ले आ जाते हैं।''

''तुम पूछ रहे थे न सुरेश, बस यही कारण है इनके जमे रहने का।''

हम कारखाने के सामने वाली सड़क को पार कर इस ओर आ गए। चूने और नमक की सफेद पट्टी शुरू हो गयी थी। क्लोरीन और डीडीटी की ताजा गन्ध आ रही थी। जमीन छिली हुई दिखती है। जैसे भारी चीज़ें घसीटकर छुपा दी गयी हों। नमक के बड़े-बड़े टुकड़े चूने में से चमक रहे हैं। धूप उनसे लौटती है।

मैंने पलटकर कारखाने को देखा। ठंडा। सिलेटी उजड़ा रंग। मनहूस कारखाना। कमीना। हज़ारों को तहस-नहस कर ऐसा चुपचाप पड़ा है जैसे कुछ हुआ न हो। मौतों से जैसे कोई वास्ता नहीं। मक्कार। कमीना।

सोडावाटर की सैकड़ों शीशियाँ खुल गयी हों। रक्त में सनसनी। उबाल।

''जला दो साले को। गाड़ दो। मिट्टी में मिला दो।''

''अरे सुरेश! क्या कर रहे हो तुम।''

''कुछ नहीं। अभी क्या हुआ है। ईंट से ईंट बजा दी जाएगी। तुम देखना। बुलडोजर चला देंगे।''

''सुनो तो। यार, क्या करते हो। देखो वो जवान इधर देख रहा है।''

"सुरेश, गड़बड़ मत करो। चलो।"

"गड़बड़ अभी कहाँ हुई है। कोई कुछ नहीं बोलता। कारखाने को जमीन में गाड़ देंगे।"

"हाँ-हाँ, ठीक है। चलो।"

"चुप रहते हैं तो क्या। एक-एक को फाँसी पर लटकाएँगे। वे मौत के जिम्मेदार बच नहीं सकते। कल जनता समझेगी। मारो सालों को।"

ईंट का टुकड़ा पड़ा था। उठा लिया। पूरी मुट्ठी में।

"प्लीज सुरेश! क्या है। सुनो तो।"

खूबचंद ने कमर में हाथ डाल लिया। खींचते हुए ढलवाँ पटरी से उतर गया। उसी हाथ से मेरी मुट्ठी को खोलने लगा। उसकी मजबूत चौड़ी हथेली में ईंट का टुकड़ा सरक गया। खूबचन्द ने जल्दी फेंका नहीं। तौलता रहा। उछालता रहा। "सुरेश, इतना बचपन अच्छा नहीं लगता। जवान देख रहा था। मैं तो सोचता था तुम में..."

"खूबचन्द।"

हरिहर ने ठहरी आवाज़ में मना किया। मेरे कन्धे पर बायाँ हाथ रखते हुए।

"खूबी।"

मैं और बोला नहीं। खून के बराबर बहती नदी। उसे पनीला बनाते। उसने टुकड़ा उछाला। दोनों हाथों से लोका। फेंक दिया।

इस ओर हलचल है। सफेद पट्टी टूटी नहीं हैं साँप की तरह लहराती चली आयी है। पीली क्रेन का ऊपरी सिरा ऊँचा उठ रहा है नीचे जमीन को छीलते घिसट रही है। भैंस। डेढ़ गुनी हो गयी है। मरी। फूली। काली जिल्द तन गयी है। चारों पैर तने हैं। काठ। केवल पूँछ हिलाती है। एकाएक धरती और आकाश के बीच भैंस पैंडलुम की तरह झूलने लगती है। पेट में न जाने कहाँ सूराख हो गया हैं तनी हुई जिल्द से बदबूदार धार निकलने लगती है। क्रेन मुड़ती है और एक झटके के साथ ट्रक में भैंस गिर जाती है। दो लोग तत्परता से बाँस की टोकरी से चूना डाल रहे हैं। धार छुप जाती है। यहाँ तक चली आई सफेद पट्टी जुड़ती है।

"यहाँ का काम खतम। आखिरी जानवर भी उठा लिया।"

चूने वालों में से एक ने साँस लेकर कहा।

"बड़ा कठिन हैं जानवर का ओर-छोर समझ नहीं आता। कहाँ से पकड़ें। मन-मन भर के हो जाते हैं।"

“आदमी नहीं क्या?”

“...”

“सम्हाल कर मुर्दे उठाने पड़ते हैं। तुमने सुबह उठाए?”

“...”

“तुम गए थे।”

“हाँ। दस। देख-देखकर चक्कर आने लगे। यहाँ तो...”

“सुनो। उनके चेहरे याद रहते हैं।”

“...”

“नहीं क्या?”

“याद तो जानवर के भी रहते हैं। मगर आदमी की मुंडी एकदम झुक जाती है तो मन काँप जाता है।”

उनमें से एक ने दो बीड़ी निकाली और सुलगाने लगा। वे इस तरह बातें करने लगे जैसे कोई अतीत को याद करता हो। अतीत से कुछ निकाल रहे हों। बेहिचक सन्त। जो मरने से बच गये हैं। चपेट में नहीं आए। तटस्थ होकर चूने से सफेद हाथों से बीड़ी पीते रहे।

दूर से जे पी नगर की सारी झुग्गियाँ नहीं दिखतीं। छतें एक दूसरे को छूती हैं। कारखाने के सामने बनी इस कालोनी में कारखाने के मजदूर और कर्मचारी भी रहते होंगे। पक्की ईंटों की दीवालें। फरदा लकड़ी की दीवालें। और कुछ नहीं तो बोरे की झीनी दीवाल की आड़। भीत आदमी की हैसियत बतलाती हैं। पुराने टीन के दरवाजे सब पर ठुके हैं।

पतले रास्तों पर थोड़े से लोग थे। चारों तरफ चुप्पी थी। अधिकतर झुग्गियों पर छोटे ताले पड़े थे। इनमें से कुछ लोग संध में झाँककर घर के अन्दर का हाल देख रहे थे।

उनके पीछे एक नाटा आदमी चिपका हुआ चल रहा था। उसके सिरे के छोटे बाल कील की तरह खड़े थे और फूले गाल पर काली दाढ़ी बढ़ गयी थी। नाटा आदमी कागज का मोटा बंडल पकड़े हुआ था। घर में अन्दर का हाल बाहर से देखकर वे लोग उसे बतलाने लगे। कागज से मिलान करके उसने सिर हिलाया, “ठीक है। आवास क्रमांक 317 डालो। कोई नहीं बचा। अरे एक बार और देखो। अच्छी तरह। कोई लाश पड़ी न हो।”

“नहीं है। एकदम साफ। सब उठा ली गयीं। कितने सदस्य हैं?”

"दो। एक बच्चा और। आगे चलो। तिवारी, क्रास का निशान बनाओ।"

तिवारी ने चाक से 317 लिखा और नीचे क्रास का निशान बनाया।

हरे खड़िया का क्रॉस जंग लगे टीन के दरवाजे पर चमकने लगा। अब इस घर में कोई नहीं रहता। नाटे ने बंडल में भी क्रास का निशान लगाया।

धीरे-धीरे एक घर से दूसरे घर की ओर बढ़ने लगे। सारा मोहल्ला गायब है। बस सन्नाटे में उनके घर खड़े हुए हैं। भयभीत।

नाटा लकड़ी के पट्टे से बने घर के सामने खड़ा हो गया। उसने फिर बंडल खोलकर कागज पलटे। फिर चिल्लाया, "इस झोंपड़ी का नम्बर नहीं है फिर किसने इस पर ताला लगाया?"

"क्या मालूम!"

"नया ताला नहीं है। इसी का होगा। रात को ताला मारकर भाग गया होगा।'

'देखो।"

खूबचंद और उनमें से एक ने बढ़कर दरवाजे को तिरछा हटाकर देखा।

"इसमें लाशें पड़ी है।"

'फुर्ती से नाटा जगह बनाकर आगे आया। 'जल्दी करो। खोलो।"

"दरवाजा तोड़ देते हैं।"

नाटा हिचकिचाया, "नहीं। दरवाज़ा मत तोड़ो। अगल-बगल से देखो। कहीं से जगह निकल आएगी।"

वह घर पर आक्रमण नहीं करना चाहता था।

बायें बाजू से दो फट्टे निकाल दिये गये। इतनी जगह बन गयी कि एक-एक करके लोग अन्दर घुस सकें। दो लोग घुसे। खूबचन्द भी।

संध से धीरे-धीरे दो पैर निकले। फिर अकड़ा हुआ पूरा शरीर बाहर आ गया। बाहर लोगों ने आहिस्ता खींचना शुरू किया। अधेड़ औरत थी। उसके बाँहों के जाल में लड़का था। आँखें खुली हुई थीं और कोटर के आसपास आँसू सूखे हुए थे। ओंठ फूलकर तन गये थे। दाँतों की पंक्तियाँ जम गयी थीं। बच्चे का चेहरा स्तनों के बीच छुपा हुआ था। उसके छोटे-छोटे अकड़े पैर हवा में उड़ रहे थे। उदर के ऊपर। संध से इसके बाद दस-बारह साल की लड़की का शव बाहर आया। रूखी लटों से उसका चेहरा भरा था।

"अन्दर कुछ नहीं है।"

खूबचन्द का चेहरा तमतमाया था।

गंदे पानी से सीझी जमीन पर लाशें रखी थीं। नाटे ने भुनभुनाकर कहा कि डग्गा तैयार कराओ। यहाँ से इन्हें सड़क तक ऐसे ही ले जाना होगा। इस घर

का मुखिया कौन था, कुछ पता नहीं चलता। रमेश, लड़के को अलग करो। नम्बर डालो। तिवारी, घर पर नम्बर डालो।

नाटा किसी की ओर नहीं देख रहा था। लाश की तरफ भी नहीं। दोनों हाथों से बंडल को खोल-बन्द कर रहा था। उसकी आवाज़ बहुत नीची हो गयी थी।

हरिहर ने आवेश में कहा, 'सुनिए, बच्चे को ऐसे ही रहने दें।'

नाटे ने हरिहर को देखा फिर दूसरी ओर देखने लगा।

माँ। लड़की। बच्चा। एक कतार में गीली जमीन के ऊपर थे। रमेश ने सफेद स्टिकिंग प्लास्टर की चौड़ी पट्‌टी माथों पर चिपका दी। बैंगनी स्याही से मोहल्ले का संक्षिप्त नाम, घर-संख्या और उनकी अपनी संख्या लिख दी गयी। नाम होता तो नाम भी लिखा जाता।

बेनाम वे तीन बंडल से बाहर थे। घर की संख्या ही थी जो उन्हें एक करती थी। बच्चे के पैर अब तक उड़ रहे थे हवा में। गर्म उदर पर नहीं। सीझी धरती पर। वह गंदे पानी की बदबू से बहुत दूर उड़ रहा था। बेनाम घर पर हरे रंग की संख्या चमकने लगी। क्या इसका कोई मतलब रह गया है?

413–

चेक्ड्।

बेनाम जिन्दगियों को जो अब नहीं हैं उन्हें नाटे ने बंडल में सहेज लिया। हरिहर से उसने कहा, 'बेचारे दूसरी जगह से कब आकर बस गये काम की तलाश में, उनके सिवाय कोई नहीं जानता। उन्हें क्या मालूम था कि मौत इस तरह से आएगी।'

नाटे ने हरिहर के आवेश की कदर की होगी। तभी तो हरिहर ने उतने ही धीमे स्वर में कहा, 'यह मौत नहीं है। हत्या है।'

'हाँ।' नाटे ने बंडल बाँधते हुए कहा।

बंडल बहुत मोटा था। सफेद और भद्‌दा।

अस्पताल के सामने लम्बी-लम्बी कनातें लगी हैं। दरियाँ बिछी हैं। अधिकतर लोग लेटे हैं। थोड़े ठीक दिख रहे आदमी-औरतें लेटे हुए की चिन्ता कर रहे हैं। कनात और अस्पताल के बीच सड़क पूरी भरी है। कालेज के लड़के ज़्यादा हैं। गहमागहमी। अस्पताल के बड़े गेट से सफेद एंबुलैंस लगातार आ-जा रही हैं। एंबुलैंस के रुकते ही लड़के पहुँच जाते हैं। एंबुलैंस का बड़ा दरवाज़ा खुल जाता है। टटोलते हुए लोग सहारा पाकर कनात तक जा पा रहे हैं। बहुत को गोद

में उठाकर ले जा रहे हैं। टैंट के ऊपर लगे लाउडस्पीकर पर चीखती आवाज़ बतलाती है कि अपना रजिस्ट्रेशन पहले करवा लें। मुहल्ले का नाम लिखा लें। अपना नाम लिखा लें। अपना नाम?

अस्पताल के बाहर से तलघर में खुलने के लिए एक और दरवाज़ा है। इस दरवाजे पर अक्सर कुछ पुलिस वाले या गाँव के लोग ऊब में प्रतीक्षा करते हुए मिलते थे। यहाँ कोई रोता नहीं था। कपड़े में बँधी लाश अन्दर जाती। अलग-अलग हिस्सों में हिलते। लाश मिलते-मिलते शाम हो जाती। बैलगाड़ी या टेम्पो या आटो में वापसी होती। यहाँ भी खालीपन नहीं था। तहखाने तक जाने वाला बरामदा एक ठंडी सुरंग है, जिसके शुरूआती हिस्से में धूप पड़ती है। इसके बाद मध्यम रोशनी के बल्ब हाथ पकड़कर चीरघर का रास्ता बतलाते। लाशों के लिए चमकदार रोशनी की जरूरत नहीं पड़ती। सर्द सुरंग के दोनों ओर एक के ऊपर एक रैक लगी हैं। छत तक पहुँचती। रैक के किनारे-किनारे हाथ की उँगलियाँ दिखलाई पड़तीं। कुछ के सिर खुले हुए हैं। माथे पर स्टकिंग प्लास्टर या कागज का टुकड़ा चिपका है। वही बैंगनी रंग। वही संख्या। वही मुहल्ले।

दवाई की हल्की खट्टी गन्ध बासी हवा में भरी है।

मेरे पीछे छाया दिखी। मुड़ा। धारीदार नीली कमीज़ में दुबला-पतला आदमी था। उसने अटककर कहा कि बाबूजी, इस्माइल चाहिए।

"कौन इस्माइल?"

"मेरा भाई!"

"मुहल्ला कौन-सा है? क्या उमर होगी?"

"कैंची छोला। पच्चीसेक करीब।"

मैं उसके पास आ गया। बहुत धीरे से बोला, "इनमें देखते हैं।"

दो-तीन रैक ही देखी होंगी। लगा यह सुरंग अनन्त तक चली जाएगी। वह देख नहीं रहा था। मेरे पीछे था। एक अनन्त तक जाने वाली सुरंग, जहाँ समय टिक गया है।

हल्की घबराहट के साथ बोला, "इस्माइल ऐसे नहीं मिलेगा। चलिए बाहर सूची में खोजते हैं।"

हम बाहर आ गये। वह इस्माइल के बारे में बतलाने लगा। जैसे वह जीवित हो और मरने का समय आ गया है।

"क्या तुम्हें यकीन है कि इस्माइल गैस में खतम हो गया है?"

"हाँ! अस्पतालों में नहीं है। बाबूजी, वहाँ होगा या अल्ला के करम से दफना दिया गया हो।" उसकी आवाज़ ठहर गयी थी।

सूची लेकर आदमी बैठा था। लोगों से घिरा। लोग खुद ही रैक नम्बर देख रहे थे। फिर कुछ कदम बेआवाज सुरंग की ओर बढ़ जाते हैं। सब चुप हैं। यहाँ कोई नहीं रोता। सूची में इस्माइल का नाम नहीं मिला। वह तेजी से लौट गया। मैंने उससे पूछा कि अब तुम कहाँ जाओगे? उसने जवाब नहीं दिया। आगे बढ़ गया। शायद कब्रिस्तान। लगातार पढ़ी जा रही नमाज-ए-जनाजा के बीच शायद इस्माइल का बेहरकत शरीर मिल जाए।

चीरघर के ऊपर जाने के लिए चक्करदार गोल सीढ़ियाँ हैं। अस्पताल के पहले खंड पर पहुँचने के लिए। बरामदे, कमरे के फर्श और पलंग भरे हैं। कराह। चीख-पुकार। हिदायतें। आवाज़ें ही आवाज़ें। उल्टी और तीखी दवा की गन्ध। बरामदे के इस छोर से उस छोर तक मोटी रस्सी तनी हुई हैं जिनसे कई ग्लूकोज की शीशियाँ लटकी हैं। पतली नलियाँ बेसुध मरीजों की बाँहों में लगी हैं। इनमें इतनी भी ताकत नहीं बची कि हिलडुल सकें। शीशियों में बुलबुले उठ रहे हैं। अन्दर कमरे में दो पलंगों के बीच फर्श पर रशीद लेटा है। मैं भागकर उसके पास गया। रशीद, रशीद।

वह उठने लगा। सहारा देकर उठाया। अन्धे आदमी की तरह उसने मुझे छुआ। "आप सुरेश हैं न?"

"हाँ। तुम ठीक तो हो।"

"दिखता नहीं है। पहले धुँधला दिखता था। आँख में मलहम लगा दिया है। खूब रोशनी लगती है।"

"फिकर न करो। सब ठीक हो जाएगा। कुछ खाओगे?"

"नहीं। साँस लेने में तकलीफ होती है।"

रशीद वर्दी की कमीज़ और पटरेदार पजामें में था। चेहरे की झुर्रियाँ गहरी हो गयी थीं।

हरिहर एक डॉक्टर के साथ जाते हुए दिखा। जाकर उसे बुलाया। डॉक्टर भी साथ में आया। हरिहर ने उससे कहा, "हरीश, इसे देख लो।"

डॉक्टर ने उसे बतलाया कि इंजेक्शन लग गए हैं। मैंने रशीद से पूछा, "घर चलोगे?"

"अब घर कहाँ? सब मिट गया। सब खत्म हो गया।"

उसकी आवाज़ सपाट थी। कोई दर्द नहीं।

"नहीं। मेरे घर। डॉक्टर साब, क्या इसे ले जा सकते हैं?"

"चाहो तो। वैसे भी यहाँ रश है। बीच-बीच में ले आना।"

मैंने रशीद से फिर पूछा, "चलोगे?"

उसने हामी में सिर हिलाया।

हरिहर और मैं उसे सहारा देकर उठाने लगे। पीछे-पीछे डॉक्टर भी अस्पताल के बाहर आये। हरिहर ने बतलाया कि स्कूल के दिनों में साथ थे। हरीश बहुत सारे डॉक्टरों की खेप में यहाँ आये हैं। उन्होंने कहा, ''कभी भी कठिनाई महसूस हो तो यहाँ ले आना। दरअसल यह गैस मिथाइल आइसो साइनेट है। कुछ फास्जीन भी मिली होगी। हरिहर, इस गैस का तोड़ ही नहीं है। फेफड़े-गुर्दे गल जाते हैं, खून खराब हो जाता है।''

हरिहर ने अंग्रेजी में पूछा कि रशीद के साथ कोई गड़बड़ तो नहीं होगी। हरीश ने बतलाया कि फिलहाल खतरे से तो बाहर है। फिर कहा, ''हम डॉक्टर लोग तो ज़हर के असर का इलाज कर रहे हैं। जहर का सीधा इलाज तो किसी को मालूम नहीं है।'' इधर-उधर देखने के बाद उसने कहा, 'यार हरिहर, हमारा सबसे बड़ा डॉक्टर उस कारखाने का सलाहकार भी है। काफी मोटी रकम खींचता है। पर उस पट्ठे को भी नहीं मालूम कि इस गैस का सही इलाज क्या है। बस आँख में दवा डाल कर मलहम लगा दो। पेटदर्द की दवा दे दो। उल्टी रोकने की दवा दे दो। बस यही फार्मूला है। गैस गला दे भले ही। उसे रोकने का कोई उपाय हम नहीं जानते।''

डॉक्टर की बात चुभ रही थी। हरिहर ने रशीद को सम्हाल लिया। मैं आटो ले आया। बैठते व़क्त डॉक्टर ने हाथ हिलाया और कहा, 'चिन्ता मत करो। कुछ नहीं होगा।'

शाम हो गयी। दो एम्बुलैंस अन्दर आ रही थीं। ''हरिहर, खूबी कहाँ है?''

''यहीं होगा। उसे मरने दो। हम लोग चलते हैं।''

''हरिहर, इसे घर पर तकलीफ तो नहीं होगी?''

''यहाँ की भीड़ से तो अच्छा है घर पर ही रहे।''

आटो चल निकला। रशीद अशक्त मेरी बाँहों में था।

आसमान की स्याही गाढ़ी हो गयी थी और तारे चमकने लगे थे। अकस्मात् एक तारा टूटा।

मनहूस सफेद मकड़ी। अदृश्य पतले तार पर, आसमान से धीरे-धीरे नीचे उतरता हुआ सफेद तारा।

अचानक भोपाल दुनिया के लिए चिन्ताजनक नाम हो गया। अखबार और टेलीविजन के लोग गलियों में झुंड के झुंड दिखाई देने लगे। भारी-भारी कैमरों से

झाँकते हुए इन लोगों ने तस्वीरों से पाट दिया। पूरा अखबार। इतने कम समय में हर कान और आँख की भूख को मिटा देना, कमाल है।

दो मीनारों के बीच तालाब का खूबसूरत टुकड़ा दिखता है, इसी के पीछे किसी हिस्से में कारबाइड का कारखाना भी है। आस्ट्रेलिया की टेलीविजन कम्पनी के फोटोग्राफर ने मुझे इसी किसी के बीच खड़ा कर रखा है। वह जेब से रूमाल निकालकर मेरा मुँह पोंछता है और बालों को और बिखरा देता है। काफी बड़ी मुस्कान के साथ वह पीछे हटता है और पूछता है, "अब आप कैसा महसूस कर रहे हैं?"

क्या जवाब है इसका? जब आपको मालूम नहीं हो कि आपके शरीर के अन्दर क्या टूट रहा है तो आप क्या कह सकते हैं। "हर मिनिट एक आदमी मर रहा है साहब।"

"कार्बाइड के बारे में कुछ कहिए।"

"अब क्या कहें? क्या रह गया है कहने को?"

"फिर भी।"

अनाप-शनाप गन्दी गालियाँ सुनकर वह रुक गया। हँसा। पास आया। बोला, नहीं आप बतलाइये।

"मुझसे यह सब नहीं हो पायेगा।"

"आपको लगता है, इसमें भारत की गलती भी है?"

"भारत?"

क्या जानना चाहता है ये आदमी। एकाएक लगा, मैं अपने घर की जमीन पर खड़ा हूँ। ये कोई और है। अधिक गोरा, अधिक तन्दुरुस्त और चौड़ी हँसी। इण्टरव्यू काफी खराब गया था। वह झुँझला रहा होगा पर काम निकालने के चक्कर में कन्धे थपथपा रहा है। यही सवाल है, यही। इसके कई उत्तर हैं। परन्तु उसके चमकदार कैमरे को देखते हुए मैंने कहा, "भारत एक शान्तिप्रिय देश है। हम सहिष्णु लोग हैं। हमारे देश में काफी विविधता है। भाषाएँ कई हैं। कई संस्कृतियाँ हैं। पर हम सब मिल-जुलकर रहते हैं। भारत को गाँधी जी की यही देन है। राष्ट्रीय एकता में..."

उसके कैमरे की कराह बन्द हो गयी। वह फिर मुस्कुराया। आसमान पर वायुयान का शोर उभरने लगा। धीरे-धीरे टिड्डे-सी एक परछाईं जमीन पर तैरती हुई चली गयी। ओ के यंगमैन! फिर मिलेंगे। मैंने अपनी खराब अंग्रेजी के लिए माफी माँगी और उससे टाटा किया। कितने कम समय में एक-एक खबर यहाँ से जा रही है। यह आदमी किसी और आदमी के पहले अपने देश पहुँच जाना

चाहता है। मेरी फोटो दिखलाने। हर मिनिट एक जाना-पहचाना चेहरा भोपाल उतरता है।

पर कोई यह नहीं बतलाता हर मिनिट मरने वाले व्यक्ति की संख्या कहाँ जाकर रुकेगी।

कोई नहीं बतलाता इस गैस से गल क्या हा है!

घड़ी की तरह लगातार वे मौत की गिनती बताना जानते हैं। और वे करें भी क्या। लोग बढ़ती हुई संख्या ही तो जानना चाहते हैं। गुरदासपुर में मारे गए सोलह लोगों की खबर के समय क्या मैंने आनन्दपुर साहिब के तीस लोगों को याद नहीं किया था। लगातार मरते लोगों में, सूचना, एक की संख्या को अनदेखा करने की आदत डालती है। मन के आशंका के फैलाव में कहीं हम संख्या के बढ़ते चले जाने की क्रूर इच्छा को तो नहीं पाल रहे हैं?

अखबार
पत्रिकाएँ
रेडियो
टेलीविजन

बाहर की दुनिया के लिए ये काम के होंगे। पर हमारे लिए? दो दिन के भीतर ही हम जान गए, हमारी दहशत को बढ़ाने के अलावा ये कुछ नहीं करेंगे। हर गिरने वाला आदमी बस इतनी खबर देता है कि लो अब तुम्हारी बारी है।

शहर के अस्पतालों के गलियारों से लोग उठने लगे। लोगों को बतलाया गया जितनों को मरना था, एक झटके में मर गए। अब बाकी धीरे-धीरे मरेंगे। तीन हज़ार से अधिक लोग मर गये। कुछ सात-आठ हज़ार भी कहेंगे। तुम संख्या बोलने वाली आवाज़ को पकड़ सकते हो। चुपचाप। वह संख्या तुम्हें बतला देती है, इस आदमी की पार्टी कौन-सी है, कौन-सा अखबार पढ़ता है। तुम यह भी जान सकते हो कि वह संख्या बताने वाली आवाज़ शहर के किस हिस्से में बसती है। नु, बाहर से आया हुआ आदमी संख्या नहीं बतलाता। वह पर्यावरण की चिन्ता पर भी जोर देता है। पर अस्पताल के गलियारों में कोई यह नहीं बतलाता, मिथाइल आइसो साइनेट, एम आई सी का क्या तोड़ है?

शहर की मजबूत इमारतों पर काले-सफेद पोस्ट लग रहे हैं। लापता लोगों की फोटो नहीं। सैकड़ों फोटो वाला एक पोस्टर। मरे हुए लोगों के सूजे ओंठ, सूजी आँखें। और क्रमांक। कुछ ही घंटों में पोस्टर उधड़ गए। पान की पीक से रंग

गये। केवल पोस्टर का लाल मत्था चमक रहा है—इन्हें पहचानिये।

दो दिन हो गये। शहर वैसा का वैसा ही है। वही भवन। बाजार। घर। सड़कें। परन्तु हर कोई जानता है चमक और रस नहीं है। ठंड की धूप सड़क पर फैल जाने के बाद लौटती नहीं। बेजान। मैं यूँ ही घूम रहा हूँ। अब घर लौटना चाहिए। कमरे पर। सड़क पर कोई भी परिचित नहीं। किसे रोककर बात करें। कैमरा लटकाए वह आदमी किसी कोठी में घुस चुका होगा। एक सफल इण्टरव्यू की आशा में। वह पूरी होगी। घूमना मन को बाँधता नहीं है। कमरे पर भी क्या है। वहाँ जाओ तो लगता है बाहर चलो। बाहर। उन गलियों में जहाँ से निकलने के लिए रास्ता पूछो। और यहाँ आओ तो वापस लौटने के लिए कमरा याद आता है।

दरवाजे उढ़के नहीं थे। पूरे खुले थे और चारपाई के कोने से पैर दिख रहे थे। हरिहर होगा।

"बहुत देर में आए सुरेश।"

"कब आए? मैंने सोचा कुछ फल ही ले आऊँ। रशीद खाना खाता ही नहीं।"

"कितनी देर से बैठा हूँ। कहाँ मारे-मारे घूमते हो यार!"

फर्श के कोने पर रशीद का बिस्तर जमा है। दीवार के सहारे टिककर बैठा है। "तुम ये सेब खा लो रशीद।"

दोनों हाथों के बीच रशीद सेब को गेंद की तरह पकड़े हुए है। सीना धौंकनी-सा ताजा हवा बटोर रहा है।

"तुमने बताया नहीं सुरेश!"

"हरिहर, पहले सोचा टंटी के यहाँ जाऊँ। मन ही नहीं किया। कोई काम करने को मन नहीं करता।"

"हाँ, मेरी भी यही हालत है। तुमसे एक बात कहूँ? मैंने सोचा एक कविता लिखूँगा। या कुछ कविताएँ। इन्हीं सब पर। कैसे हमारा जीवन हमसे बिना पूछे बेच दिया जाता है। लिखूँ पर बना नहीं। लिख पाऊँगा या नहीं, कह नहीं सकता। ऐसा लगा सब बकवास है। कोरी गप्प।"

"तुमने तो घटनाओं पर बहुत लिखा है हरिहर। लिख लोगे। आज नहीं कल। तुम्हारी नेल्सन मंडेला पर कितनी सुन्दर कविता है। मेरठ पर, अमृतसर पर तुमसे अच्छा कोई लिख सकता है!"

"सुरेश, यार! अब आप बहुत कुछ जानते होते हैं मेरा मतलब है फैक्ट्स, घटनाएँ और उनसे जुड़े होते हैं तो और कठिन हो जाता है।"

''कठिन क्या?''

''यही। न लिखना। दस्तावेजी बयान और मानवीय धड़कन पर हाथ रखना, शायद दोनों अलग चीज़ें हैं। तुम सुरेश शायद समझोगे कि बयान लिखना कभी-कभी ऐसा आभास कराता है जैसे यही सच है। मगर आभास तो आभास है। और मर्म का इसमें से गुजरना कठिन हो तो...''

''हरिहर, ये सब मैं नहीं जातना। तुम्हारी कविताएँ झूठी नहीं हैं। तुमने मन से लिखा है। और लिख लोगे।''

''झूठ तो नहीं है। पर सच कहूँ तो अब शक की गुंजाइश भी है।''

स्कूटर रुका है। मैंने कहा, 'खूबी है। चलो बाहर चलें।'

''रुको। आ जाएगा। तुम थोड़ा यहाँ रहा करो।''

''क्यों?''

धीमे से कहा, 'इसे अकेला मत छोड़ा करो। जितना हो कम्पनी दिया करो।'' रशीद उसी मुद्रा में बैठा है। सेब हाथ में है। ''अरे खाया नहीं। कुछ और दूँ?''

''नहीं, ठीक है। खाऊँगा।''

खूबी आकर रशीद के बिस्तर पर पसर गया। बोला, 'यहाँ तो सभी जमे हैं। और भाई जान, ठीक हैं आप? आँखों की सूजन तो उतर रही है। ठीक है। दवाई पूरी है?'

''हाँ।''

''कोई तकलीफ?''

''काम पर जाना है।''

''अरे अभी नहीं। आराम की जरूरत है। काम के लिए समय पड़ा है।'' सीने की साँस को काबू में करते हुए रशीद बोला, ''साहब काम नहीं करेंगे तो खाएँगे क्या। कब तक ऐसे पड़े रहें?''

''आराम ज़रूरी है। दर्द तो नहीं है अब?''

''है तो सही, पर जलन छाती में खूब लग रही है।''

''धीरे-धीरे ठीक हो जाएगा। कुछ काम?''

''साहब, क्या बताएँ? वहाँ झुग्गी...''

रशीद निःशब्द हो गया। आँसुओं से खाली चेहरा फिर भरने लगा। मौत ने उसकी पूरी झुग्गी को साफ कर दिया। एकदम खाली। कुछ नहीं। रसीद किसी नाम को लेकर याद नहीं करता। बीवी, बच्चे किसी का नाम नहीं। कल आधी रात हिचकियों से मेरी नींद टूटी थी। पहले लगा नींद में, मैं ही रो रहा हूँ। गन्दे सपने के बीच। फिर कमरा, हिचकियों की टूटी-टूटी आवाज़ और अँधेरे को

पाया। बिजली जलाई। रशीद बैठा रो रहा है। मैं उठकर उसको सहलाने लगा। सिर को आहिस्ता से उठाया। "क्या है रशीद?"

"मैंने देखा है, मेरी झुग्गी पूरी जल गयी। मैं बाहर पुलिया पर बैठा हूँ।"

"नहीं रशीद, झुग्गी कैसे जल जाएगी।"

"नहीं, झुग्गी खाक हो गयी और मैं अकेला बैठा हूँ।"

जैसे शरीर को अन्दर से कोई खींच रहा हो। सिसकारियों में सिर्फ़ गर्म साँस थी। निःशब्द। तेज़। और तेज़। मैंने रशीद को पास किया। वह बच्चे की तरह सिमट आया। पहली बार जाना अलग-अलग नामों को जोड़ा जा सकता है। एक नाम। झुग्गी। पहली बार जाना सांत्वना के बोल कितने कठिन होते हैं। बोला कुछ नहीं। कमरे की ठंडी हवा बोझ लग रही थी। दरवाज़ा खोल दिया। सूनी सड़क। बहुत लम्बी। ठंडी। आखिरी कोने पर मोटे खम्भों पर टिके ट्रांसफार्मर पर स्पार्किंग हो रही है। चमकीले दाने ठहर-ठहरकर गिर रहे हैं। कुछ देर में शायद बिजली गुल हो जाये। अँधेरा। सब एकमेक।

"रशीद, सो जाओ। तुम्हें कुछ नहीं होगा। दरवाज़ा बन्द कर दूँ?"

"..."

"अच्छा।"

रातभर रशीद के सपने गुजरकर मेरे सपनों में आते रहे। बार-बार। सपनों में खुलकर रोना कितना आसान है। जैसे हँसना।

'रोओ मत रशीद। तुम्हारी झुग्गी को कुछ नहीं होगा। सब ठीक हो जाएगा।' वही खूबी ने कहा।

"..."

"कल डॉक्टर के यहाँ चलेंगे। ठीक है। मैं आऊँगा।"

हरिहर ने सिगरेट जला ली। बोला, "खूबी, डॉक्टर के यहाँ मैं भी चलूँगा।"

"किसलिए?"

"नींद नहीं आती।"

"लिखो-पढ़ो। डॉक्टर क्या करेगा। देख नहीं रहे हो उनके ज्ञान का प्रसाद। पूरे शहर को लैब बनाए हुए हैं।"

"क्या पढ़ें यार। जी नहीं करता। लिखना तो दूर। तुम हँसना मत यार, अब तो लगता है किताबें दूर हो जाएँगी।"

"ऐसा?"

"कोई चीज़ मन को राहत नहीं देती। कई किताबें उठाईं। रख दीं। लगता है बुरी स्थितियों पर लिखी गयी चीज़ें सुकून के समय में ही बल देती हैं। नहीं क्या?"

"मेरा ख्याल है। ऐसा तो नहीं है।"

"तुमसे झूठ नहीं कहूँगा। मैंने खोजकर रामायण निकाली। लोग आड़े मौके पर उससे सहारा लेते हैं। मैं कहूँ? दस पेज भी नहीं पढ़ पाया। रख दी। शायद हमारी आध्यात्मिक भीत के लिए कुछ और चाहिए, जो नहीं है। हमने कभी इसकी चिन्ता ही नहीं की।"

खूबी हँसने लगा। कहा, "तुम लोग आजकल घर में ही बने रहते हो। यही कारण है। कल से एक नया कैम्पेन शुरू करना है। पुराने ऊनी कपड़े। तुम भी इकट्ठा करो। झुग्गियों में ठिठुर रहे लोगों को इससे ज़्यादा मदद मिलेगी।" खूबी उठा और हरिहर के पास बैठ गया, धीरे से बोला, "तुम्हारी चिन्ताओं की सब जगह सुनवाई होती है। होगी। मैं गलत होऊँगा यदि कहूँ कि सब न सोचा करो। ये सब ठीक है। कम से कम तुम्हारे लिए। मेरे लिए। इस बेवकूफ सुरेश के लिए भी। पर यार अभी फिलहाल तुम्हारी एक पुरानी स्वेटर से काम चल जाएगा। तुम और दुखी महसूस करो तो आसपास से भी बटोर लेना।' स्तब्ध हरिहर धीरे-धीरे सहज हो गया, 'तुम ठीक कहते हो खूबी। हम बटोरेंगे और तुम कहोगे तो ऐसे कुछ 'प्ले कार्ड' भी हम बना लेंगे।"

"हाँ, ठीक है। हरिहर, तुमने देखा होगा घटना से होकर गुजरना और घटना को देखना कितनी अलग-अलग बातें हैं।" खूबी ने कहा।

"आजकल कितने किस्से फैल रहे हैं। कैसे नवविवाहित अपने माँ-बाप को छोड़कर भाग गये। कैसे अपने बच्चों को भूल गये।' मैं बोला। हरिहर ने सिगरेट सुलगा ली। बोला, 'ये सब मौके के खेल हैं।"

"कैसे?"

"परिस्थितियों के बीच आदमी के सम्बन्ध भी बदल जाते हैं। जैसे कारखाने के पास के लोग गहरी घुटन में अकेले ही दौड़ लिए। दो-तीन किलोमीटर बाद ऐसा नहीं हुआ। तुम इसे इस तरह समझो!'

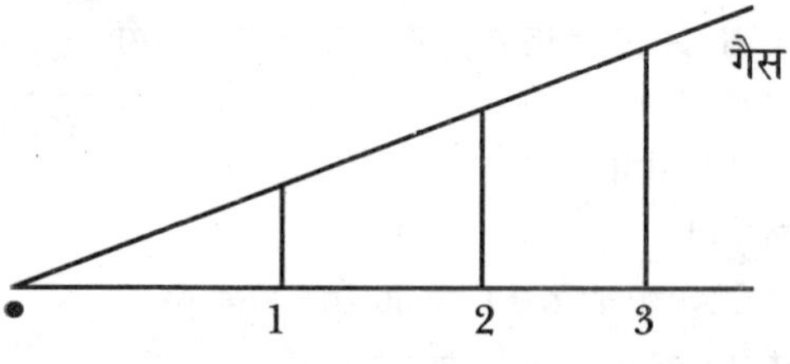

हरिहर ने जल्दी से एक रेखाचित्र खींच दिया। बढ़ाकर बोला, "देखो : बिन्दु कारखाना है। मैंने कहा न, एक तक के बसने वाले लोग अकेले चले गये। भाग

गये। पर दो तक घुटन कम थी। लोगों ने अपने बाल-बच्चों की चिन्ता की। तीन तक पड़ोस की। और खूबी, जानते हो तीन के बाद लोग टेपरिकार्डर और लंच पैक लेकर भागे। खूब पिकनिक रहेगी, यह भी सोचा होगा।''

''हरिहर, मोटे तौर पर देखने से यह ठीक लगता होगा पर ऐसा है नहीं। कितनी घटनाएँ ऐसी हुईं जो सीधे-सादे सम्बन्धों से अलग हैं। उस रात कितने ही गुंडों ने लोगों को ढोया। ढोया कि नहीं?''

''हाँ, ये तो है।''

''लोग उनसे डरते थे। पर उस दिन! सारा पराक्रम उन्होंने लोगों को बचाने में लगाया। और दूसरे दिन। उन्हीं लोगों ने खाली घरों के ताले तोड़े। चोरी की।''

सैद्धान्तिक बातचीत के कठिन माहौल में सेब धीरे-धीरे लुढ़कते हुए आया। रशीद ऊँघ रहा था। हाथ खुल गए थे। खूबी ने उठकर चाकू ढूँढ़ा। प्लेट में वह सेब छीलने लगा।

आफिस में नये चेहरे दिखलाई पड़ रहे थे। जाने-पहचाने लोग कम थे। वे दरवाजे से घुसकर इधर-उधर नहीं देखते थे। सीधे परिचित की टेबिल पर पहुँच जाते थे। पाणिग्रही साहब का बुलावा आ गया। मैं उठूँ तभी एक लड़के ने पूछा, ''आप ही सुरेश हैं?'' उसके चेहरे पर संकोच और मुस्कान दोनों थीं।

''हाँ।''

''मेरे पास आपका टेलीग्राम है।''

उसने उत्साह से कहा। उसके हाथों में कुछ टेलीग्राम थे। वह कालेज में पढ़ने वाला लगता है।

''मेरे ख्याल से आप तारघर में तो होंगे नहीं!''

''जी। हम उनकी सहायता कर रहे हैं। एक लाख टेलीग्राम आए हैं। टेलीग्राम लेकर दस्तखत कर लिए। पिताजी आ रहे हैं।'' उसने पूछा, ''आपके पापा आ रहे हैं?'' पोस्टमैन से अलग हटकर जानने की इच्छा उसमें थी। फिर संकोच से उसका चेहरा लाल हो गया। शायद उसने सोचा होगा कि पूछना ठीक नहीं।

''हाँ, आएँगे। क्या नाम है?''

''राघव! मैं चलूँ।''

''चाय पियोगे? अच्छा काम कर रहे हैं आप लोग।''

''नहीं। जल्दी है। अभी बहुत से बाँटने हैं।''

हड़बड़ी के भाव से उसने कहा। सारे टेलीग्राम उसने पढ़ लिए होंगे। उसके कोमल रंग-ढंग से मालूम पड़ जाता है। कोई बुरी खबर नहीं होगी। न दुख।

पूछा, "इनमें सब ठीक है?' वह ठिठका। जैसे उसकी आदत जान गया होऊँ। रुककर बोला, 'हाँ। ये सब नये शहर के तार हैं।"

वह तुरन्त मुड़ जाता। मगर मैंने कहा, "सुनो हम गरम कपड़े जमा कर रहे हैं। तुम करोगे?"

उसने सिर हिलाया। पता लेकर बोला, "हम पहुँचेंगे।" वह बहुत सन्तुष्ट था। तार को मोड़कर जेब में रख लिया। पिताजी को कितनी परेशानी होगी यहाँ आने में। लगा, तार हिम्मत बाँधता है।

पाणिग्रही साहब बहुत व्यस्त थे। पाइप का धुआँ कमरे में भरा था। कुछ नये लोग बैठे थे। कुछ उनमें विदेशी भी थे।

"कहाँ रहते हो? सब ठीक है? आज बहुत काम है। रिसर्च की मीटिंग है। फाइल, पैड वगैरह तुम्हें देखने हैं।"

"जी।"

"दखो पेपर्स कायदे से बँट जाएँ। कुछ नोट्स भी तुम्हें लेने पड़ेंगे।"

"जी।"

"मीटिंग हाल में चले जाओ। हम आते हैं।"

मीटिंग हाल में स्थानीय वैज्ञानिक और अफसर बैठे थे। डॉक्टर और विश्वविद्यालय के प्रोफेसर वैज्ञानिक माने जाते थे। वे यूनियन कार्बाइड से रिसी 45 टन एम.आई.सी. के बहाव की रफ्तार देख रहे थे।

एक बुजुर्ग-से ढीलेढाले अंगों वाले प्रोफेसर ने खँखारकर कहा, "वर्मा, पिछली दफे जब कार्बाइड से गैस रिसी थी तो किसी को भी मालूम नहीं पड़ा, जानते हो क्यों?"

"क्यों, डाक्साब?"

"उस समय अस्पताल को उन्होंने बेहतरीन उपकरणों वाला एक कक्ष दान में दे दिया। और नगर को एक पार्क।"

"अरे!"

"बोलो अब क्या चाहते हो?"

"अब तो डाक्साब, पूरे भोपाल को उपकरणों से लादना पड़ेगा।"

"करेंगे साहब, ये भी करेंगे।" उन्होंने विदेशी मेहमानों की तरफ देखकर हिन्दी में कहा।

"दो किलोमीटर फी घंटे की रफ्तार से गैस फैली है। धीमी हवा थी। ठंड है। कोई दूसरी जगह होती डाक्साब तो काफी बचा लिए जाते।"

"तुम्हें मालूम है सबसे ज़्यादा कौन मरा? कबीटपुरा के नब्बे प्रतिशत सफाई

कामगार। क्या पड़ी है उन्हें बचाने की। मैं कहता हूँ उत्तर-पूर्व में हवा का बहाव बदलकर हमारे इधर हो जाता तो तहलके का दूसरा रूप होता।"

"डाक्साब, सिनियारिटी की लिस्ट में आप ही सबसे ऊपर रह जाते।" वर्मा हँसा। वे दूर बैठे पाणिग्रही को देखने लगे। वे किसी विदेशी मेहमान से बात करने में तल्लीन थे। अचानक मुझे इशारा करके बुलाया और दोनों उठ खड़े हुए। वे अपने कमरे में चले गये। पाणिग्रही साहब ने कहा, "सुरेश, ये महत्त्वपूर्ण रिसर्च कर रहे हैं। इनका मानना है एम.आई.सी. गैस का कोई असर मच्छर और मुर्गी पर नहीं हुआ है।"

"यस सर!"

"अब तुम पर जिम्मेदारी है कि जेपी नगर से इन्हें कोई मुर्गी दिला दो।"

"जी।"

"देखो, काम आसान नहीं है। तुम इनके साथ जाओगे। डा. हेल्मूठ, ये आपके साथ जाएगा। बहुत तेज लड़का हैं आपको परफेक्ट चीज़ मिल जाएगी।"

डा. हेल्मूठ बहुत स्निग्धता से हँसे और थोड़ा-सा झुके। मैंने हाथ मिलाया। उन्होंने छोटा-सा सुन्दर टेपरिकार्डर पाणिग्रही को दिया। उन्होंने भी झुकने की कोशिश की। बन नहीं पाया।

"सुरेश, तुम एक महत्त्वपूर्ण काम में मदद कर रहे हो। मच्छर और मुर्गी क्यों बेअसर रहीं यह जानना ज़रूरी है। ये मुर्गी अपने साथ ले जाएँगे।"

"सर, मुर्गी मिल जाएगी।"

"मुर्गी कही भी मिल सकती है। तुम पक्का पता कर लेना। तुम तो सीधे जेपी नगर ही जाना। चुपके से पहले यह पूछ लेना कि उसके कौन-कौन मरे हैं तब ही मुर्गी खरीदना। वही अफेक्टेड होगी।"

पाणिग्रही साहब पर मक्खन रंग का कोट बिल्कुल नया लगता है। बहुत महँगा। लगता ही नहीं, इज़्तिमे से खरीदा होगा। किसी मरे निक्सन या जानसन का कोट। ऐसा कोट जैसे उन्हीं के लिए बना है। उन्होंने टेपरिकार्डर को शुरू किया।

झन्। झन्। झन्। झन्। ईहा ईहा।

पाणिग्रही साहब मटकने के पहले मांसपेशियों को बटोरने लगे। लकड़बग्धे-सी फुरेरी। मगन बन्द आँखें।

रशीद दरवाज़े पर हल्दी के हाथ लगा रहा था। प्लेट में हल्दी घुली थी। दरवाज़े पर हथेलियाँ सूख रही थीं। सात। चौकोर टुकड़ों में से डरे हुए काँटे निकल रहे हों। ऐसी उँगलियाँ।

"रशीद मियाँ! ये क्या एक्स-रे बना रहे हो?"

मैं उसके पास उकड़ूँ बैठ गया। रशीद पंजों के बल बैठा था। टहनी की तरह एड़ियाँ धीरे-धीरे काँप रही थीं। पैर की उँगलियाँ टेढ़े कीलों सी जमीन में धँस रही थीं।

"हो गया। बहुत ज़रूरी था।"

"मगर ये है क्या?"

"सारे शहर में लग रहे हैं। हर किसी को लगाना है।"

"क्यों मगर?"

"शहर में बुढ़िया डायन घूम रही है। वह किसी के भी घर घुस सकती है। किसी न किसी की जान लेकर ही जाती है।"

"अरे नहीं।"

"अब किसका भरोसा है? बताइए? आज अपनी झुग्गी की तरफ गया था। बच्चे, भाई मियाँ मजे से खेल रहे थे। उनमें एक भड़ाक् से गिरा। अस्पताल जाने के पहले ही मर गया। पहले ही!'

रशीद की आँखें कंचे की तरह कड़ी हो गयीं। अब उसकी बारी हैं आज या कल। मालूम नहीं।

"तुम यार रशीद। अभी क्यों जाते हो उस तरफ?"

रशीद उठ गया। उसने हथेलियाँ देखीं। रेखाओं में हल्दी भरी थी। मसलते हुए बोला, "मन नहीं मानता। आप भी तो दिखे थे वहाँ।" मैं बाहर देखने लगा। क्या कहता। डा. हेल्मूठ। मुर्गी। बोला, "हाँ एक सरकारी काम था।"

"ये हाथ लग गए न। अब कुछ नहीं होगा। है न?"

"अच्छा अन्दर चलो।"

"एक बात कहूँ?"

"क्या?"

"अगर आप कहें तो वापस लौट जाऊँ। अपनी झुग्गी में।"

"रशीद! मैं जानता हूँ तुम्हें यहाँ कोई सुविधा नहीं है। फिर भी।"

"नहीं जी, ऐसा नहीं है। बात ये है कि में वहाँ रहूँ तो बेहतर होगा। आजकल बहुत सारे लोग आ रहे हैं। फारम भरा रहे हैं। सुनते हैं पैसा मिलेगा।"

उसकी आँखों में पहली बार चमक देखी। एम.आई.सी. की परत को काटती। 'रशीद, ये ठीक है कि वहाँ कई अस्पताल खुल गये हैं। परन्तु तुम यहाँ से भी तो जा सकते हो।'

रशीद ने हाथ हिलाए। समझदारी उन पर झूल रही थी। "नहीं-नहीं, अब वहाँ रहना ज़रूरी है। मुआवजा इसी हालत में मिलेगा।"

मैं चुप हो गया। रशीद जरूर चला जाएगा। एक दिन उसकी झुग्गी में सूनापन होगा। रशीद नहीं होगा। एक ताला होगा।

रशीद धीमे से बोला, ''भाई जान, वहाँ मालूम पड़ा प्रेस का आदमी कई बार आया। उसे यहाँ का तो मालूम नहीं है। बता रहा था प्रेस में कम्पोजीटरों का टोटा है। कई गये। अब खूब काम करना पड़ेगा।''

''रशीद, तुम्हारी आँखें अभी अक्षर उठाने लायक नहीं हैं। और प्रेस वाले ने कैसे सोच लिया कि तुम कम्पोजिंग कर लोगे।''

''अरे, नहीं-नहीं। मजदूरी भी बढ़ा रहे हैं।''

''दवाई की दुकानों पर घूमोगे। फार्म के चक्कर में रहोगे। कम्पोजिंग करोगे। दफ्तर अलग है। तुम क्या-क्या करोगे।''

''समय बहुत कम है भाई जान। सब ही तो करना है।''

''करो फिर।''

''तो मैं कल चला जाऊँ?''

''मैं क्या बोलूँ। तुम जानो, तुम्हारा मुआवजा जाने।''

रशीद ने बुरा नहीं माना। बहुत हल्के ढंग से हँसकर बोला, ''जानते हो, एक लाख रुपया मिलेगा। एक लाख!''

वह हँसी नहीं थी। वह रशीद का सपना नहीं था। आधी रात को तोड़ने वाली निर्वाक् हिचकी आज भी आएगी। मगर वह सपना इतना घुला हुआ होगा? कठिन। जलता हुआ।

रशीद को सपने चुनने की आज़ादी नहीं है।

वे आएँगे। और हिचकियाँ।

हथेलियों की छापों में। उँगलियों क़ी संधों से आरपार।

पीपल और बरगद के पुराने पेड़ हमारे यहाँ बहुत नहीं हैं। धीरे-धीरे गायब हो रहे हैं। तालाब के किनारे कुछ गुट्ठल पेड़ जरूर झूमते हैं। कुछ स्टेशन के किनारे। आज इनकी कंच हरी पत्तियाँ जले ताम्बई सिक्कों सी झर रही हैं। ऐंठी और काली होतीं। टहनियों पर केवल सलाइयाँ बच गयी हैं। गैस लू की तरह इन्हें खा गयी। हठात् इन फुनगियों से गुजरकर बड़ी हरी मक्खियाँ तैरने लगीं। चमकदार मनकों-सी।

''इन मक्खियों को देखकर घिन आती है।'' जैसे ऊबकाई ही सहारा है, ऐसा कुछ टंटी करने लगी।

''कितनी चमकदार हैं ये। हसीन। जब आम पकते हैं तब तुमने देखा नहीं।''

''ये क्या आम पकने के दिन हैं। तुम्हें तो हर गन्दी-सन्दी चीज़ अच्छी लगती है।''

“तुम भी।”

बहुत आहिस्ता से मैंने कहा और उसके लम्बे नाखून पर उँगली रख दी। कोई एक नाखून। धातुई जामुनी। टक् टक्। टक् टक्। टेलीग्राफ का कोई सन्देश। बहुत दूर। टंटी की साँवली कलाई में खोती हुई। उसने एकदम सफेद सलवार सूट पहना था। जामुनी छींटदार पाइपिंग में मढ़ी। मेरी सुलह। मेरी पसंद। टंटी जब मुझे खुश देखना चाहती है तो इस फर्माइशी हैंडलूम को नहीं भूलती। टक् टक्। टक् टक्।

“तुम सारे नाखूनों की पालिश उधेड़ दोगे। मैं कोई चमकदार मक्खी नहीं हूँ। बरहमेश रँगी हुई।”

टक् टक्। टक् टक्।

टंटी ने अपनी हथेलियों से ढक लिया। सेमल के रेशों सी। समय की टिक्-टिक् सुनाई दी। कलाई में दौड़ रहे टेलीग्राफ के सन्देश। या घड़ी?

“सुरेश, आजकल हर कोई कितना चौकन्ना रहता है।”

“हाँ। कल तक परेशानियाँ थीं। डॉक्टरों के चक्कर थे। पर जब से एक और, कारखाने में भरे हुए टैंक का पता लगा है तब से मुसीबत बढ़ गयी है।”

“मगर ये टैंक तो जमीन के अन्दर है।”

“है तो वैसा ही न। भरा हुआ। लोगों में दहशत बढ़ रही है। न जाने कब फूट जाए। इस बार तो कोई नहीं बचा सकेगा।”

“सुना तुमने। स्टेशन पर पटरी बैठ जाने के कारण कुछ सीटियाँ बजी थीं। इसे सुनकर कई मुहल्ले सड़क पर आ गये।”

“टंटी, रात को नींद नहीं आती। सड़क पर गुजरने वाले ट्रकों-गाड़ियों की आवाज़ से जानने की कोशिश करता हूँ, यह कैसी गाड़ी है। कौन-सा ट्रक।” टंटी के कसे हुए होंठ यकायक झुक गये। पुरानी पंखुरी।

“सुरेश, अपना ख्याल रखना। नहीं तो घर चले जाना। पिताजी के पास। वहाँ अब कुछ नहीं होगा। इतने दिनों में तो तुम मिलते हो। क्या कहूँ। बस ख्याल रखना।”

नम आवाज़ में वह सम्हल-सम्हलकर कह रही थी। पंखुरियाँ सहेज लीं। हँसकर बोली, “फिर कौन तुम्हें ट्रक ड्राइवर बनना है कि हर गाड़ी का मेक जानो। है न सुरेश।”

“पिताजी आ रहे हैं। तुम ही कह देना।”

“ओ माँ!”

वह गीत की तरह हँसी। लाड़ के फूल बिखराती। इतने दिनों तक टंटी से मिलना क्यों टालता रहा। शायद अच्छे दिनों में इन फूलों को देखने के लिए। इन छः सात दिनों में शहर का डर धीरे-धीरे गुस्से के खोल में घुस रहा था। बाहर से

लोग कुर्ते-धोती या जीन्स में कसे चले आ रहे हैं। वे बतलाते हैं। कारखाने को लगाने के पीछे कौन जिम्मेदार हैं। उन्हें कैसी सजा दी जाए और मृतकों के परिवारों को क्या मिले। उनके तर्क और आँकड़ों से शहर का मन बदल रहा है। रोज गैस प्रभावित मजदूर अपनी मजूरी छोड़ते दिखाई पड़ते हैं। बीस-तीस। पीछे सौ-डेढ़ सौ पुलिस वर्दियाँ। पानी टैंकर। जीन्स या धोती पहने वैज्ञानिकनुमा नेता के भाषण की ऊँची आवाज़ को जुलूस तकते हुए सुनती है। कोई सुन्न होकर गिरता है। टैंकर का चौड़ा नल खुल जाता है। लोग बहुत देर के प्यासे हैं। दौड़ते हैं। भाषण और ऊँचा हो जाता है। मगर तब जुलूस, पोस्टर और तख्तियाँ रुक गयी हैं। एक और टैंक। अकस्मात् गुस्सा दहशत की साफ-सुथरी गली में लुढ़क गया है। कसे और भारी दिन में टंटी की हँसी कैंची की तरह चलती है। खुशबूदार चौकोर टुकड़ों में बाँटती।

"मैं मुआवजे का फार्म भरने का काम कर रही हूँ। इसी तरह कुछ करने का मौका मिल रहा है। बहुत-सी लड़कियाँ हैं।"

"फार्म तुम भरती हो?"

"हाँ, कई हैं। रोज एक नया फार्म आ जाता है। जब तक एक भरकर पूरा करो, रद्दी हो जाता है। फार्म लाऊँगी। उससे लगता है जैसे मरने की जिम्मेदारी आपकी है, और मरकर गल्ती की।"

रशीद कहता है, "एक लाख मिल सकते हैं।"

"एक लाख क्यों? पचास लाख लिखो। जब जीवन का मूल्य पता न हो तो कितना भी लिख लो। क्या फर्क पड़ता है।"

"नये वाले फार्म ले आना।"

"तुम भरोगे?"

विस्मय से टंटी ने कहा। मन जैसे दो हों, इसलिए धीमे से बोला, "रशीद न जाने कहाँ घूमता रहता है। उसके लिए। और एक मैं भी भर दूँगा।"

"तुम क्यों?"

"मैं क्यों नहीं! ठीक है मैं मरा नहीं। मगर मुझे क्या हुआ, वह कोई बता सकता है। या क्या होगा?"

"सुरेश, प्लीज।"

टंटी कुछ बोली नहीं। हैंडबैग को कुत्ते की तरह खिलाने लगी। चुपचाप।

आस्था अभियान।

जब नेताओं में कवियों की बाछें खिल जाएँ तो ऐसे ही सुन्दर नाम मिलते

हैं। हरिहर कहता है। हड़बोंग और डगमगाते मन को बाँधने के लिए एक तिथि बता दी गयी। बहुत दूर नहीं। केवल दो दिन और। पहली घटना के ठीक दस दिन बाद खुलेगा दुबका हुआ टैंक। ठसाठस भरी एमआईसी गैस से कीटनाशक दवाई बनाई जाएगी। वैसे ही जैसे पहले बनती थी। पर अब? कहा नहीं जा सकता। बनते-बनते टैंक फट सकता है। कुछ भी हो सकता है। और फिर घटना दुहराई जा सकती है। घटना फिर नहीं होगी।

एक सुबह दीवारों पर पोस्टर लग गये। शहर छोड़कर जाने वालों को हर प्रकार की सुविधा है। जिस दिन से दवाई बनेगी उसके पहले लोग शहर छोड़कर जा सकते हैं। आस्था अभियान का यह पहला चरण है—शहर से भाग जाएँ?

चौक बाजार में टहलने के लिए जगह नहीं है। कन्धों को सिकोड़कर जगह बनाना है। सुनारों की फुकनियाँ नीली लौ छोड़ रही है। एक कतार में बनी चाँदी के जेवरात की दुकानों में सुनार अँगूठियाँ या हार नहीं बेच रहे हैं। नन्हीं हथौड़ियों की लगातार चोट सोने पर पड़ रही है। पुरानी डिजाइन में असली सोने को परख रहे हैं। चाँदी के काले पड़ रहे सिक्कों को खुरच रहे हैं। संकट के दिनों में सोने की अँगूठियाँ, चाँदी की पाजेब पैसा निकाल लेंगी। इस विश्वास को सुनार परख रहे हैं। खुरच रहे हैं थोड़ी-सी चाँदी।

"बस, इतना-सा रुपया।"

"औ... ।"

"इंदौर तक जाना है भाई जान। चार जने हैं, कैसे होगा?"

"हँसता है सुनार-इंदौर तक जाने से क्या होगा। विदिशा तक चले जाओ। कुछ खाने के लिए भी चाहिए कि नहीं?'

"थोड़ा रुपया और दो। हद है। हम तो सोचते थे दिल्ली तक चले जाएँगे, आप हैं कि विदिशा भेज रहे हैं।"

"दिल्ली तो खुद यहाँ आ रही है। बचना है तो विदिशा जाओ।"

"पैसा मार रहे हो भाई जान। खुदा के लिए ठीक नहीं है। ऐसे मौके पर?"

"पैसा-दो पैसा कमाने के लिए ही तो दो दिन हैं। नहीं? फिर कौन पूछता है। चाहिए हो तो ठीक, नहीं तो दूसरे को आने दो।"

सोना। चाँदी। टूटे पाजेब। हा चंदा। सब बेचने के लिए। खरीदने को कोई नहीं।

चींटियों की तरह बिल से निकल रही हैं हरी बसें। एक के बाद एक बसें भाग

रही हैं। दुगुने यात्री बस और छतों पर लिए। कंडक्टर झगड़ रहे हैं। खाट उतारो। बरतनों का कबाड़ उतारो। कबूतर ले जाने के लिए बस नहीं है। बस तुम्हारे बाप की है? नहीं रुकेगी। सामान फेंको। फेंको। अगली बस देखो, बड़े आए हैं खाट ले जाने वाले। वह रुआँसे मन से घिघिया रहा है। बच्चों, बीवी और पुरानी खाट के साथ शहर छोड़ रहा है आदमी।

स्टेशन पर ट्रेन सीटियाँ मारती है। उसाँस भर धीरे-धीरे सरकती है। छत पर उठाए आदमियों को। घबराए रोते बच्चों को। बच्चे जिनके गले सूने हैं। गायब हैं, हा चन्दा।

कन्या महाविद्यालय। सेंट की नहीं पूड़ी तलने की गन्ध से भरा हुआ है प्रांगण। पुराने शहर के उन लोगों को ठहराने का इंतजाम जो शहर छोड़कर जाना नहीं चाहते।

पाणिग्रही साहब इंतजाम देखकर खुश हुए, 'वर्मा, अपने डिपार्टमेंट की सबसे अच्छी तैयारी यहीं है।'

"सर, महिलाओं के लिए अलग कमरे और मर्दों के लिए अलग। कुछ परिवारों को यदि वे मर्जी से रहें तो साथ-साथ रह सकते हैं।" यह कहकर वर्मा हँसा। बताना चाहता होगा साथ-साथ का क्या मतलब है। पाणिग्रही साहब ने ध्यान नहीं दिया। पाइप का धुआँ उगलते हुए बोले, "इस ओर पूरा शहर युद्धस्थल दिखता है। चारों तरफ शिविर। पर वर्मा, लोग आ क्यों नहीं रहे हैं। बस दस-बीस फैमलीज़?"

मन ही मन मैंने कहा, आना होता तो शहर के बाहर चले गए होते। जैसे हम। साले ने छुट्टी कैंसिल कर दी। मैं आऊँगा क्या इस शिविर में? वर्मा जी ने बात बदलकर कहा, "सर, एक हज़ार का इंतजाम है। कितने भी आएँ, कोई चिन्ता नहीं। डिब्बे में खाना देने का इंतजाम हैं साग, पूड़ी और मिठाई। बूँदी के लड्डू हैं। खाएँगे सर।"

"अच्छा, अच्छा। रख दो। और देखो, कोई ढील न हो। हिसाब-किताब बाद में देखेंगे।"

वर्मा जी ने लड्डू के पाँच बड़े डिब्बे मुझे थमा दिये। कार की पिछली जगह पर डिब्बे रखते हुए मुझे लगा जैसे हम सेठ जी की बारात से आ रहे हैं।

खूबचंद के स्कूटर पर बैठते हुए मैंने नहीं बतलाया कि बस-स्टैंड पर काम क्या है। हरिहर भी किसी का स्कूटर लिए हुए था। बस-स्टैंड के काफी पहले

रुकना पड़ा। लोग ही लोग। खूबचन्द ने कहा, ''देख रहे हो आस्था अभियान का नतीजा। ये है आस्था। दरअसल इस योजना से कारखाने वालों को लाभ मिल गया।''

हरिहर ने कहा, ''कारखाने वाले ही क्यों। सरकार को भी। खूबी, तुम महसूस करोगे कितनी सफाई से मूल समस्या से ध्यान हटाया गया है।''

खूबी ने चिन्तित होकर कहा, 'दरअसल यह हमारी कमजोरी ही तो है।'

''नहीं, केवल कमजोरी नहीं। इसे कहना चाहिए हमारे सोच को एक धीमी गति की ओर मोड़ दिया गया है।''

खूबी ने किसी को हड़बड़ी में निकलने दिया और पीपे के खोंचे से अपने को बचाते हुए बोला, ''तुम सही कहते हो। दरअसल ये एक नयी समस्या पैदा हो गयी है और इससे मूल समस्या दूर कहीं छूट गयी है।''

मैंने धीमे से कहा, ''मेरी समस्या ये है कि मुझे बसों तक जाना है।''

''हम चलें?''

''नहीं-नहीं। तुम लोग यदि यहीं रहो तो मैं हो आऊँ।''

''जैसी मर्जी। मगर बात क्या है?''

''फिर बताऊँगा।''

टंटी बस-स्टैंड के अन्दर बुक स्टाल पर खड़ी है। फोन पर यही कहा था। गहमागहमी से भरे हाल में मैग्जीन पलटते हुए।

''मैं आ गया हूँ।''

उसके थके हुए चेहरे पर थोड़ी खुशी आयी, ''मैं कब से खड़ी हूँ।''

''जा रही हो?''

''सभी हैं। बड़ी मुश्किल से यहाँ हूँ। मम्मी-पापा वहाँ हैं। सभी जा रहे हैं।''

''अच्छा है।''

''तुम नहीं जाओगे?''

''छुट्टी नहीं मिली। पिताजी को लिख दिया, न आएँ। अपना ख्याल रखना।''

''मैंने सब कुछ कहाँ छोड़ा। तुम रह गये।''

वह मैग्जीन के पन्ने मसलने लगी। टंटी अन्दर ही अन्दर कपूर की तरह घुल रही होगी। उसने कहा, ''तुमने रशीद के लिए फार्म मँगाया था। कहाँ है वह?''

''भोपाल नहीं छोड़ेगा। बोल रहा था भोपाल मुसीबत में है, ऐसे में भोपाल छोड़ दूँ?''

“उसका फार्म...”

“अरे ले लेंगे।”

“नहीं, मैं लाई हूँ।”

उसने पर्स से मुड़ा हुआ फार्म निकाला। “ये उसके लिए और ये तुम्हारे लिए।”

टंटी ने एक फार्म ही दिया। दूसरा अपने हाथ में लिए रही। बहुत अधिकार से बोली, “ये तुम्हारा है। क्या तुम इसे भरकर ही रहोगे?”

बुक स्टाल पर किताबें और पत्रिकाएँ सजी हैं। जूडो। कराटे। चाइल्डकेयर। कौन-सी किताब भेंट करूँ? बगल में सस्ते किस्म की मनिहारी की दुकान है। शीशा, रिबन, लाली, लकड़ी की कंघियाँ।

“तुमने बताया नहीं।”

“टंटी, तुम्हें क्या दूँ। ये लकड़ी की कंघी। बढ़िया है?”

नायाब चीज़ की तरह टंटी ने हौले से कंघी को बालों में फँसाया। जैसे कोई फूल हो। पीला चम्पा।

“थैंक्यू। ये तुम्हारा फार्म।”

“नहीं। रहने दो।”

मैंने बहुत लापरवाही से कहा। हालाँकि वह भी जानती है मुझे एक सही जगह पर लाकर जा रही है।

“सच।” वह बच्ची-सी मचल गयी। उसकी आँखों में खुशी थी। उसने कुछ कहा होगा, बहुत आत्मीय। लोगों के धक्कों के बीच टूट-फूट गया। सुन नहीं सका। चेहरे की ओर ही देखता रहा।

‘...तुम्हें इसके पीठ पर चिट्ठी लिखूँगी। ठीक से रहना।’ वह जल्दी से मुड़ गयी। मुड़कर देखा नहीं। उसकी आँखें बादामी हो रही होंगी। किस बस में है पता नहीं लगा। दो-तीन बसों में निकलते हाथों को हाथ हिलाकर विदा किया।

हरिहर ने पीठ पर घूँसा मारकर कहा, “मक्कार, ऐसे मौके पर भी तुझे इश्क सूझता है।”

खूबी खुलकर हँसने लगा। मैं क्या बतलाता। मैंने क्या पाया है।

“इसे तो हताईखेड़ा भेजना चाहिए जहाँ सारे जानवर भेजे गये हैं।” हरिहर ने मुलायम स्वर में कहा।

दमकल की घंटियों से शहर गूँज रहा है। हैलीकाप्टर आसमान में उड़ रहे हैं। कारखाने को महान वैज्ञानिक तरीकों से घेरा जा रहा है। कारखाने के चारों ओर तालपत्र भी लगाई गयी हैं। खूब ऊँची। उन पर दमकलों से पानी का

छिड़काव किया जा रहा है। गैस अगर निकले तो टाट के छेदों में पानी के सहारे घुल जाए। हैलीकाप्टर से कारखाने के ऊपर पानी की बारिश हो रही है। गैस को बाँध जाएगा। भाग नहीं सकेगी। सड़कें दूर-दूर तक गीली हैं। बड़े तालाब का पानी इन पर उलीचा जा रहा है।

कारखाना एक बार फिर करवट ले रहा है।

पाणिग्रही साहब बार-बार बुझ रहे पाइप को कुरेद रहे हैं। कभी-कभी लगता है वे पाइप से साँस ले रहे हैं। जैसे शहर की सबसे ऊँची इमारत में भी खुली हवा नहीं। यह एक ऐसी जगह है जहाँ से शहर के बचे-खुचे लोगों को भागने के लिए आगाह किया जा सके। कारखाने से सीधा सम्बन्ध।

वायरलेस झींगुरों से झुनझुना रहे हैं।

पाणिग्रही साहब बार-बार पूछ लेते हैं, "सुरेश, नीचे गाड़ी ठीक है न?"

"सर, गाड़ी में ड्राइवर है। कहीं नहीं जाएगा।"

"तुम जाओ। उससे कहो इंजन स्टार्ट रखे।"

"उसने यही किया है।"

"तब ठीक है।"

वे रूमाल से पसीना पोंछते हैं। सर्दी में त्वचा से रिसकर बाहर आने वाला पसीना। वे पैड पर कुछ लिखते हैं, काटते हैं। इच्छा हुई, पूछूँ यदि ड्राइवर को सूचना मिल गयी। हमारे जाने से पहले। तो? पाणिग्रही साहब ने अपने पास बैठे वैज्ञानिक से पूछा, "क्या सचमुच कोई खतरा है?"

भावहीन स्वर में बोला, "अब इसका कोई मतलब नहीं है।"

पाणिग्रही साहब पंजे हिलाने लगे। मैंने हथेलियों में उछल आए पसीने को पोंछा।

हल्लो, हल्लो, देवानन्द।

हल्लो, हल्लो, देवानन्द।

वायरलेस खरखराने लगा। देवानन्द। कोड। बातचीत होने लगी। काम शुरू हो रहा है। स्तब्ध। कमरे में झुनझुनी और पुरानी मेजों की चर्रमर्र। कुछ देर बाद सूचना आयी, कीटनाशक बन रहा है। इसके बाद हर टन बनने की सूचना आने लगी।

पाणिग्रही साहब ने पूछा, "ये सब बन जाएगी।"

वैज्ञानिक बहुत सहज हो गया था। उसने एक सिगरेट खुद मुँह से लगाई और एक उन्हें पेश की। हँसकर बोला, "पहले भी तो बनती थी। अब क्या हुआ?"

''हा-हा! हो-हो!''

यह कहकर दोनों हँसने लगे। मैं भी हँसा।

'कितना बेच आए?'

कमरे पर सब जमा थे। हरिहर। खूबचन्द। रशीद। अरे! पिताजी! ''कितना कीटनाशक बेच आए?'' हरिहर ने मजाक किया।

मैं बोला नहीं। पिताजी ने बाँहों में भर लिया। मैं बेढंगे तरीके से रोने लगा। जैसे सूअर के बाल खींचे जा रहे हों। किसी ने बुरा नहीं माना। पीठ सहलाते हुए पिताजी बोले, ''बड़ा आराम रहा। इधर आने वाली सारी गाड़ियाँ खाली थीं। सोते हुए आया।''

पिताजी के सांत्वना देने का यही तरीका है, कोई नहीं जानता।

''सुरेश, तुम्हें अगर गाजर का हलवा नहीं चाहिए तो बताओ। हम हैं।'' गाजर का हलवा। माँ ने बनाया होगा।

'भाई जान, जब एक लाख मिलेंगे न तो हलवा क्या मीठा ज़र्दा और कबाब उड़ेंगे। आप भी आना। क्या!' यह रशीद होगा। हाँफते और गम्भीर।

कारखाना धीरे-धीरे शान्त हो गया। लोग लौटने लगे। इसी बीच ग्रेट रेमन सर्कस के टैंट शहर में गड़ गये। मुआवजे और रात की बातचीत के बीच हाथियों की चिंघाड़ भी शामिल हो गयी। जोकर बाँस में टँगे सड़कों पर सम्हल-सम्हल कर चलने लगे। हमने ध्यान से देखा, वे हमारी तरह हँसते थे। दोनों कानों तक हँसी। सर्कस की सर्चलाइट रात को आसमान में लुढ़कती। इधर से उधर सूने स्याह आसमान को काटती।

लोगों को मालूम पड़ जाता, अब सर्कस शुरू होगा।

बालू-भीत पवन का खम्बा

होल्डाल कमरे के बीचोबीच हारे हुए पहलवान की तरह चित्त पड़ा था। कई जगहों की धूल उस पर जमी थी। बेरुखा फूला। गए-गुज़रे ज़माने की मलिनता से सना। रंगीन कपड़ों के कोनें उसमें से निकलने को होते हैं। इसे बाँधने और घर से निकलने में घंटों लग जाएँगे।

''माया, अभी तक तुमने इसे बाँधा नहीं? हद है! लापरवाही की भी हद है!''

''मैं क्या करती! मुझसे अकेले होता है क्या! तुम तो...''

''बस। झंझट मुझ पर डाल दो। छुट्टी! तुम कह नहीं सकती थीं, बेहूदा होल्डाल की बजाय दूसरा ले आओ? पचीस आदमी रास्ते में देखेंगे। हँसेंगे। तुम्हें क्या?''

''देखो रमेश। देखो। तुम इस तरह की बात करोगे तो मैं नहीं जाऊँगी। बच्चे भी नहीं जाएँगे। तुम तो बस कहीं जाने के नाम पर पहले से ही दुत्कारने लगते हो।''

मैंने उसके सधे स्वर की परवाह नहीं की। कभी नहीं करता। धमकी में वह जितना तनती है, भुरभुराकर गिर जाती है। झट आँसू निकलने लगते हैं। निकम्मे सूअर की तरह दीवार से रगड़ती हुई रसोईघर में चली जाती है।

''माया, फालतू बात मत करो। ट्रेन तुम्हारे लिए रुकी नहीं रहेगी। होल्डाल बाँधो। होल्डाल।''

जैसे उसने सुना ही नहीं। दीपा और गोपाल सजे-धजे कुर्सियों पर बैठे पैर हिला रहे थे। माया उन्हें जूते पहनाने लगी। उन्हें बाबुओं-सा सजाया था, जैसे सिनेमा जा रहे हों! धन्य है! वे अभी तक रोटी की पुल्ली खा रहे थे। खाना बन्द कर मिट्टी के माधो बन हमारी बात सुन रहे हैं। अभी खाने में ही इन्हें घंटों लगेंगे।

''भूल की जो बाहर जाने की सोची। तुम लोग इस लायक नहीं हो कि कहीं ले जाएँ।''

''हाँ-हाँ, मैं क्या नहीं जानती! बस, सड़ते रहो इस घर में। वाह रे घर!''

''तुम क्या मुझ पर एहसान करती हो? तुम...तुम सब लोगों के कारण मेरा

क्या बन गया! काठ का दुंबा! ऊँह! फिर भी तुम लोगों से कुछ नहीं कहता। कुछ ज़रा-सा नहीं।''

माया ने बच्चों को घर के बाहर टहलने को कह दिया। खेलें नहीं। कपड़े गंदे न करें। उसने मेरी उपेक्षा की। मेरा तो समूचा जीवन ही उपेक्षित हो गया। मेरे दोस्त निर्बाध नदी में तैरते निकल गये। किलकारी मारते। वे जिस चीज़ की इच्छा करते हैं, उसे मानो बनाने वाले जानते हैं। झट दूसरे दिन उनके घर में वह चीज़ नयेपन में जगमगाती दिखती है। वे सहज होकर अनदेखा कर देते हैं। जैसे वह खाली स्थान उसी के लिए था। चीज़ थी, आ गयी। मुझे तो शक है, वे जिन औरतों की प्रायः चर्चा किया करते हैं, वे निःशब्द खाली स्थान पर अँगड़ाई लेती होंगी। मेरी रुचि सचमुच होती तो दोस्तों का आग्रह शायद वहाँ तक भी ले जाने को होता। सहज और मानो मामूली-सी चीज़।

इस औरत के लिए मैंने क्या-क्या नहीं किया! इसकी छोटी-सी उदासी की परवाह मैंने की है। ज़रा-सी हँसी के लिए। ज़रा-सी फिस्स् के लिए। मेट दिया। मैंने सब कुछ मेट दिया।

मेरा कमरा। मेरे कॉलेज के दिनों के सर्टिफिकेट! मेरी फुटबाल की जुराबें। इसने सब-कुछ लोहे की पेटी में ठूँस दिया है। चार बड़ी पेटियों के नीचे की काली पेटी, ताकि मैं उस तक पहुँच न पाऊँ। भूल जाऊँ सब। थोड़ा-थोड़ा तो भूल ही गया। ज़रा-सा मुँह उतरा देखेगी माया तो चौकन्नी हो जाएगी। बहुत चालाक। उदारता बहने को होगी। जाँघ पर ज़रूर सिर धरा लेगी। आहिस्ता से सिर के बालों को गिनते हुए बनकर कहेगी, ''तुम तेल नहीं लगाते? ऐसा करो, अब कैमरा निकाल लो। तुम तो सारे शौक बिसार गये। गोपाल का जन्मदिन भी आ रहा है। खूब फोटो खींचना। अच्छी फोटोबाज़ी हो जाएगी। है न!''

मैं कहूँगा, ''कहाँ? कितना महँगा हो गया है! इतने में तो उसकी कमीज़ आ जाएगी।''

मैं दम साधकर उसकी प्रतीक्षा करूँगा। वह देर नहीं करती। तुरन्त कहेगी, ''हाँ-हाँ, यह ठीक रहेगा। उसके पास कितनी कम कमीज़ हैं। सुनो, तेल लगा दूँ। सिर महक जाएगा।''

उसकी जाँच मानो निर्जीव तकिया हो। पुलपुला। मालूम नहीं, किस बेशर्मी या अकड़ में अपने सिर को तर किए हूँ। भीड़ीभाड़ में सुगन्धित सिर लिए-लिए घूमता हूँ। बीच-बीच में उँगलियों से सूँघता, अपनी टूटी-फूटी मक्कारी को। नहीं?

''रमेश, अब तुम ही देर कर रहे हो। मैंने तो सब जमा लिया। होल्डाल बाँधना है।''

"बाँध लो।"

"अच्छा! जैसे जानते नहीं। अकेले होता तो कब का बँध गया होता।"

उसने साड़ी कमर में खोंसते हुए कहा। स्वर अभी तक खिंचा था। मैं न होऊँ तो क्या यह होल्डाल बाँध सकती है? अकेले? इस पर भी इतना तेहा।

"ठीक है, ठीक है, पहले पानी पिलाओ।"

मुझे लगा, वह किसी बूढ़ी नौकरानी की तरह चलकर आ रही है। तश्तरी पर गिलास रखे। मैंने गिलास उसी अन्दाज़ में उठाया। पानी आधा था। हलका खुशबूदार। गिलास के कोर पर उसके होंठों की छाप लगी थी। बहुत छोटी पतली लकीरें। वह मुझे ताड़ गयी थी, इसीलिए पिया।

"माया! मैंने तुमसे कितनी बार कहा है, मेरे पानी पर लिपस्टिक मत लगाया करो।"

"अच्छा?"

वह ज़रा-सी तिरछी हो गयी। हँसी नहीं। किसी और समय हँस सकती।

"मैं पानी पीना चाहता हूँ। सड़ा-सा शरबत नहीं।"

"ठीक है। याद रखूँगी। अब बाँधो भी।"

होल्डाल को मोड़ा। उसके घुटने और सिर एकमेक हो गये। मैं क्यों मेहनत करूँ। बस, सँभाले रहा। चमड़े की पट्टियाँ बकल में घुसा दीं। अब करो ज़ोर आज़माइश! किसी तगड़े आदमी की तरह होल्डाल पर बैठकर माया चमड़े की पट्टी खींचने लगी। खूब सारी ताक़त। बक़ल में पूरी मेहनत से पट्टी कस दी। हाथ काँपे नहीं। अच्छा, जैसे मैंने चुनौती दी हो। दूसरी पट्टी भी वह कसने लगी। वह मुझे देख नहीं रही थी। उसका मुँह भरभरा गया था। लाल। मुँह से या नाक से बेकाबू साँसें निकल रही थीं। मैंने अपना सिर उसके पास कर लिया। वह पीतल की केतली-सी गर्म और चमकदार थी। होंठ तनकर थोड़े बाहर आ गये थे। होठों की नन्ही-नन्हीं सिकुड़न में लिपस्टिक की चमक भरी थी। गहरी खुशबू। नहीं, गुलाब की नहीं। घनी होकर चेरी की। चेरी खाए नहीं कभी। खाना अलग और क्या सुगन्ध अलग?

मुझे बेढंगी हँसी आ गयी। चूमने की कोशिश और कहा, "माया, तुम तो इंजन की तरह अभी से उसाँसने लगीं।"

वह चट् से घूम गयी। मेरा चुम्बन हवा में ही धरा रह गया। अच्छा, इतना गुस्सा! उसने बकल में दूसरी पट्टी भी डाल दी। उठ खड़ी हुई। जैसे मैं हवा में घुलामिला हूँ। ठीक है, मत बोलो। मैं भी नहीं बोलूँगा। मेरा क्या? तुरन्त घर से बाहर निकल गया।

दीपा और गोपाल सचमुच अजनबी की तरह घूम रहे थे। एक-एक पौधे को देखते। दीपा ने अधीरता से कहा, "पापा, जल्दी चलो न। यहाँ से अच्छी जगह!"

"चलो। पहले ऑटो करते हैं।"

ऑटो जल्दी ही मिला। उचक्के-से दिखते ऑटोचालक से किराए की बात नहीं की। बेटा, तू जितना माँगेगा, उतना दे दूँगा। मीटर भी मत गिराना। ऑटो में केवल होल्डाल ही नहीं था। माया धीरे-धीरे एक-एक सामान लाने लगी। हम घूमने नहीं, मानो शहर बदलकर जा रहे हों! यह पूरा पहाड़ उठाए मैं ही चलूँगा। कुली से भी गया बीता। मेरे मन में डपटने की इच्छा हुई। किसी के सामने मैं जानबूझकर डाँट दिया करता हूँ। कुत्ते को झिंझोड़कर पटक दो, तो कहीं आता-जाता नहीं। सहमकर वहीं बैठ जाता है। दुबककर। चाहे फिर कितनी मार पड़े। बेवकूफ हैं वे, जो मार-पीट करते हैं। नहीं? मगर मैं इच्छा को दबा गया। वह भरी हुई है। यात्रा को आसानी से तहस-नहस कर देगी। बस, मैं तो ऑटो वाला जितने पैसे माँगेगा, मज़े से दे दूँगा। फिर देखता हूँ।

ऑटो वाले ने गीत चला दिया। सीट के पीछे स्पीकर लगा था। दो नौजवान प्रेमी ढोल-ढमाके लेकर जैसे हमारे पीछे बैठे हों। पहली बार देखा। ऑटो नया था। सजा हुआ और कई सूचनाएँ लिखी थ॑ । वह खुश था और ज़रूर हमें खुशकिस्मत ग्राहक समझ रहा होगा। मैं पसरकर बैठा था। माया सिकुड़ी हुई। किसी और की औरत। कहें तो पत्नी। वह साड़ी का पल्ला मुझसे बचा रही थी। उसके छूने से मैं दोस्ती कर लूँगा। छिः! माया ऑटो से बाहर देख रही थी। एक-एक मकान। गोपाल उसकी गोद में था और दीपा हम दोनों के बीच अधखड़ी-सी। वे दोनों गीत की धुन का पीछा कर रहे थे। इतने बेमानी और सड़ियल गीत आखिर क्यों बजाए जाते हैं? यही है आजकल के लड़कों की सुरुचि? घिसे-पिटे प्रेमी की बोलचाल।

रेलवे स्टेशन के धुआँ-भरे तेलिया स्टैंड पर ऑटो खड़ा हुआ। मैंने कहा, "तुमने तो मीटर गिराया नहीं?"

माया की ओर देखा। वह स्टैंड पर एक कतार में खड़े ताँगा देख रही थी। घोड़े पुआल खा रहे थे।

"ठीक है। जो चाहें, दें।"

उसकी उदारता लापरवाही से बरस रही थी।

"अरे, तुम माँगो तो। जितना चाहो उतना।"

वह हँसने लगा। सजग। "आपकी मर्ज़ी।"

"मेरी? अरे, यार, साफ बात करो।"

वह दूसरी ओर देखने लगा। घोड़े की तरह एक्टिंग कर रहे हो बेटा।

बेहिचक किराया दिया। साले ने उतना ही लिया। कुछ लौटाए। ठीक-ठाक। उसके उचक्के चेहरे पर मूंछें बनावटी लगती थीं। गोंद से जुड़ीं।

ऑटो वाले ने सामान उतारा। गोपाल को थपथपाया और किसी और सवारी की तरफ लपक गया।

"सुन दीपा, शहर की तरफ जाने वालों को ही ये लूटते हैं।"

माया से समझदारी से कहा। दीपा ने कोई जवाब नहीं दिया। उसे कोई मतलब न था। दरअसल वह हमारे बीच दिशासूचक की तरह बहती। हवा का रुख बताती।

ट्रेन गहरी सुरंग की तरह किसी उपग्रह में खुलती थी। लोगों को लगता, उस उपग्रह के लिए आज ट्रेन में नहीं घुसे तो अनाथ प्लेटफॉर्म पर गिर जाएँगे। लावारिस प्लेटफार्म उस उपग्रह और शहर के बीच स्थायी मंच था। भागमभाग, कोलाहल और उमस में विदा करने आयी किसी स्त्री के खुलकर रोने को ठहरकर कोई नहीं देखता। ठेले वाले चिल्लाने का भरपूर फायदा उठाते। वे सामान बेचने के बहाने खास राग में आलाप लेते। बोल की तरह क्या सामान बेच रहे हैं, पता नहीं चलता। सीट सुरक्षित होने के बावजूद उस तक पहुँचना कड़ी परीक्षा है। ट्रेन के अन्दर बैठे लोग उदासीन होकर प्लेटफॉर्म की भागदौड़ देखते हैं। थकी आँखों में कोई चौंक नहीं होती। कर्मचारियों की तीखी सावधानी के पीछे रैक पर जाते बड़े-बड़े कैनवास के थैले। बन्द। इसमें शहर और आसपास के गाँवों की हज़ारों चिट्ठियाँ। इन विशाल थैलों को वे ट्रेन पर लादते हैं।

अपनी जगहों पर बैठते ही ट्रेन पानी से भीगे कुत्ते-सी झटकती है। थरथराहट। सीटी की एक लम्बी साँस। ट्रेन एकदम चल पड़ती है। बिना माफी माँगे। स्टेशन पर लोगों को छोड़ते।

मेरे सामने वाली लम्बी सीट पर माया है। खिड़की से सटकर गोपाल है और माया के इस तरफ दीपा। ठसाठस भरी बोगी में पुरानी कसैली गन्ध है। बोगी बीच-बीच में पानी पर डोलती नाव बन जाती है। माया खिड़की के बाहर बहुत दूर देख रही हैं धूप की कटी हुई पत्तियाँ उसके चेहरे पर बार-बार फिसलती हैं। वह अपने में बन्द छूटते मकानों को गिन रही होगी।

मूँगफली-सी बन्द हो जाती है, माया। उसी ने कहा था, चलो कहीं बाहर चलें। घर से वह पीछा छुड़ाना चाहती थी। मैं दफ्तर से। एक अनजान शहर के

बारे में हमने कई रात लम्बी बातें की थीं। उस शहर की लुभवनी फोटो हम कई तरह से देख चुके थे। वहाँ घर नहीं था। दफ्तर नहीं था। स्कूल नहीं था। हमें भरोसा था, हम वहाँ से आकर बदल जाएँगे। बहुत नहीं तो कुछ दिनों के लिए। क्या होंगे हम? वहाँ समुद्र है। समुद्र हमने नहीं देखा था। सचमुच का। उनमें घोंघे बेशुमार होंगे। नमक की सीलन में सूखती रेत होगी। हमारे दोस्त ने बहुत पहले कोरल भेजा था। सफेद। पतली मूलियों-सा झक्क्। उसमें बहुत सारे छिद्र हैं। उसमें जीवन नहीं था। पेड़ का भाई लगता। कभी-कभी बहुतों का जीवन पेड़ जैसा लगता। पेड़ नहीं, काठ। मगर बारिश में कोरल पसीजने लगता। चुपचाप। पूरी बैठक में नमकीन सीलन भर जाती। मछलियों ने उसे छुआ होगा। तभी तो उनकी महक भी तैरती। बैठक निःशब्द समुद्र बन जाता। बाहर बारिश। माया कहती, हम वहीं जाएँगे। वहाँ कोरल हिलोर में नाचता होगा। असंख्य छिद्रों से पानी उलीचते।

माया ने हँसकर कहा था, वह बेझिझक बेदिंग सूट में घूमेगी। हमारी पेटी में यह नहीं था। इसलिए माया से कुछ भी नहीं कहा। वहाँ ढेर सारे लोग पानी में भीगने को आतुर होंगे। कोरल-सा नृत्य। मैंने तो चुपचाप सोचा था, माया के कानों में जो कुछ कहूँगा, उसकी ठीक रंगत चेहरे पर होगी। हमारी त्वचाएँ तो अब कमरों में बदल गयी हैं। अनजान शहर में बसा समुद्र हमारे बीच हरहराते हुए आएगा। दीपा और गोपाल छोटी-सी पूँजी को यूँ ही खर्च करेंगे। बस, एकदम यूँ ही। हम उनके चॉकलेट की पन्नियों को समुद्र में तैराएँगे। माया को चूमूँ तो उसे यह न लगे कि उसकी देह को ही चूमता हूँ।

वह सब स्वप्न ही है। एक टूटी हुई चाभी, जिससे कभी ताला नहीं खुलता। ऐसा मनहूस दिन लेकर क्या उम्मीद की जा सकती है!

भरी हुई बोगी में लोगों ने अपनी जगह ढूँढ़ ली है। लम्बी यात्रा के लोग ऊपरी स्लीपर पर सोने का बहाना कर रहे हैं। वे अन्दाज़ से आगे आने वाले स्टेशन का नाम बतलाते हैं। उनके चेहरे पर ऊब और बढ़ी हुई दाढ़ी है। नीचे की स्लीपर पर हमारा ठाठ फैला हुआ है। राजनीति के नये पैंतरे, पैसे खाने के विविध तरीके, विलासी जीवन की अछूती सूचनाएँ। इन सबसे एक नाहक गुस्सा उबलता-सा दिखाई पड़ता है। यदि इस विशवसनीय वार्तालाप को जो अखबार, उद्धरण और आँखों-देखा बताते हैं, जानकर लागू करें, तो गुस्सेबाज़ लोगों के पास काम न रहे। ट्रेन रोज़ ऐसे भविष्य के पारखियों को ठसाठस भर मटकती चलती है। स्लीपर के नीचे देहाती संसार है। वे स्लीपर पर बैठने के लिए नहीं पूछते। जमीन अँगोछे से झाड़कर बैठ जाते हैं। सिर के छोटे-छोटे बालों को दोनों हाथों से ढँक लेते हैं। लगातार खैनी उनके मुँह में लार भरती जाती है। वे

गरमागरम बातचीत को सुनते हुए थूकने के लिए थोड़ी-सी जगह तलाश करते हैं। संडास और दरवाज़े पर वे लोग खड़े होते हैं जो आसानी से सन्दिग्ध लगते हैं। जेबकतरे। शराबी। बेटिकिट। मगर वे खुली हवा के लोभ में पेशाब सूँघते लोग हैं। गुनगुनाते। एक छोटे-से स्टेशन पर ट्रेन सुस्ताने के लिए ज़रा-सी देर रुकती है। इकतारे की टुनटुन के साथ कुछ लोग उचककर चढ़ जाते हैं। यहाँ के लिए ट्रेन के पायदान ऊँचे पड़ते हैं। यहाँ सिर उठाए दोनों हाथों से डंडे थामे सीढ़ी चढ़ते हैं। जैसे गहरी बावड़ी से धीरे-धीरे ऊपर आ रहे हों। उनकी गहरी साँसों के पहले ट्रेन चलने लगती है। इकतारे की धुन और उबले चने की आवाज़ दूसरी बोगी से खट्-खट् के बीच छनकर आ रही है। हमारे सामने कुछ लोग हड़बड़ाए-से आ जाते हैं। अपने में खोए। वह ज़रूर इस गाँव में कोई सरकारी नौकरी करता होगा। मटमैले कोट और खाकी फाइल लिए। उसके आगे लड़की थी। शायद उसकी बेटी। उसकी फ्रॉक घुटनों तक आ गयी थी। कद बढ़ गया होगा। फ्रॉक पर खिले सरसों के फूल अपनी चमक खो चुके थे। शलवार से अच्छी यह फ्रॉक ही रही होगी। दो कसी चोटी और प्लास्टिक की चमकीली चूड़ियों में वह अटपटी लगती थी।

वह होठों को कसकर बन्द किए चारों तरफ आँखें घुमा रही थी। बैठने की जगह कहीं नहीं थी। बार-बार मेरे देखने से वह चौकन्नी हो गयी थी। उसकी उम्र में शामिल हुआ गुण।

मैंने कहीं इसे देखा है। कहीं न कहीं। अकस्मात् कौंधा। माया के बचपन की तस्वीर-सी। हू-ब-हू। माया शादी के बाद कुछ चीज़ें लाई थी। उन्हें वह केवल अपना कहती थी। क्रोशिए के बने कुछ नमूने। कुछ सर्टिफिकेट। गाने और अभिनय के। कुछ फोटो। पीले हो गये एक फोटो में वह बेढंगे कपड़ों में खड़ी है। एक ओर टेढ़ी गरदन किए। मुँह पर शरारत। बरबस। पन्द्रह साल की माया। उसके सिलबिल्ले ढँग में खास चमक है। फोटो में धीरे-धीरे धूमिल होती। उसके दो साल बाद ही ब्याह हो गया। लोहे की पेटी में वे सब रखे हैं। शुरू में उसने नमूनों को बुनना चाहा। मुझे पसन्द नहीं थे। अब कुछ भी निकालकर नहीं देखती। लोहे की चौकोर ठंडी पेटी उन्हें सँभाले है। पिछली बोगी में इकतारे पर कोई लड़की गा रही है। जवान। घनी उदासी में सँभली हुई गहरी आवाज़। 'भोला मन जाने, अमर मेरी काया। धन रे जोबन सपने-सी माया।' उसकी आवाज़ हवा को दराँती से काटती आती है। बचपन की माया मेरे सामने खड़ी थी। दुबली, भोली त्वचा में निःशब्द।

सहसा एक दिन स्त्री में बदल जाने के लिए।

वह सबके बीच गेंदे के पौधे की तरह खड़ी धीमे-धीमे हिल रही है। जैसे उसकी पत्तियों को छूने से नमकीन खुशबू भर जाएगी। उसकी आँखों के कोर आश्चर्य से भरे हैं। खिड़की के बाहर दौड़ते पहाड़ उसका पीछा कर रहे हैं। वे पहाड़, जो छोड़ आयी थी। दीपा अपनी छोटी-सी जगह पर नृत्य के किसी टुकड़े को याद कर रही है। वह नृत्य भी है और एकरसता को तोड़ने का खेल भी। इस खेल में और लोग भी शामिल हो गये हैं। अगले पड़ाव के इंतज़ार में।

''दीपा बेटे, थोड़ी-सी जगह बना लो। इसे बैठा लो।''

''पापा! आप तो बस...''

वह विरोध करती जगह बनाती है। हर ऐरी-गैरी के लिए थोड़ी-सी जगह! वह जगह नहीं थी। ज़रा-सी टिकने की बेचैन कोशिश। वह टूटे पत्ते की तरह सरकती हुई जम गयी। दोनों तरफ से अपने को बचाती। धूप की कटी पत्तियाँ अब उस पर भी बरस रही थीं। वे चमकीली पत्तियाँ फिसलकर नीचे नहीं गिरतीं। वह उन्हें अपने गालों पर सोख लेती है। दीपा ने बिस्किट निकाल लिए थे। गोपाल के साथ वह बँटवारा कर रही थी। माया तटस्थ होकर उन्हें देख रही थी। उसने मुझसे आँखें नहीं मिलाईं।

''बेटा, इसे भी एक बिस्किट दो न!''

मेरे हाथ सहज ही बढ़ गये। दीपा ने बिस्किट दिया। उसके चेहरे पर जलन थी। बच्चे अपना प्यार, अपनी ईर्ष्या, अपनी जलन कभी नहीं छुपाते। उनका शरीर पारदर्शी काँच-सा होता हैं नाजुक और टूटने को। दीपा फिर माया की ओर झुक गयी। वे शरीर के स्पर्श से बातचीत कर लेते हैं। पापा भी। ऊँह!

''लो। तुम भी खाओ।''

वह अकबकाकर पीछे हट गयी। शर्म से। पीछे की ओर चटखती फल्ली। इंकार के नन्हे-नन्हे बीज जैसे बेआवाज़ फिसल रहे हों।

''अरे लो! खाओ भी।''

''नहीं।''

जैसे नहीं कहने के बहाने साँस ले रही हो। चोरी से।

''शर्म नहीं करते।''

खुद पर विस्मय हुआ। इतने नर्म शब्द। सुन्दर भात की कनियों-सा। कितने दिनों बाद। हाँ। कितने वर्षों बाद। कहीं छुपाकर रखी ये कनियाँ बाहर आ गयी हैं।

''ले लो बेटी!''

कोट वाले ने नरमी से कहा। वह खड़ा हुआ किसी से अखबार लेकर पढ़ रहा था। गद्‌गद भाव से वह थोड़ा-सा मुस्कराया भी।

उसने बिस्किट ले लिया। उसके बढ़े नाखून मेरी उँगलियों पर थाप दे गये। सनसनाहट का कोई प्रकार नहीं होता। वे हर वक्त में वैसे ही बहते हैं। चेहरे तक। कानों तक। सन्-सन्!

अन्नानास की गन्ध बिस्किट की क्रीम से उड़ रही थी, तैरती। माया मेरी पसन्द जानती है। बाज़ार से वही लाती है। फिर मेरी पसन्द धीरे-धीरे बच्चों की आदत बन जाती है। बहुत देर हो गयी है। अबोला हुए। वह भी अपने अन्दर लगातार बोल रही होगी। एकालाप। सचमुच ब्याह के बाद माया हर साल बदलती चली गयी है। हाय! दरअसल मैंने ही तो उसे एक घर माना। सारी ज़रूरतों का मायने। वह एक चलता-फिरता घर है। दीपा। गोपाल। मैं। उसका घर कौन-सा है। जूठे बर्तन साफ करती हुई माया नहीं घिनाती। राख से लिथड़े उसके हाथों को मैंने कभी नहीं छुआ। कभी नहीं। उनमें से मुझे श्मशान की गन्ध आती थी। राखिए से खरीदते समय उससे मैं बोलता, ये राखिए घाट से राख उठाते हैं। वह निःशब्द हँसती थी। अब वह चुप बैठी है। कटहल! मैंने उसके सम्पूर्ण शरीर को चूमा है। हर तरह से। और मन ही मन उसके बढ़ते उदर से घृणा की है। वहीं जहाँ उसने दीपा को, गोपाल को सँभाला है। नहीं। नहीं। यह मेरा अपना प्यार है। समुद्र की तपती रेत में दोनों हाथों से सहलाऊँगा। अन्तिम क्षणों में कोई ताज़ा चेहरा याद नहीं आएगा।

इकतारे वाला इस बोगी में आ गया है। इकतारे वाला है। लड़की है। बरसों की धूल में लिपटी। उसके बाल कपड़ों की चिन्दियों से झूल रहे हैं। वह दराँती चलाती है :

कहाँ तेरा हँसा, कहाँ तेरी माया। बालू की भीत पवन का खम्बा।
देवल देख भया है अचम्बा।

हवा कट-कटकर लोगों पर गिर रही है। हाथों से कपड़े झटकारते वे तिनके उड़ाते हैं। घिसटते हुए लड़की आगे बढ़ जाती है। उसे भीख नहीं मिलती। मैं सिक्का टटोलता हूँ। एक रुपया। छोटे सिक्के की तलाश। वह आगे निकल जाती है। उसे मालूम है, कोई नहीं सुनेगा। कोई नहीं देगा।

चने वाला पीछे-पीछे आता है गाने के अन्तराल में वह चीखता है, 'उबले चने। उबले चने।' उसकी टोकनी चने और नीबू क़ी सुगन्ध से गमकती हैं। उसके चेहरे पर नाजुक चमक आ जाती है। वह उमगकर कोट वाले की ओर देखती है। वह आखिरी पन्ना टटोल रहा है।

"चने वाले! एक रुपए का देना।...दीपा, चने खाओगी?"

बच्चे खुश हो जाते हैं। मना की हुई चीज़ का मिलना।

वह इस बार चौंकती नहीं। फल्ली चटखती नहीं। बहुत परिचित व्यंजन को चुन-चुनकर खाना। एक-एक करके। हर बार उसके सीने पर पारे से दिए डोलते हैं।

अचानक ट्रेन रुकती है। कोट वाला उत्तेजित होकर कहता है, चलो-चलो। वह थोड़े-से बचे चने से मुँह भर लेती है। कागज़ फेंककर उठती है। मैं पूछता हूँ, "क्या नाम है तेरा?"

भरे मुँह से एक-दो चने गिरते हैं। कुचले हुए। वह होंठों को गोल बनाकर कहती है। उसका नाम उबले चनों के साथ बिखर जाता है। वह उतर जाती है। पीछे मुड़कर भी नहीं देखती।

"माया, वैसी ही बेढंगी। सिलबिल्ली।"

माया के पास झुककर लाड़ से बोलता हूँ।

वह चौककर देखती है। अबोले का नियम तो वही तोड़ती है। वह खिड़की से एकदम चेहरा सटा देती है। आँसू बहने लगते हैं।

"माया!"

"मैं बुरी हूँ। यहाँ क्यों लाए? तुम्हें बर्बाद किया।"

वह धीरे-धीरे टूटी-छूटी कड़ियों में जैसे पाठ याद कर रही थी। दरकती। तुरन्त अपनी जगह पर दीपा-गोपाल को बैठाकर उसके नज़दीक आ गया।

"रमेश, तुम कोसोगे तो यहीं उतर जाऊँगी। बच्चों को लेकर।"

उसके स्वर पहचाने हैं। वह हिलक रही है।

"गधी! मैं तुम्हें कुछ और बताता हूँ। देखो वह लड़की..."

"जानती हूँ। तुम हम सबको भूलकर..."

"माया! सुनो तो। देखो। तुम्हारे बचपन की माया नहीं लगती?"

वह उचककर देखने लगी। लड़की और कोट वाला दूर चले गये थे। चेहरा नहीं दिखता था। देह दिखती थी। डगाल की लचक। हरी डगाल। माया ने डिब्बे में बैठी उस लड़की को याद किया।

"हाँ-हाँ, अरे!"

वह कोशिश कर देखती रही, जब तक वे आम के पेड़ों के पीछे ओझल नहीं हो गये। ट्रेन सरकने लगी। स्टेशन पर कोई नाम नहीं लिखा था। किसी नाम का पत्थर कहीं छूटा था। बस, शाम की उतरती हुई धूप थी। चमकहीन पीली।

"माया!"

"हाँ! वही। बिलकुल।"

"माया, मैं तुम्हें हज़ार बरसों से..."

"हूँ! अच्छा-अच्छा!"

उसने बहुत रौंदे गये शब्दों में पड़ी जान को अधूरे में ही लोक लिया। वह मेरे कन्धे से टिक गयी। लोगों की परवाह उसने नहीं की। मैं बोला नहीं। सामने बुजुर्ग रेलवे टाइम-टेबल पढ़ रहे हैं। उनसे माँगा। वे उससे ऊब गए होंगे, तभी तो तुरन्त दे दिया। हम अपने रास्ते में पड़ने वाले स्टेशन खोजने लगे। अनजान। विचित्र नाम। हर नाम के पीछे एक हँसी थी और टाइम-टेबल के नीचे गेरे हाथ में माया। नरम हाथ नहीं तो क्या? वे थे तो। उनकी कुनकुनाहट है। वैसी ही।

हँसते हुए वह सहसा चुप हो गयी।

''बच्चे भूखे हैं। टिफिन निकालती हूँ।''

स्लीपर के नीचे वह थैला खोजने लगी। उसके कान अपनी गोलाइयों में कनपटी पर चमक रहे हैं। आभूषण की तरह। काफी देर से ढूँढ़ रही है। शायद अब फिर वह रो रही है। अपने को सबसे छुपाकर।

तलघर

सफेद ट्रे पर हरे चने से बिखरे पड़े थे।

भकुआया हुआ उन्हें गिन रहा था। पूरे दिन का आराम था। कोई काम किया जाये। सबसे अच्छा काम! घर और दोस्तों को उनके परिचित परिधानों में याद किया। चेहरे नहीं दिखते थे। गोविन्द को चिट्ठी लिखूँगा। गझिन और पगी। पढ़कर वह तसल्ली से आँखों को नम कर ले। नमकीन आँखें लिए वह बस में यार-यार करता हुआ बैठ जाए। उससे सालों से मिलना नहीं हुआ था। गोविन्द किन बातों से गमगीन होता? मेरे पास बातों का खजाना था। किन्तु बारीक बातें उसे पसन्द नहीं थीं। बाहरी मुझे। उसकी पसन्दगी को याद करते सुबह से बन्दूक भरना शुरू किया। मगर अब सब ज्यों का त्यों है। पुट्-पुट्। बड़ी मुश्किल से कुछ चने कागज पर बेमन से गिरे। आखिर ऐसी कौन-सी बात है जो मन में घुले कपूर-सी? मैं कहूँगा, मैंने कुछ मुर्गियाँ पाली हैं। उन्हें नाम से बुलाओ तो दौड़ी चली आती हैं। तुम्हारी अम्मा क्या अब भी गैस पर सिंकी रोटी नहीं खातीं? तुम पीने के बाद यूँ ही रोते हो और लोलिता-लोलिता चिल्लाते हो।

अरे कहाँ! फिजूल की बातें कहकर, गोविन्द जेब में उँगलियों से टटोलेगा। कीमती मगरमच्छ के चमड़े का पर्स। चिट्ठी में बड़ी मुश्किल थी। तबियत के बारे में पूछा। वह जान नहीं पाएगा, इतनी देर में पूरी लम्बाई का प्रेम निबटाया जा सकता है। मैं भौंचक था। हरे चने हिलते-डुलते थे। उनके बीच हरी इल्लियाँ थीं। अन्तर था तो केवल यही कि वे चनों के बीच छिपी हुई उन्हें खा रही थीं। रंग से पता नहीं लगता। हिलने-डुलने से लगता या तो चने हैं या इल्लियाँ। फुर्ती से कागज मोड़ा और लिफाफे में ठूँस दिया। गोविन्द का पता संक्षिप्त था। खाता-पीता आदमी है। जयन्तियों और पुण्यतिथियों पर रंगीन टिकिट थे। वे पहचाने नहीं जाते थे। गरदन के ऊपर एक थे।

'कहिये, केसे हैं?'

भावहीन आँखों में कोई हलचल नहीं थी। नारंगी आँखें। नन्हें सूराख। वे नमी सोखती थीं। जबकि पूरे टिकिट गीले थे। कुछ चित्रकर ऐसे ही बनाते हैं। पतली रेखाओं का जाल। जैसे वे खुश न हों। अधिक देर देखें तो दाँत किटकिटाने लगें। आपका क्या गया? मेरी तो जीभ मोटी हो गयी। बकटाइन। छटपटाती जीभ। छिपकली। याद आया गोड़से जयन्ति और विमला खालसा की पुण्यतिथि पास हैं।

"सुनो ना, क्या कर रहे हो?"

भोजन और पिछली रात का पसीना महक रहा था। माया उनमें सराबोर करते पीठ पर थपकी देने लगी।

"अरे कुछ नहीं। गोविन्द को चिट्ठी लिख रहा था।"

"गोविन्द? अच्छा, वही जो हमारी शादी में आये थे। जमीन पर सिर रखकर मेरा चेहरा देखते थे। घूँघट था न्। आपके तो सारे दोस्त बदमाश। एक से एक!"

अकस्मात् मेरे अन्दर खुशी के बुलबुले फूटने लगे। माया के कान पर हाथ फिराने लगा। जैसे मोम-कागज पर कान की ट्रेसिंग करते कुशल हाथ। तू तो कुछ भी नहीं जानती। एक से एक हरामी और पाजी। इसे गोविन्द का क़िस्सा तो पूरा मालूम ही नहीं। मैं बोला नहीं था। एक क़िस्सा तोड़ रहा था।

"आप तो बस! उन्हीं गोविन्द के लिए इतनी देर से बैठे हैं?"

"क्या?" मेरे हाथ से ट्रेसिंग पेपर छूट गया।

"और क्या! वे सब क्या यही करते रहेंगे?"

"नहीं माया। अब गोविन्द को लो। पहले टहनी जैसा था, अब फूलकर कुप्पा हो गया है। शरारत से लहककर बोला, अब तो जमीन से टिक भी न पाएगा।"

"समय के साथ सब बदल जाते हैं। अच्छा, उठिए। बहुत काम बाकी हैं। छछूँदर मारना है।"

किस्से बिखर गये। माया मानो पहले से जानती है, चिट्ठियों के बाद बहुत कुछ सरल रेखाओं पर लिखने से रह जाता है। उसकी घर को लिखी गयी तमाम अधूरी चिट्ठियाँ यहाँ-वहाँ पड़ी रहती हैं। फिर किसी भी चिट्ठी में तारीख डाल भेज देती है। जैसे नींद में लिखती है।

"अब तुरन्त उठिए। वह यहीं है। घर में।"

"छछूँदर? भई, तुम तो कहती थीं, लक्ष्मी लाती है। कभी उसे छूने नहीं दिया। क्या हो गया तुम्हें!"

"आप तो बस! अब उठिए भी! मैं समझ गयी। आप ठीक कहते थे। लेंडियों और तीखी बदबू के अलावा मिला ही क्या। आप उसको देखो तो। रसोई के पीपों के पीछे दुबकी हुई थी। सब्जी के छिलटों, रोटी के टुकड़ों और प्लास्टिक

की चिन्दियों में गुमसुम। वह हमेशा अनमनी और बेचैनी लगती। बाहर दरवाज़े की निचली दरार से वह उचककर आती। धूसर स्याह। उसका मुँह जल्द खिलने वाले फूल की गुलाबी कली-सा था। आँखें दिखाई नहीं पड़तीं। दुम मोटे तार-सी सीधी पीछे-पीछे घिसटती रहती। वह चारों तरफ सूँघती हुई चलती। बहुत-सी आशंकाओं के नीचे। उसकी चाल में झिझक होती। घिर्रीदार बच्चों की मोटर की तरह। फिर भी वह भागती। छछूँदर कभी भी फर्श के बीचोंबीच से नहीं जाती। हमेशा दीवार का किनारा पकड़ भागती। बेचैन। हड़बड़ी में। ढँके-मुँदे रास्ते। वह दरार से लद् से गिरती। जैसे पहली बार आ रही हो। माया ने पहले पहल देखा तो खुश हुई थी। वह तुरन्त बोली, इसे आप कुछ न कहिएगा। बेचारी निरीह है। शुभ है। टिंगू भौंकते हुए कुर्सियों के नीचे घुस जाता। सिर्फ हिलती हुई पूँछ दिखलाई पड़ती। टिंगू फँसा रहता। छछूँदर धातुई आवाज़ में चिक्-चिक् चिढ़ाते हुए कहीं और घुस जाती।

"देख लिया अपने टिंगू को? बड़े अल्शेसियन बने फिरते हैं! उस बेचारी की जान साँसत में है।"

इसके बावजूद टिंगू शुभ की पाली में मेरी ओर से दौड़भाग किया करते।

"अच्छा, अब आप ज़्यादा सोच-विचार न करें। ये लाठी लें।"

"माया! छोड़ो यार! बेचारी अपने-आप चली जाएगी।"

"अपने आप! ऊँह! आपसे तो एक काम नहीं होता।"

"तो तुम ही ले लो ये लाठी!"

माया ने लाठी को नहीं छुआ। हमारे पीछे मुनिया खड़ी थी। टिंगू यहाँ-वहाँ सूँघ रहे थे। बदले तेवर से माया बोली, "देखा मुनिया अपने पापा को। एक गंदी छछूँदर भी नहीं मार सकते।"

"पापा, छछूँदर को दौड़ाइए। मजा आएगा।"

मुनिया के पास कई खेल के नियम हैं। इससे वह बहुत जल्दी नया खेल बना लेती है। यही ठीक है। थोड़ा इसे हकालते हैं। दरार से गायब होने में कितनी देर लगती है। लाठी के सिरे से पीपे को बजाया। जैसे सोच विचार में लीन हो। चौंकी। इधर-उधर देखा।

"साली, देखती क्या है! भाग!"

लाठी की सीधी चोट पड़ी। प्याज के छिलकों पर फिसलती हुई वह रसोईघर से बाहर आ गयी। टिंगू दौड़ा। वह कमरे का किनारा पकड़ बैठक में भागी। लुकते-छिपते। चिक्-चिक्। उसकी तह लेने के लिए दीवान के नीचे लाठी हिलाई। वह नहीं थी। तो कहाँ गयी? शैल्फ के नीचे खटखटाया। चिक्। तो ये

हैं। वह दम साधे थी। जोर से कोंचा। मगर लाठी से पैर उलझ गए। मैं गिरा। लद्। मुनिया हँसने लगी। उसने माँ से कहा कि पापा खेल में पिछड़ गये हैं। माया बोली नहीं। ज़रूर मुँह बिचकाया होगा। मैं तुरन्त उठा और कहने लगा, मुनिया-मुनिया देखो, ऐसे। निशाना साधकर छछूँदर के पेट पर लाठी फेंकी। चूक हुई। वह दरवाजे की दरार के पास आ गयी थी। वही जगह जहाँ से रोज का आना-जाना था। फिर भी ठहरकर चारों तरफ देख रही थी। वह ठीक लाठी और दरार के बीचोंबीच थी। व्यग्र।

"मुनिया, तुम्हारे पापा से कुछ न होगा। हूँ! छछूँदर!"

गहरी घृणा में माया धीरे-धीरे काँप रही थी।

"बड़ी देर से सुन रहा हूँ—ये न होगा वो न होगा। ले ले। ये ले।" चोट लाठी से गुजरती हुई हथेलियों तक पहुँची। गिलगिली गीली रुई का स्पर्श। छछूँदर उचककर दरार से भाग सकती थी। एक क्षण को रुककर यदि वह दरार का पता लेती। वह गयी नहीं। ठहरी नहीं। सूझा नहीं। वहाँ खून की बहुत पतली धार थी। छछूँदर कभी किनारे और कभी फर्श पर खुल्लमखुल्ला रेंगती हुई वापस आ गयी। वह रसोईघर के पास लेट्रीन में घुस गयी। तड़ातड़ लाठी पड़ रही थी। लाठी चलाने में मैं इतना कुशल होऊँगा, यह मेरे लिए रोमांचक है। सचमुच मेरा खेल। इस पर अभी दस-बीस और जमाऊँगा, अचूक निशाने। कभी-कभी कुछ गुण आदमी में व्यर्थ बीज की तरह छुपे रहते हैं। आजमाने की बात है। किन्तु छछूँदर एकदम बदमाश निकली। वह कमोड के छेद में गिर गयी। सिर ऊपर उठाए दोनों पंजों से निकलना चाहती थी। इतना पिटने पर भी वह अपनी बेचैनी बचाए थी। उसकी आँखें नहीं थीं, फिर भी चारों तरफ देख रही थी। मैंने फुर्ती से फ्लश चला दिया। हमारा फ्लश, जंजीर की झंकार और गिरते पानी की गड़गड़ाहट में किसी ऑरकेस्ट्रा से कम नहीं है। वह इसी मधुर संगीत के आखिरी टुकड़े के साथ सेप्टिक टैंक में विलीन हो गयी।

वैसे यह कमरा जैसा ही है, छोटा ही सही। साफ-सुथरा है। माया महीने के पहले हफ्ते में सुगन्धित फिनाइल का टुकड़ा लगाती है। मनीप्लांट की छोटी डगाल है। उसकी हवा में लटकते धागे हैं। हवा सोखते। अभी-अभी कमोड अपनी चमक में रहस्यमय बर्तन की तरह दिखा। मुँह खोले। माया कहती रहती है वह आगे इस कमरे को सजाएगी। कैसे भी करके। बहुतों के तो यह किसी राजसी बैठक से कम नहीं होता। सुन्दर शैल्फ में पुस्तक और पत्रिकाएँ ठँसी रहती हैं।

"लीजिए, तौलिया। मैं चाय बनाती हूँ। पसीना पोंछिए।"

माया निश्चिंत हो गयी। मुनिया और टिंगू नहीं थे। वह इस खेल से कब

अलग हो गये। पता ही नहीं चला। एकाग्रता सफल खिलाड़ी का पहला लक्षण है। बैठक में मुनिया गुड्ड़े की दवा पिला रही थी।

"देखा मुनिया, तुमने देखा!"

"... ..."

"मुनिया बेटे!"

"पापा, हम आपसे नहीं बोलेंगे।"

"आपने कहा, खेलेंगे। नाराज क्यों हैं फिर?"

"आपने उसे दौड़ाया क्यों नहीं? मारा क्यों?"

"अरे मुनिया! वह मरी कहाँ! वह तो समझो, तहखाने में है।"

"तहखाने में?"

"और क्या! तुम्हें मालूम है, पूरे घर के बराबर नीचे टैंक है। तहखाना ही हुआ न!"

मुनिया उठी। उसकी आँखों में गहरी चमक थी। पूछा, "पापा, जैसे अपने घर के नीचे तहखाना है, वैसे ही सबके होगा? है न! हर घर के नीचे।"

"हाँ-हाँ, क्यों नहीं! बल्कि हर तहखाना एक-दूसरे से जुड़े हैं जो शहर के बाहर के सरोवर में खुलते हैं।"

"अरे पापा! यह तो पूरा शहर एक तहखाने के ऊपर है।"

"अच्छा, मुनिया, तुम पानी लाओ। पिएँगे।"

मुनिया अनजानी दुनिया गढ़ने में देर नहीं करती। अब वह सरोवर के बारे में जानना चाहती। छछूँदर घुप्प अन्धकार में होगी। बदबू और दलदल में। तीखी गैस में धीरे-धीरे डूबते।

घंटी बजी।

"मुनिया, देखना। कौन है?"

मैं न कहता तब भी वह भागी हुई जाती। टिंगू उसके पीछे।

"कोई चाचा हैं। बोल रहे हैं, पापा से कहिए, करोड़पति आए हैं।"

"ये कौन आ गया! करोड़पति? ले आओ।"

करोड़पति अपने नाम की काया और धज में नहीं थे। वे अपनी तोंद को बैठाकर बैठ गये। कोसे के कुर्ते में अन्दर होने के बावजूद वह उनसे अलग-थलग थी। अपने साथ जैसे वे तरबूज छुपाकर लाए हों। दाँतों की मशीन में पान की कट्टी कट रही थी। ज़र्दे की मनोहारी खुशबू से कमरा महमहा गया। इसे कहते हैं पान और करोड़पति। मैं उन्हें पहचान नहीं पाया। पहेली के शुरुआती संकेत मैंने फेंकना शुरू किए। वे निश्चिंत थे। दो हल थे कि कोई हल नहीं मिलता

था। करोड़पति ने प्रशंसा में बिना रुके बोलना चालू किया। सुगंध के अलावा सारी बातें झूठी थीं। हम दोनों झूठ के कन्धे झुक-झुककर मिला रहे थे। अचानक उन्होंने कमरे का तीखा मुआयना किया। बोले, ''काफी महँगा सामान लगता है?''

भेदभरी आवाज़ सुनकर मैं सिकुड़ गया। मीठी-मीठी तारीफ इसीलिए कर रहा है। सतर्क हो गया। बोला, ''अरे कहाँ! करोड़पतिजी के आगे क्या है?''

''नहीं साहब, मानना पड़ेगा, सौन्दर्य-प्रेमी हैं जी आप!''

यह नहीं कहा कि सब माया की कारस्तानी है। कहा, ''अजी बस, यूँ ही।''

''आप तो साहब, इनको सुरक्षित करा लीजिए। देखिए न, कब आग लग जाए, कब बाढ़ डुबा ले जाए, कोई भरोसा है?''

''आप एजेंट हैं? किसके एजेंट हैं?''

''हूँ जी, हूँ। तभी तो नाम करोड़पति हैं फिर चोरों का डर लगा ही रहता है।''

''हाँ, ये तो है।''

चिन्ता मिटी। मैंने दोनों पैर उठाकर कुर्सी में आलथी-पालथी कर लिए। ''देखिए, किसी के भरोसे आप घर छोड़कर नहीं जा सकते। चोरों से चतुर कोई नहीं है।'' वे कहकर हँसे। बहुत मजेदार बात। तरबूज में हिलडुल हुई।

''दुकान और मकान दो ऐसी चीज़ें हैं साहब, इनके लुट जाने पर कोई मदद नहीं करता। इसीलिए तो हमने बाढ़ और चोरी के साथ इस बार दंगे को भी जोड़ा है। फुल राइट स्कीम। आप तो करा लीजिए। सरदार डिंगा सिंह की टायर शॉप जल गयी, पूरी की पूरी। लड़का मारा गया। बताइए, किसी ने लौटाया उनका लड़का? पर हमने लौटाया जी, पूरा पैसा।''

''पूरा पैसा?''

''हाँ, साहब। यह जानते हुए कि दंगे कम न होंगे। बढ़ेंगे। सोचिए, इसके बावजूद दंगे को हम लोगों ने शामिल किया है। बड़े शौक से कीजिए। उस पार कर, इस हाथ ले। बड़ी सटीक योजना विचार करके लागू की है। आप तो अपने भरोसे रहोगे न, तभी ठीक है। इससे कहता हूँ, घर का पूरा बीमा करा लें।''

''आप हैं किसके एजेंट, बताइए?''

''हूँ साहब! अब देखिए, बुढ़ापे में न लड़का पूछेगा, न जीपीएफ में फँसी रकम मिल पाएगी। इसके लिए भी है एक योजना। मजे से पेंशन खाइए। वैसे लड़के की शिक्षा के लिए एक लाख की स्कीम अलग से है। जब वह बड़ा हो, पढ़कर निकलेगा तब नौकरी पाने के लिए लगेंगे कि नहीं?''

''सो तो है। लीजिए, चाय लीजिए।''

मुनिया सलीके से ट्रे पकड़े थी। माया पीछे आकर खड़ी थी। चाय और

मुनिया दोनों को देखकर करोड़पति खुश हो गये। कारोबारी आँकड़े उँगलियों पर कम पड़ रहे थे। उन्होंने ब्रीफकेस खोला और कैल्कुलेटर निकाला। कोई पत्रिका भी निकल गयी। करोड़पति ने मेरी तरफ नहीं देखा। माया से कोई ज़रूरी चीज़ छूट गयी हो, ऐसे देखा। बहुत चिन्तित होकर पूछा, "आपने बच्ची का बीमा करा लिया है? बड़ी प्यारी बच्ची है!"

करोड़पति मुनिया को निहारने लगे। भावी टूटफूट की आशंका लिए।

माया ने दुविधा में मुझे देखा। दुविधा, हिकारत, कुछ करो के सन्देसे से आँखों में जगह कम नहीं पड़ रही थी। बड़ी आँखों का लाभ था।

बचते हुए मैंने पूछा, "क्या फायदे होंगे इसमें? पहले तो चाय लें। ठंडी हो रही है।"

"ओफ्फो! आपको तो इसके पैदा होते ही पॉलिसी ले लेना चाहिए था। भविष्य..." उन्होंने हाथ फैलाकर बीच हवा में भविष्य की ओर इशारा करते हुए कहा, "भविष्य के प्रति आप लोगों को सचेत रहना चाहिए।... नहीं-नहीं, दुनिया नहीं बदलेगी। ऐसी ही रहेगी। लोग कहते कुछ भी रहें, वैसे ही रहेंगे। खैर, कोई बात नहीं। आप दोहरे फायदेवाली स्कीम ले लें। पहले तो शादी होने लायक उम्र में दनाक से दो लाख रुपये मिल जाएँगे। दूसरे, शादी के बाद कोई दुर्घटना हो जाए तो दो लाख फिर अलग से। वो भी आपको! है न बढ़िया स्कीम! आप देखिए, हम लोगों ने हरेक पर गौर किया है। कुछ नहीं छूटा।"

"पर आप हैं किसके एजेंट?"

करोड़पति उत्तेजित थे। मगन थे। उन्होंने मेरी बात सुनी नहीं। वे टिंगू के लिए भी एक योजना-फोल्डर लिए थे। "महँगा कुत्ता है। बड़ा प्यारा कुत्ता। बीमा कराइए। चुरा ले जाने पर पूरी रकम मिलेगी। बदले में दूसरा कुत्ता लाइए।"

माया की कड़ी उँगली पीठ को दबा रही थी। "कुछ कीजिए।"

मुनिया ने सहमकर टिंगू को गोद में उठाने की असफल कोशिश की। यह कौन आदमी है? मालूम नहीं, किसका एजेंट है! वे सारी योजनाएँ जिन्हें हमें किश्तों में पूरा करना था। कैसे बेखबर रह गये हम? करोड़पति कोई नयी बात नहीं कर रहा। सारी आशंकाओं को जानते थे हम। कितना पीछे छूट गये! करोड़पति सब जानता है। कहाँ मार पड़ेगी। कहाँ बचाव है। मगर ये सारी योजनाएँ तेजी से लागू होंगी दुर्घटना के बाद। वे दुर्घटनाओं को जानते हैं। अग्रिम किश्तें जमा करो। दुर्घटनाएँ अटल हैं। वे कौन हैं जो सबकुछ लुटपिट जाने के बाद करोड़पति के साथ आएँगे? हमने तो कुछ भी नहीं किया। एक तहखाना है। दलदल और बदबू। वहाँ कौन किश्तें पटाएगा?

''करोड़पति जी, मैं नहीं जानता, आप किसके एजेंट हैं। पर मैं आपको बतलाऊँगा कि एक तहखाना है। दलदल है। बदबू है।''

मेरी एक खूबी है। जब दिल को चीरकर बात निकलती है तो मैं सामने वाले का चेहरा भूल जाता हूँ। भूल जाता हूँ, कब मिला था यह। कम्प करते एक बेल दिखती है। ओस की तरह उन पर बातें गिरती हैं।

करोड़पति ने मेरी बात की कतरब्योंत नहीं की। बोले, ''साहब, खूब मिले! हाथ मिलाइए!''

उनकी हँसी रुकती नहीं थी। तरबूज में खिलखिल खलबली मचाती फूट रही थी। उन्होंने दो बार हाथ मिलाए। हाथ मेंढक के पंजे की तरह थे। कोमल, गुदगुदे, ठंडे। ''बहुत अच्छी बात! बहुत ही अच्छी! यह सारा कुछ एक तहखाना। वाह, कमाल है! क्या सूझ!''

वे किसी पुराने दोस्त-से सिर हिला रहे थे। बहुत मीठी चीज़ चुभलाते। वे इत्मीनान से फैल गए। उन्हें मेरी बात खूब पसन्द आयी। चुटकी से जाफरानी जर्दा ढीला किया। मीठी-मीठी सुगन्ध फिर फैली। ''बहुत अच्छे साहब, बहुत अच्छे! तहखाना! बदबू! दलदल! छछूँदर! हो हो! हो! वाह! ठीक कहते हैं आप। हम लोग किधर जा रहे हैं। कुछ पता नहीं!''

''जी हाँ। जी हाँ। वही तो।''

मन में काँस के फूल फहराने लगे। खुशी के। नाराज़गी को सिलसिलेवार बताया जाए तो विचार में तुरन्त बदल जाती है! मैंने सहज ही पूछा, ''ये पत्रिका नयी है?''

''हाँ जी। शहर में तो मिल ही नहीं रही। सब गायब हैं। रज्जू भैया पर है।''

''अच्छा देखूँ।'' अपनी ललक को छुपा नहीं पाया।

यह शहर दरअसल रज्जू भैया के नाम से जाना जाता है। सभी लोग उन्हें आदर से आईजी क्रिमिनल कहते हैं। यह आदर उनकी उम्दा तरकीबों के लिए है। फिल्मों और किताबों पर जैसे उनके करतबों की छाया है। पहले फिल्में झूठी लगती थीं। बाद में पता चला, वे सभी रज्जू भैया से सीखते हैं। उनकी गढ़ी, घोड़े, आदमी चबाने वाले मगरमच्छ, बन्दूकों और जी-हजूरियों के लिए गत्ते के छज्जे बेकार हैं। वे ठीक शहर के बाहर स्थायी हैं। गढ़ी के चारों तरफ खाई है। इसमें सरोवर का छना पानी भरता है। मगरमच्छ बेआवाज तैरते रहते हैं। बाहर से आनेवाले लोगों को हम दिखाने लाते हैं। उनके मुँह उतर जाते हैं। वे बेवजह अपने यहाँ के किसी शराबी का जिक्र करने लगते हैं। हड़बड़ी में बन्दूक की लिबलिबी उससे दब जाती है। कोई ऐरागैरा यूँ ही मर जाता है। इससे ज़्यादा वे

इस सरोवर के निकट कुछ नहीं बता पाते। सिवाय इधर-उधर थूकने के। अभी कुछ दिन ही तो हुए जब रज्जू भैया दूसरी जगह बाँध लिए गये। कोई आन अड़ गयी थी। उन्होंने चुनौती के बदले दो आदमी मार गिराए। जेल में बेंड़ दिए गये। गढ़ी खोद डाली गयी। हमने बेचैनी से इंतज़ार किया। अब सबकुछ खत्म है। अचानक चुनाव आ गये। रज्जू भैया चुनाई में पहले नम्बर आ गये। जेल से बाहर आते ही वे विनम्रता से बोले थे, राजनीति तो ठीक है पर मैं आईजी पहले हूँ।

शहर को खुले में सोने की आदत न थी। आदमी नहीं बदली।

करोड़पति बोले, ''आप जानते हैं? मेरा सबसे बड़ा क्लाइंट कौन है?''

''जानता हूँ। रज्जू भैया होंगे।''

''हाँ-हाँ। उनकी गढ़ी, मगरमच्छ, बन्दूकें, सोना—सबकी पॉलिसी है। उनकी तो महुआ पर, मछली पर, सड़क गिट्टी में, अंग्रेजी हो या देशी—सबमें पत्ती है। मैंने हरेक की पॉलिसी करा दी है।'' करोड़पति श्रद्धा से बोले, ''बड़ा तेज दिमाग़ है साहब, पर इतना विनम्र, इतना सीधा आदमी मैंने कभी नहीं देखा।''

''जी हाँ! जी हाँ! बड़े-बड़े मानते हैं। उनकी व्यूह-रचना अद्‌भुत होती है। इसी से तो उन्हें आईजी भाई बुलाते हैं नहीं?''

पत्रिका में बड़ी मेहनत थी। सलीके से फोटो छपे थे। कोटेशन थे। बचपन था। शौक थे। उनके कारनामों का उपलब्धि बाक्स बना था। वे स्वयं अपने-आपको जनता का डाकू बतला रहे थे। रज्जू भैया स्निग्ध मुस्कान में कंघी कर रहे थे।

एक पल में मार दिए जाने वाले आदमी को दूसरे पल कन्धों पर बिठाए-बिठाए शहर में घुमाना अचरज नहीं है। रज्जू भैया के साथ कोई भी घटना सच हो जाती है। करोड़पति उनके एक परोपकारी हत्या का किस्सा चुन रहे थे, ठीक इसी समय बाहर हाँका हुआ, ''भाईजान, बाहर आ जाइए। बहार आयी है नये जूतों में।''

मुनिया एकदम बाहर दौड़ पड़ी।

''करोड़पतिजी, चलिए, चलें। बाहर।''

उन्होंने अपना ब्रीफकेस बन्द कर लिया। माया से बड़ी आत्मीयता से हाथ जोड़ नमस्कार किया। छह उँगलियों के विभिन्न ग्रह नगों में कौंध गये।

''देखिए, भाभीजी, कुछ न कुछ आपके लिए करूँगा।''

तिपहिए पर हसन मुनिया को बैठाए मूँगफली खिला रहे थे।

''अच्छा, तो करोड़पतिजी, आप यहाँ भी मौजूद हैं।''

हसन हँसते हुए उटंगा हो गया। करोड़पति बड़ी जतन से मुस्काए।

''बड़ी जालिम चीज़ हैं करोड़पति। क्यों, है न? भई आपका खेल गड़बड़ हो गया। क्या करें, ये नाजुक चीज़ हैं। लदकर बैठक में कैसे जाते। इन पर जुलुम।''

"कोई बात नहीं। इसी बहाने बाहर की शुद्ध हवा खाएँगे। आपसे मुलाकात हो गयी।"

"यही तो बात है। इतनी मीठी-मीठी करके करोड़पति हरेक के डर का बीमा कर लेते हैं।"

"अरे कहाँ?"

"झूठ थोड़े ही। बस, नाम अलग-अलग हैं। स्कीम तो एक है।"

"क्या कहते हैं?"

"मैं कहता हूँ तो कहेंगे, बीमा आपका नहीं, गोली का हो सकता है। पैसा फिर भी रज्जू को ही मिलेगा। देखा तुमने!"

हसन कभी-कभी मौज में बातचीत के बीच पूछने वाले का हाथ कमर के पीछे ले जाता है। "देखो, देखो, तुम भी देखो, ठीक रीढ़ में गोली फिट है। मनके-सी। बस, गुरु नीचे हाथ ने ले जाना। अब वहाँ कुछ नहीं धरा है। झेंपकर कोई गोली नहीं देखता।

हसन कमर के ऊपर खूबसूरत पठान है। गोली के नीचे लुंजपुंज सूखते दो पैर हैं। तिपहिया स्कूटर अब उसके पैर हैं। गोली निकालने पर पूरा शरीर जड़ हो सकता है। गोली और दर्द हसन को कमर के ऊपर जवान रखे हैं।

"अच्छा, लो! मूँगफली, खाओ। एकदम खेत की हैं।"

तिपहिया में दोनों ओर हसन ने डिब्बे बनवाए हैं। ऊपर सीट। हसन एक डिब्बे को खोलकर मूँगफली निकालता है। धुली हुई ताजा। कच्चे दूधिया दाने।

"अरे, बाजार में कब आ गयीं! पता ही नहीं चला!"

"आयीं नहीं, खेत से लाये हैं। हम खा लेंगे, तब बाजार में आएँगी।"

हसन तेजी से खाता हुआ हँसता है। समय की कमी से दो काम। वह तिपहिया में, चिड़िया की तरह उड़ान भरता है। हाथों को कान के ऊपर फैलाता है। हथेलियाँ परों-सी हवा में फैलती हैं। फँसी हुई डकार निकलती है।

"हसन चाचा, मूँगफली, अब बस। कुछ और खाएँगे।"

मुनिया को मालूम है, कई किस्में हसन चाचा छुपाए हैं।

"तो सिंघाड़ा खाओ बिटिया!"

"वाह, सिंघाड़े का मौसम आ गया?" हम दोनों चिल्लाए।

"फिर वही बात! आया नहीं है। आएगा। अभी तो हम लाए हैं। आने और जाने के मौसम का आपको क्या पता?"

"कहाँ से लाए?"

"सुबह-सुबह गये थे सरोवर।"

''तुम सरोवर तक चले गये?''

मेरी सिहरन को हसन ने टटोला। वह बेखुदी में बोला, ''रोज ही जाता हूँ। मगरमच्छ के दाँत गिनने। सिंघाड़े ले आये।''

वह हँसने लगा। छिलका उतारकर मुनिया की हथेली पर रख दिया। सिंघाड़ा नन्हें खिलौने की तरह लगता था।

''क्यों मुनिया, मीठा है? चलो, बताओ, मीठा है या सीठा है?''

मुनिया ने हसन के गले में हाथ डाल दिए। झूल गयी। हर बार चौंककर मैं हसन के गिरने की आशंका करता हूँ। वह जैसे धुरी पर घूमकर सम्हल जाता है। जानी-बूझी आदत।

''बताओ, मुनिया! मुफ्त में नहीं खिलाएँगे।''

''हसन चाचा, ये न मीठा है न सीठा है। बस, सिंघाड़ा है।''

''बहुत अच्छे! बहुत अच्छे! यह है पहचान! अच्छा, नमक से खाओ। ले आओ।... करोड़पतिजी। हसन की पॉलिसी तो आप कर नहीं रहे। पर अब आपको जल्द ही मौका मिलेगा।''

हसन ने पिछले महीने ढूँढ़ा। विधवा और कामकाजी। वह शादी की तारीख तय कर रहा था।

''नहीं, भाईजान, अब नहीं।''

''क्यों?''

''अखबार किसलिए होते हैं! नहीं पढ़ते? और फिर, विधवा को विधवा बनाने पर पाबन्दी है।''

हसन मुझे हिलाकर हँसा। हँसता बहुत है। जैसे किसी और के बारे में बता रहा हो।

''आओ, मुनिया, आओ! एक छोटा चक्कर लगाकर आएँ। मैं तो एक जगह बैठ भी नहीं सकता। अच्छा रोग दिया है रज्जू तैने!''

करोड़पति और मैं चुप खड़े थे। चुप्पी में हम रज्जू भैया और हसन के किस्से दोहरा रहे थे।

शाम होने को है। पहले कौवों के फिर तोतों के, फिर बगुलों के, झुंड ऊपर से गुजरने लगे। हवा फेन जैसी धीमे-धीमे फुदकने लगी। उनके उड़ने से। बहुत नाजुक बनकर फूटती हुई। हल्के गुलाबी नीले आकाश से साँझ बिना आहट इसे चूसती। झुंड आगे-आगे निकले जाते थे। फिर एकसाथ सारी सड़कों के बगल ट्यूब्स जल उठीं। दिप्। दूधिया टहनियाँ। एक कौवा अकेला घबराहट में बोलता उड़ा जा रहा था। साँझ और पहले सन्नाटे की चादर को हिलाता-डुलाता। मगर स्याह तहों के लगातार झरने में कमी कोई न थी।

ठीक इसी समय मोटरसाइकिल पर तीन सवार तेजी से गुजरे। पीछे वाला बन्दूक लिए था। वे सतर बैठे सीधे देख रहे थे। उनकी मूँछों, धूल-भरी चप्पलों और सिगरेटों को देखकर ही मालूम हो जाता है कि बन्दूक की नली में कारतूस है! मैं विकल होकर इधर-उधर देखने लगा। बेझिझक बोला, ''करोड़पतिजी, ये हसन मरवा देगा। मेरी मुनिया!''

''देखिए।''

''अब क्या कहें! उसे भी चैन नहीं। जैसे कभी स्कूटर पर घूमती न हो। हद है!''

करोड़पति कुछ बोले नहीं। कुर्ते से रूमाल निकाल माथे और गर्दन पर रगड़ने लगे।

''चलें, कुछ पैदल देखकर आते हैं। न जाने कहाँ चला गया हसन!'' हम धीरे-धीरे चलने लगे।

मैं सड़क का किनारा पकड़ चल रहा था। दूर से हसन को देख चित् एकदम थिर गया। मुनिया किलकारी मार रही होगी। जैसे वह भी चला रही है। हम लौटकर घर के पास आ गये। मेरे पास रूमाल नहीं था।

''हसन, हसन! कितनी देर लगा दी तुमने!''

''क्यों? देर? इसमें गुस्से की क्या बात है?''

''तुम जानते नहीं, अभी-अभी मोटरसाइकिल पर तीन थे। बन्दूक थी उनके पास।''

हसन फिर चिड़ियों की तरह डोलने लगा। हँसा। ''ये बात है! इसलिए डर गये! अरे, वे मुझे क्या मारेंगे! दम है उनमें, दम?'' वह रुककर कहने लगा, ''तुम्हारे मुहल्ले से आज गश्त हटी है। रामलाल ठेकेदार है न, आज वही जाएगा। खट्! गश्त तो हटाई गयी है।''

''तुम्हें कैसे खबर है?''

''मैं उसकी एक-एक हरकत पर नजर रखता हूँ। बात ये है, हसन ने बहुत खोकर कहा, ''उस दिन सालों ने पीछे से मारा। लोग तो पीछे से मारते हैं। मैं जाने किस ताकत से नहीं भागा। पलटा और जोर से चिल्लाया। जलसा था। लोग भी देखादेखी चिल्लाने लगे। तुम जानते हो, मैं भागता जाता तो क्या होता?''

''हसन, छोड़ो वो बात!''

''नहीं। वे मुझ पर और गोली चलाते। वे डर गये। उन्होंने सोचा नहीं होगा। भाग गये।''

''हाँ। इसी से तुम बच गये।''

"बात ये है, भागते-भागते दीवार तक आ जाते हैं, कोई एक दीवार तब बहुत-सी चीज़ें हमारे अन्दर की गिरती चली जाती हैं। अक्सर। हम नहीं जानते, क्या खोता गया। फिर पीठ दीवार से टिक जाती है। लुककर हम भागते नहीं। टिकते ही हाथ सारी ताक़त को खींचकर उठ जाते हैं। खून की ताक़त, नसों की ताक़त, अपनी पुरानी ताक़त इकट्ठा हो जाती है हाथों में। उँगलियों में। तुम मौत के पहले मौत का मुँह नोंच लेते हो। शायद मौत नहीं आती। भाग जाती है। मुझे देखो।" हसन के होंठ खुल गये। गुलाबी मसूढ़े दिखे। हँसी नहीं थी।

"हसन, दीवार का पता लगना आसान नहीं है।"

"है। बिलकुल है। बल्कि हम ही हैं जिन्हें हर घटना की हद मालूम होती है। अंजाम। दीवार के किनारे दुबककर, नहीं, हर जगह हम भागते फिरते हैं। पीठ टेकने की दीवार छूट जाती है। गुम हो जाती है हाथों की ताकत।"

करोड़पति का मुख म्लान हो गया था। उन्होंने कहा, "वे जाएँगे, बहुत देर हो गयी। एक-दो जगह जाना है।"

हसन ने कहा, "करोड़पतिजी, इनका बीमा कर दीजिए।"

"हूँ!"

"हाँ, भई! इनका कर दीजिए। कुत्ते का कीजिए। लगे हाथ उस छछूँदर का कर दें। बस, हमारी मुनिया को बख्श दें।"

छछूँदर दरवाजे की दरार से अन्दर घुस रही थी।

करोड़पति बड़े विश्वास से बोले, "सोच लीजिए। जल्दी क्या है। मैं फिर आऊँगा।" दरवाजे के बाहर लटकती दुम धीरे-धीरे सरक रही थी। फिर गायब हो गयी।

सुदिन

हवा गाढ़ी और गोंद-सी चिपचिपी होगी। लसदार। धूप दोपहर को दीवारों पर गिरती। बन्द खिड़कियाँ। वहीं स्तब्ध रह जाती। हिलने का नाम नहीं लेती थी। दूसरी जगह होती तो क्या दीवारों से फिसलकर धरती पर फैलती? तब कहीं जाकर सूखती? यहाँ धूप पीली-पीली दीवारों पर रँगी-सी रह जाती। खम्भों और पेड़ों की परछाइयाँ इन पर टँगी रहतीं। बिना हिले-डुले। अदेखी हवा से जकड़ी। छोटी छतों के बीच सिनेमाघर तना था। मुहल्ले के बीचोबीच। चारों तरफ से धूप उसे सहलाती। भले घर के लोग अब इसमें नहीं जाते थे। सिनेमाघर के सपने उन्हें घर पर मुहैया हो जाते थे। वी.सी.आर. था। जब चाहा घुमाया और सपने का एक गुच्छा ले लिया। वे सपने और जिन्दगी दोनों को कटोरी में रखकर चबैना करना जानते थे। स्वाद मालूम था। रद्दी सपनों की कतार वे घुंडी दबाकर गायब कर देते। मनपसन्द सपना बार-बार लौटाकर देखने की सुविधा थी। ज़िन्दगी पालतू बिल्ली बनी गोद में घुरघुराती। ये सपने ही थे जिन्हें वे ज़िन्दगी समझते थे। ढेर सारी बिल्लियाँ। सिनेमाघर हड़ियल कद्रदानों का अड्डा था। बड़े परदे पर रंग की दवात उलट जाती। बिल्लियाँ सीट के नीचे, अँधेरे में बचे-खुचे आलूबड़े की जूठन खोजतीं। हत्थों पर उनके हाथ कोहनी तक जकड़े रहते। हथेलियों की पसीजती जगह सपनों को तबला-सा बजाती। नर्म नाजुक रान। टपकते होंठ। स्टेनगन। खून की प्यासी धार। मजेदार हत्या। बेलौस ईमानदारी के नर्म नाजुक रान पर ठोस चुम्मे। सिनेमाघर बैल की तरह अर्राता। बाहर उसकी फुँफकार सुनाई पड़ती। हवा में आवाज़ टँगने लगती। मकड़ी के घर में थरथराती। मुहल्ले के समूचे सिर पर। हवा में स्थिर। किसी फँसी-फँसी आवाज़ का विदेश में भाषण।! सूखा! ऋण! बचत! आह! ओह! पुच-पुच! ठाँय-ठाँय! रुदन! तालियाँ! चुम्मा!

धीरे-धीरे धूल हवा में फैलने लगती। आवाज़ को निगलते। धूल जगह ले लेती। मुहल्ला, वाहनों की रगड़ से फैलती धूल में दुबक जाता। शाम की सूचना धूप के धूल से एकाएक बिछुड़ जाने से होती।

‘‘अभी तक शाम नहीं हुई। शाम होगी तो नल गड़गड़ाएगा।’’

वे धीरे-धीरे बुदबुदाते। नल से ज़्यादा फिकर उन्हें शाम की होती।

‘‘कहाँ नल? अब आता ही कितनी देर है! आता है इसके पहले ही जाने की तैयारी।’’

वे जम्हाई लेकर बोलतीं। उनके कान नल पर लगे रहते।

‘‘अच्छा है। पानी कम होगा तो फिंकेगा कम। नहाएँगे कम।’’

‘‘तुम्हें क्या है! बस बिल भरे जाओ! भरे जाओ! पानी न हुआ, ससुर अमृत हो गया!’’

‘‘पानी तो अमृत है!’’ वे बेमतलब हँसते हुए धीरे-धीरे कहते।

नल न होता तो बात न होती। बिल न होता तो बात न होती। बस, जम्हाइयाँ। केवल वही होतीं। धूप का रंग रूखा होने लगता। दीवार पर जमे-जमे। इन्हीं रँगी हुई दीवारों पर अचानक बन्दर आने लगते। धपू-धम्! वे ऊँचे पेड़ की डगाल पर सबसे पहले दिखलाई पड़ते। पेड़ सिहर जाता। सोते हुए आदमी टूटी नींद से सिहरन ले आता है। डगाल मगर खुशी से लचकती। वे उन पर झूला झूलते। मुहल्ले की ऊँची छतों पर वे फैल जाते। सिनेमाघर की सबसे ऊँची छत पर मोटा गठीला बन्दर पेट में अपनी टाँग दाबे चारों तरफ सिर घुमा-घुमाकर देखता है। वह घुटनों को अपने काले हाथों से सहलाता हैं कुछ इन्हें बन्दर उसके आसपास गुलाटियाँ खाते। सधी लय में। वह चुपचाप उन्हें चौकन्ना देखता।

‘‘जानती हो, ये सरदार है इनका। सबसे बूढ़ा। मगर कितना ताकतवर!’’

‘‘हटो! ये तो बिन खाए बैठा है। सरदार होता तो सबसे पहले नहीं खाता?’’

‘‘अरे, चौकसी करता है!’’

‘‘चौकसी करने से कोई सरदार हो जाता है?’’

‘‘तो काहे से होता है?’’

वे चुप नहीं थीं। गिन रही थीं। फिर बोलीं, ‘‘क्या मालूम!’’

‘‘तुम्हें कुछ नहीं मालूम। पर इन्हें मालूम है। जहाँ कहीं भी रहें, वे सरदार की नज़रों से ओझल नहीं होते।’’

वे खिलखिलाकर हँसी, ‘‘उधर देखो, क्या मजा है!’’

बहुत पतली मुँडेर पर एक की गोद में नन्हा बन्दर घुसा है। फँसा है। उसके सिर पर दो काले हाथ तेजी से बीन रहे हैं। वह सिर झुकाए ऊब गया। पतली मुँडेर को तौलता आगे बढ़ता है। बीनते हाथ उसकी पूँछ खींच उसे वापस पास लाते हैं। वे हाथ स्नेह से उसके बदन को टटोलते हैं। धूप में उनके सलेटी बाल चमक रहे हैं। विद्युन्नमय। काँच की कनियाँ।

"मुन्नी भी बहुत परेशान करती है। जुएँ निकाल-निकालकर मैं तंग हो जाती थी।"

"मुन्नी बिना मिठाई लिए कहाँ मानती। है न?"

"हाँ! अब देखो कौन करता होगा?"

"हाँ-हाँ, क्यों नहीं! तुम्हारे बिना तो अब उसका सिर जुआँघर बन गया होगा।"

"अरे! उसके भी माँ-बाप हैं। नहीं?"

"इस साल तो आए नहीं। घर सूना रह गया।"

"हम दोनों अच्छे। घर अच्छा। किस बात की कमी है?"

"नहीं। तुम लिख दो, मुन्नी के बाल मुँडवा दें। खूब बड़े हो जाएँगे। जुएँ भी न रहेंगे।"

वे उनके जवाब में कहते कि चाय बना लाओ। उन्हें लगता, चाय बातों को पोंछकर महकने लगेगी। मीठी।

हूप हूप! हूप हूप!

बन्दर बगीचों में, क्यारियों में घुसे-घुसे हुँकारते। नीम की कोमल पत्तियों को चबाने के बाद वे झुंड बनाकर घरों में बनी पतली क्यारियों में सधे कदमों से उतर जाते। वे हड़बड़ी नहीं दिखाते। लताओं में हाथ डाल उरबतियाँ खोजते। फल टटोलते। बिही, बेर। पपीतों को हाथ न लगाते। मन बदलने को गुलाब उखाड़ देते। कोमल पत्तियाँ जमीन पर बिखर जातीं। अच्छा लगने पर खाते नहीं तो अधखाया फेंक देते। घरों से लगती परेशान हुँकारों का उन पर असर नहीं होता। बिलकुल बेफिक्र। जब कोई डंडा लिए उनके पास आता तो वे एक दूसरे के नजदीक आ जाते। देखते। कोई मूक मन्त्रणा। खौं-खौं! बन्दर हाथों की लचक से आगे बढ़ते। उनमें भरी रबर लचकती। डंडे दूर हो जाते। उन्हें मालूम होता, डंडे-पत्थर फिर आएँगे। उन्हें घरों से निकलते कोसने की परवाह नहीं थी। वे जल्दी-जल्दी पत्तियाँ, सब्जी और घर की बनाई चीज़ों को मुँह में भकोसते। मुँह छोटे थे। एक-दूसरे से सटे मिल-जुलकर खींस दिखाते। लाल मसूड़ों में छितरे दाँत। वे किलककर पेड़ की डगाल पर कूदते। पेड़ों-पेड़ों, घरों-घरों तैरते ऊँची छतों पर पहुँच जाते।

हूप हूप! हूप हूप!

हवा को सोखते। मिट्टी की तुरही में घूमते।

"ये कभी भूखे नहीं रहते।" वे चाय की प्याली पकड़े-पकड़े बतलाते।

"और ये भी नहीं। देखो, सुगन्ध लग गयी।"

रमेश चला आ रहा है। लँगड़ाते। दूर से देखो तो लगता, दलदल में घिसटता

आ रहा है। कदमों को रगड़ता। उसे मालूम है, चाय का यही समय है।

''आओ-आओ। चाय पियो।'' वे छूटी हुई जम्हाई को याद करते।

''नहीं चाचा, मन नहीं है।''

''क्यों भई, कैसे?''

''दिन-भर घूमा न! खूब पी।''

वह भाप सूँघता उसके मीठेपन का अन्दाज़ लगाता।

वे नहीं पूछते, कितने कप पी। वे आग्रह भी नहीं करते। ''इसके लिए भी ले आओ चाय।''

''है?'' वह सकुचाकर पूछता।

''है न! मेरा मन कहता था, तुम आओगे।''

वे मन जोड़कर रमेश के सूखे चेहरे पर ठोकर नहीं लगातीं। नाप गलत नहीं होता था। वे अन्दाज़ से आधा कप पहले बना लेती थीं।

''चाचा! अभी तक कहीं नहीं जमा। कुछ भी नहीं।''

वे रोज उसकी यही बात सुनते थे। नाम बदल जाते। इसी को सुनते-सुनते वे मोहल्ले में उसके चाचा हो गये थे। पहले किसी काम में लगने लगाने की सटीक योजनाएँ देते थे। वे सटीक थीं। बस, लागू होना था। उसे भी लगता। इसीलिए रोज आ जाता था! अब वे केवल 'हूँ' कहते रहते।

''चाचा! बगलवालों के यहाँ बड़ा काम है। मेरे काम की कितनी सफाई है। फूल-सी कारीगरी है। आप कह देंगे तो काम बन जाएगा।''

वे उत्तेजित होकर खड़े हो गये हैं, 'मैं किसी साले से नहीं कहता।''

''चाचा!''

उसकी आँखों में सूखती चिपचिपी हवा को देखकर वे नरम पड़ गये, ''नहीं रमेश, तुम्हें नहीं कहता। उससे भी क्या कहूँ! कितने मजे से किनारे-किनारे की मेरी जमीन दबा गया। चूँ तक न की। ये तो मेरी भलमनसाहत है!''

''देखा चाचा! मेरे विकलांग होने का कोई फायदा नहीं हुआ।''

रमेश ने रुख बदला। वह जानता है, उनका गुस्सा उस पर नहीं है। जब वे ऐसा कहते हैं तो उनके मायने उस कौतुक में जाना है जहाँ उनकी बोली खो जाती है। कोई मायने नहीं। पाने का मतलब खोना। विपरीत के अन्दर एक और विपरीत। उनके गुस्से से रमेश भी सुलगा। जैसे गुस्से के बीज आसपास पनप रहे हों। लोग कहते थे, रमेश, तुम्हारे तो मजे हैं। हर जगह सुविधा होगी। उसने सब जगह सुना, उसे फायदा होगा। वह लुंजपुंज पैर को एकान्त में थपथपाया करता। तुम्हें फायदा होगा बेटा। एक दिन तुम्हें फायदा होगा।

"ऐसा है रमेश! तुम्हारी भी भलमनसाहत है। कोई क्या कहे? मगर आएँगे। सुदिन आएँगे। तुम्हारे भी।"

हूप! हूप!

हूप! हूप!

वे तैयार बैठी थीं। तुरन्त उन्हें हवा में सेंध लगाने का मौका मिला। वे मुस्कराकर बोलीं, "बड़े बदमाश बन्दर हैं।"

यहाँ-वहाँ से, गुहार सुनकर बन्दर इकट्ठा होने लगे। सिनेमाघर की छत भर गयी। वे सब लौटने की तैयारी कर रहे थे।

"चाचा! आज तक मैंने कोई छुट्टा बन्दर मरियल नहीं देखा।"

विस्मय से ईर्ष्या दबाते वह बोलने लगा। उनके फुर्तीले हाथ थे। सुगढ़ बाँहों से जुड़े। पुट्ठों में ताकत दिखती थी। हलचल, चमक और खुशी उनमें गले तक ठूँस-ठूँसकर भरी थी।

"रमेश, वे जो चाहते हैं, ढूँढ़ निकालते हैं। खूब खाते हैं। उनमें खूब ताकत होती है।'

"मिलकर धावा करते हैं चाचा! चुन-चुनकर खाते हैं।"

"यही नहीं, वे सब लड्डू बनाते हैं।"

"लड्डू?"

"सब है। जंगल में सब है। वे सब ढूँढ़ते हैं। मेवा-मिसरी कुछ नहीं है इस लड्डू के सामने।"

"अच्छा!"

रमेश का मुँह खुशी से खुल गया। अनजान स्वाद के कतरे उसमें गिर रहे थे।

"वे जड़ खोदते हैं। ढूँढ़कर बूटियाँ निकालते हैं।"

"चाचा! लड्डू तो मीठा रहता होगा?"

"और क्या! शहद डालते हैं। गोंद डालते हैं पेड़ से नोचकर! पत्तों में एकदम गोल लड्डू बनाकर धर देते हैं। कई बार तो पेड़ों के कोटर में छुपाकर रखते हैं।"

"चाचा! ऐसा लड्डू तो मोतीचूर का होगा?"

"अरे नहीं! कहाँ लगता है मोतीचूर! बेकार है। इतना बढ़िया स्वाद कि क्या कहें! फिर खूब ताक़त, खूब साहस देने वाला!"

"चाचा! आपने खाए कभी?"

वे अचकचा गए। रमेश ने समझा, वे उसका स्वाद याद कर रहे हैं। मीठा मुँह। चाचा हैं गुनी आदमी। वे बहुत धीमे से कहने लगे, "गाँव में तो लोग आज भी जाते हैं, जंगल में खोजने। जितना घना जंगल होगा, वहीं मिलेगा। हम भी गए थे एक बार।"

"मिला?"

"इनको और न मिले! ऐसे हैं ये कि बस, पूछो नहीं। धुनी हैं।।" वे तनिक लाड़ से बोलीं। वे थोड़ा जल्दी बोलीं। वे चाहती थीं वे बोलें, मिला।

"हाँ, मिला। बस, एक ठो।"

संकोच में उनके घुटने सिकुड़ गये।

"चाचा! खूब मीठा रहा होगा। है न? बेसन लड्डू से।"

वह भूल गया। भूल गया मोतीचूर। बेसन लड्डू। मुँह सूखे फल-सा चिरा। वह ठीक-ठीक स्वाद के नन्हें कण लोक रहा था। उन्होंने बेसन पर झिड़का नहीं।

"मीठा? शहद में घुली तमाम खट्टी चरपरी जड़ी बूटियाँ। स्वाद की कहो मत।"

रमेश उनके पास आ गया। वह सिर झुकाकर और नजदीक आया। बाल बेतरतीब कटे खड़े थे। सेई। स्वर भींगा था। अनायास। "चाचा, आपके भाग! हम तो सोच भी नहीं पाते।"

"क्या?"

वही स्वर। वही हिलोर। "कुछ नहीं चाचा!"

उन्होंने देखा, मोहल्ले की छतें वीरान हो गयी हैं। रमेश के कन्धे पर हाथ रखकर वे बोले, "तू थकता क्यों है? हैं? उठ! चलते हैं! चौक चलेंगे। सोनी की दुकान बन रही है। उसी से बात करेंगे तेरी। चलो चलते हैं। कुछ न कुछ जमेगा सही।"

वे कहते-कहते खुश हुए। चाय के मीठेपन और गाँव की अमराई की खुशबू से मगन। जंगल वहाँ नहीं था। उन्होंने तय किया वे सोनी से साफ-साफ कह देंगे। करो। कुछ करो।

हूप! हूप! धाँय! धाँय!

सिनेमाघर में गोलियाँ चलने लगीं। लगातार दर्दनाक चीखों के बीच एकाएक गीत बजने लगा। खूब सारी बेसुरी सीटियाँ उसकी धुन पर नाचने लगीं। चिपचिपी हवा उनके इंतज़ार में खड़ी थी। बाहर दम साधे।

पूरी रात

बिस्तर पर बेचैन तकिया। पालतू बिल्ली-सा पहलू में लोट-पोट होता हुआ। बहुत देर बाद दबे पाँव नींद तकिए में से निकलती है। इधर-उधर देखती। बाहर आँगन में यहाँ से टहलती। हवा का जागना दिखता है। रजनीगंधा पर अकेला टिड्डा स्थिर हो गया है। झूला झूलते। बस, कलियाँ मन्द-मन्द हिलती हैं। कलियाँ कहाँ, उसका डंठल। एक झींगुर बहुत दूर भेजे जाने के लिए दबे स्वरों में ही सही, पर सधी तान पर गीत गा रहा है। उसे खच-खच काटती मेंढक की टेर है। भारी और पानी से सनी-बनी। मैं उसे वर्षों से जानता हूँ। वह अकस्मात् दिख गया था। शायद दो या तीन साल पहले। किसी भी जानवर के पंजे की तरह। पास से देखने पर वह बूढ़ा और उदास दिखता था। काई रंग का। खोजती हुई तरल दो आँखें। उसे अब उसकी आवाज़ से पहचानता हूँ। ठहरी, लठैत आदमी-सी आवाज़। मालूम नहीं, कहाँ छिपकर बैठता है! ताज़ा है सब, सड़क की रोशनी में बारिश में नहाकर। गीले-गीले। चाँद की रोशनी इन्हें सुखाती नहीं। उनके जीवन को जैसे किसी और समय में खिलने का आभास देती है। टिड्डा कलियों से हटकर ऊपर उड़ता है। चुम्बक पर जैसे पिन की थरथराहट। खिड़की के पास से तकिए से थोड़ा सिर उठाकर इससे अधिक देखा जाए। मन नहीं करता। सूनी रात का बनाव-सिंगार। तकिए की उलट-पुलट मना करती है। जैसे ये सब नींद को अपने से दूर ठेल देने के लिए लगातार गीत गा रहे हैं। सौन्दर्य को तान रखा है। तकिए में मुँह छिपाकर फिर आँखों को अनजाने में खोलना। झींगुर की पदावली अभी भी चल रही है। वह पानी या चाय पीने के बहाने आखिर कहीं जा नहीं सकता।

नींद दस्तक देकर नहीं आती। वह पहले अपने मुसाफिरों को भेजती है। वे बहुत धीमे से दरवाजे का पल्ला टटोलते हैं। बहुत धीमे-धीमे। यहाँ तक कि पल्ला आराम से, दीवार से टिक जाता हैं वे पाँव पोंछते है। एड़ियाँ ऊँची करके एक छलाँग लगाते हैं। आप पता नहीं लगा सकते, वे कब एड़ियों के बल चलते चले जाते हैं। फिर छलाँग।

"हलो! हलो!"

पहले तो सन्देह होता है। झींगुर ही है। झन्न-झन्न! पर बाद में पता लगता है, झींगुर नहीं। बहुत दूर से चली आ रही मशीनी आवाज़। कुछ हवा के थपेड़े।

''हलो! हलो! मैं मिसेज़ कोठारी बोल रही हूँ...हाँ-हाँ...स्टेट्स से।''

''इतनी दूर से! आखिर क्यों इतनी दूर से बोल रही हैं आप?''

''समय नहीं है। बस, दो-तीन घंटे। तुम घर से बाहर मत निकलना।''

''क्यों? फिर इतनी रात को निकलूँगा क्यों?''

''सुनो...हलो! हलो! बातें नहीं...समय बिलकुल नहीं है...''

''मुझे कुछ भी समझ में नहीं आ रहा है। ज़रा ऊँचा बोलिए।''

''वे सबको मार डालेंगे, हाँ...''

''कौन हैं वे?''

''वे ही हैं। तुम जानते हो, अब वे हारने को हैं। वे सब तैयारी कर चुके हैं। मगर वे दूसरे किसी द्वीप से शुरू करेंगे।''

''क्या वे बम फोड़ेंगे?''

''फोड़ेंगे? नहीं-नहीं। कुछ भी नहीं मालूम। शायद यही हो। बस, सबके सब मिट जाएँगे। घर से सब सामान बाहर फेंक दो। सब कुछ। बस, खाने-पीने की चीज़। अपने लोग। जल्दी करना।''

''क्यों?''

''जितने दिन तुम छिपे रहोगे, जिन्दा रहोगे। हो सकता है, तुम बच जाओ! हो सकता है, तुम दुनिया की पहली धड़कती हुई चीज़ रहो।''

''मिसेज़ कोठारी, मैं सच कहता हूँ, मैंने कुछ नहीं किया। मैंने तो किसी देश की शक्ल भी नहीं देखी। फिर मैं क्यों भुगतूँ? मुझे क्या करना है इन सबका? मेरी दुनिया...मेरी दुनिया तो...''

टिक्-टिक्-टिक्! खट्!

मेरे शब्दों में पसीना टपक रहा था। लथपथ। मिसेज़ कोठारी कौन हैं? उनकी आवाज़ जानी-पहचानी है। वे ही तो नहीं जो रोज़ समाचार पढ़ती हैं? वे क्यों होंगी? मरना होता तो खबर क्यों करतीं? मरने के बाद बतलातीं। उनकी आवाज़ में मधुरता नहीं थी। कम्पन भी नहीं। सावधानी के बावजूद उनमें सब कुछ खत्म हो जाने का आभास था। केवल दो-तीन घंटे।

''मैं जानता हूँ, तुम मुझे खबर नहीं करते। है न? मगर मैं आ गया हूँ।''

खोब्रागड़े ने अपने को सँभालते हुए कहा। आश्चर्य की बात, वे पिए हुए थे। कच्ची दारू की गन्ध उठ रही थी। आज तक तो उन्हें कभी पिए नहीं देखा। वे हमेशा चुप रहते थे और बोलने के पहले झाँकने की आदत थी। किन्तु वे अँगूठे के बल खड़े हुए बोतल की तरह अपने-आपको सँभाल रहे थे।

''खोब्रागड़े! आप तो पीते नहीं थे। आज इतनी सारी?''

''मैं पियूँगा। आज सारी रात पियूँगा। तुमसे खूब-खूब बातें करूँगा।''

''आप घर जाइए। तुरन्त जाइए। यहाँ कुछ नहीं है आपके लिए। बस, दो-तीन घंटे की बात है।''

मैंने महसूस किया, मेरी आवाज़ एकदम सधी है। वे उठ जाएंगे। किन्तु वे उठे नहीं, बल्कि मेज़ पर बोतल जमाकर गिलास इधर-उधर ढूँढ़ने लगे।

''आप क्या ढूँढ़ रहे हैं।'' जानते हुए भी मैंने पूछा।

''गिलास। तुम अपने लिए भी लाना।''

''मेरी इच्छा नहीं है। एक ही बचा है। आप जल्दी लें और जाएँ।''

खोब्रागड़े खड़े हो गए। सावधान की मुद्रा में आने के लिए। हाथ-पैर सतर। वे इस मुद्रा में आकर रोने लगे। खुली हिचकियाँ। मैंने देखा, उनकी दाढ़ी धीरे-धीरे बढ़ रही है। रोने को रोककर, उन्होंने कहा, ''मुझे मालूम है, एक ही गिलास है, इसीलिए तुम्हारी इच्छा नहीं है।''

मुझे आश्चर्य हुआ कि मैंने उनकी भावना की कद्र नहीं की। मुझे अपनी हर बात पर इतना आश्चर्य क्यों हो रहा है! ठेठ मैंने कहा, ''हाँ, यह सही है। इसी से मैं नहीं पियूँगा। आप जाएँ। आप जान ही गये हैं, यह दुनिया धीरे-धीरे मर रही होगी। क्या शोरगुल आपको सुनाई देता है?''

''तुमको दुनिया की कब से पड़ने लगी? तुम्हारे मोहल्ले में क्या होता है, तुम जानते हो?''

''मैं आपसे बात नहीं करना चाहता। और यह बता दूँ, मुझे दुनिया की नहीं, उसके मरने की पड़ी है, मरने की। सुना आपने?''

वे आराम से कुर्सी पर पसर गये। हँसने लगे। ''हाँ-हाँ, मैं जानता हूँ। यह न जानता था कि तुम इतनी जल्दी मान जाओगे।''

''जैसा आप समझें।''

घंटी बजती है। पानी में डूबती आवाज़। मालूम नहीं, कौन है?

''खोब्रागड़े, दीवार थरथरा रही है। आपका गिलास भी।''

''छोड़ो ये सब। घंटी बजने दो। मत उठाओ। बिलकुल नहीं। अच्छा, एक बात बतलाओ।''

''यहाँ मरने के हालत हैं और आपको बातें सूझ रही हैं!''

''तुम भी तो आज तक बातें ही करते आए हो। नहीं? वरना मरने का यह दिन देखना पड़ता! तुमने किया क्या है? गरमागरम बातें। तर्क। आँकड़े। और चकमक-सी विश्लेषण की लम्बी-चौड़ी दीवार। यही बात ज़िन्दगी के हर पहलू में करते हो। तुम भूल गए। ज़िन्दगी को तुम तो एकदम भूल गये।''

"खोब्रागड़े, अब आप उठें। तुरन्त जाएँ। मैं दरवाज़ा बन्द करना चाहता हूँ।"

"तुमने खोले ही कब थे! क्या मैं नहीं जानता, तुम जैसे तीन सुवर्ण...हाँ-हाँ, सुवर्ण मिल बैठते हो तो क्या बिलकुल दूसरी बात नहीं करते? बोलो? बोलो? बोलो, नहीं करते? तुम अपनी पार्टी में शराब का रंग आने के पहले मुझे नहीं खिसका देते?"

समझाते हुए मैंने धीरे से कहा, "ऐसा नहीं है खोब्रागड़े!"

"इसका मतलब है कि है। तर्क, आँकड़े, विश्लेषण सब हैं तुम्हारे पास। सब हैं। बस, एक भावना नहीं है मेरे लिए। बस, शब्द हैं। मगर वे शरीर के बाहर हैं। अन्दर तो तुम क्या हो, मैं जानता हूँ।" खोब्रागड़े गुस्से में थरथराते हुए उठे। मैंने पैंतरा बदला। उन्हें सामने से कसकर दबोच लिया। मेरी हथेलियाँ बदलने लगीं। पंजा तेज़। नाखून। बघनखा। खोब्रागड़े की पीठ लौकी-सी चिरती चली गयी। बघनखा खून से सन गया। चिपचिपा। दस्ताने-सा मैं उसे उतारने लगा। निकला नहीं। खोब्रागड़े कुर्सी और मेज़ के बीच नीचे कपड़े के गट्ठर-जैसा गिर पड़ा था। मेज़ पर उसका गिलास हलके-हलके काँप रहा था और शराब रंग बदल रही थी, पानी होती। बघनखा निकलता ही नहीं। शरीर का जैसे एक हिस्सा है। बाहर कोलाहल गाढ़ा हो रहा है। प्यास से गला सूख रहा है। यह बघनखा लिए मैं मर जाऊँगा। दरवाज़े में कुंडी घूमती है। कोई खटखट कर रहा है। दरवाज़े के नीचे कोई लिफाफा सरका गया है। उठाकर खोलता हूँ। कागज़ पर खून के दाग़ लग जाते हैं। बघनखे की मुहर। यह तो कौमी एकता की सभा का बुलावा है। यानी त्योहार आ रहे हैं। मगर मैं क्या करूँगा? हवा थम जाये। ध्वनि रुक जाये। नहीं, समय नहीं रुकता। बेआवाज़ समय में घुटी-घुटी साँसें! मौत!

आँखों की पलकें जैसे एकदम फटती हैं।

बदन में अजीब-सी सरसराती हरारत। गले पर पसीने की बूँदें। भारी दाब। एक मुश्त सज़ा काट, लम्बी यात्रा कर जैसे लौट रहा हूँ। उठता हूँ। सब कुछ रात की चुप्पी में डूबा है। कमरे की हर चीज़। यह रात खड़ी होकर तमाचे लगाती है। स्वप्न के कोड़े। किस बात की सज़ा है। पानी पीकर मैं चाकू खोजता हूँ। लोहे का चाकू। कठिन सपनों को तितर-बितर करने। चाकू मिलता नहीं। सूजा लेकर आता हूँ।

बाहर स्याह अँधेरे में दूध की बूँदें घुल रही हैं। टप्-टप्! नीम में छुपे परिन्दे कसमसा रहे हैं। भोर होन से पहले वह भारी लठैत मेंढक सो चुका है। हवा रुकी है। नींद ज़रा लम्बी हो। सपने नहीं। बस, थोड़ी-सी नींद।

तकिए के नीचे गद्दे को हटाकर सूजा रखूँगा। कल से खूबसूरत रात के लिए सपनों की देहरी पर चाकू रखूँगा। अरे! यह क्या? यहाँ तो वह मौजूद है। लकड़ी की बेंट के अन्दर चमचमाते फालवाला। बन्द चाकू।

बागवानी

मैंने सूरजमुखी के पौधे उगाये।

मालूम नहीं किसने वे बीज दिये थे। बीज की याद है। वे अँगूठी के नग की तरह चमकते थे। उनसे स्याही फूटती थी। अभी भी याद नहीं। किसने देते हुए कहा था, तुम स्तब्ध रह जाओगे, हो सकता है तुम उगाना बन्द कर दो। परन्तु पूछेंगे सब। उनकी हँसी में रहस्य का भविष्य था। उनके सूट पर गजब की फिसलन थी। ओस की एक बूँद भी नहीं ठहर सकती थी। बस गहरी हँसी और फिसलन याद है। दोनों मिलकर ऐसी आभा बनाते जिसे मोमबत्ती के निचले प्रकाश में चिकन तन्दूरी और बेढब रंगीन सलाद के आसपास खोजता हूँ। चेहरे नहीं दिखते। बस हर वस्तु जगमग करती है। यहाँ तक कि मुर्गे की अनावृत्त टाँग।

पौधे धीरे-धीरे उगने शुरू हुए टेढ़े प्रश्न की तरह हरी पंक्तियाँ मिट्टी को ढकेलते हुए बाहर आने लगीं। उनके मुख पानी और काले कणों से गीले थे।

मेरे मित्र, पोफली साहब अपनी नयी कार में हर तीसरे-चौथे दिन घर आते हैं। उनके बेटे ने रकम भेजी और ज़िद करके यहाँ का नवीनतम माडल पसन्द किया। वह अमरीका के सुदूर शहर, शायद मोबिल में रहता है। पोफली साहब से वह प्रतिदिन आधा घंटे फोन पर बात करता है। फिर भी वे डरे हुए हैं। पति-पत्नी रोज बात करते हैं। एक दिन लड़के की बचकानी आवाज़ के पीछे हँसी सुनाई दी थी। लड़की की हँसी। उन्हें लगता है, वह एक न एक दिन शादी कर लेगा। फोन की दर बढ़ जायेगी। लाइन खरखराने लगेगी। वे नियमित सम्भाषण नहीं कर पाएँगे। उत्सव और जन्मदिन की संख्या कम है। उन्होंने बतलाया कि मुम्बई में उनके रिश्तेदार, पति-पत्नी मरे पड़े रह गये। कमरे सड़ी बदबू से भर गये। सारे महानगर को पता लग गया परन्तु अमरीका के शायद न्यू जर्सी शहर में उनकी इकलौती लड़की से फोन-संपर्क नहीं हो पाया। न ई न ऊ। हमने पोफली साहब का हौसला बढ़ाया। मेरी पत्नी के पास हौसला शब्दों का भंडार है। ''आपने अब

जाकर कार चलानी सीखी। अच्छी चलाते हैं। बढ़िया बैलेंस है। हर सुबह कार धोते हैं। कितनी मेहनत!" उन्हें याद आया कि वे किसलिए आये हैं। कार तक गये। प्लास्टिक का स्प्रेयर लेकर आये। कहा, "बेटे ने भेजा था। यह तुम्हारा नया शौक मुझे अच्छा लगा। तुम्हीं रखो।"

स्प्रेयर ताजे फल की तरह गोलमटोल और रंगीन था।

बहुत हल्का स्प्रेयर। हमने उन्हें धन्यवाद दिया, "आपका बेटा आपका बहुत खयाल रखता है। अब तो आप वहीं रह जाइए। यहाँ क्या रखा है।"

वे सहसा बोले, "वह वहाँ केले खाने की इच्छा रोक नहीं पाता है। वह खा लेता है। एक केला ढाई सौ का पड़ता है। बेदाग और अद्‌भुत।"

पोफली साहब के पास एक रस्सी है। न दिखती हुई। इस उम्र में सीखे बहन चालन का कौशल, यहाँ काम में आता है। एक डगाल पर फुनगियाँ हैं सूखती, दूसरी डगाल पर प्रसन्न दीर्घ राशियों के फूल हैं। रस्सी है। वे इसी पर अभ्यास करते हैं। स्प्रेयर की फुआर से कलियाँ निखर जाती हैं। फाहे सी और मन्द लय खुरदुरे पत्तों पर पानी वाष्प बनने तक थिरकता रहता। कलियों की एक अग्रिम कतार और उसके पीछे सैनिक कतार।

पत्नी हँसी-हँसी में मेरे मुँह पर फुआर करती है। चेहरा ठंडी बूँदों से भर जाता। हल्का और फूल की तरह हँसता। नरम। हँसी का जैसे कोई कारण नहीं। यह दुनिया एकदम सरल रेखाओं में खिंची लगती। कोमलता में आध्यात्मिक कौंध आये चली जाती है। फूलों के बीच तब तक खड़े रहो जब तक खुद को फूल महसूस करने न लगो। अनन्त, अनादि वगैरह। मैं फूल बनने की प्रतीक्षा में खड़ा रहा। सतर। पत्नी की हँसी बाधा थी।

ये पंक्तियाँ और बहुत सी पंक्तियाँ, मेरे दोस्त, गुड़ के बड़े व्यापारी, रामदयाल दिन भर मक्खियों और बर्र की भनभनाहट के बीच समय का सदुपयोग करते पुस्तकों से पंक्तियाँ निकाल लेते हैं। वे निःशंक चिपचिपे गुड़ में से बेहोश बर्र को एक झटके में निकाल फेंकते हैं। उनकी ऊब में ये सब पंक्तियाँ हैं। भीना-भीना गुड़ है। गहरी खुशबू, ढाबे की प्याजी छौंक, हिलते-डुलते गिलासों और पृष्ठ-नितम्बों की लचक में ये पंक्तियाँ हिलडुल हैं। अपने अनोखे आकर्षण के कारण मेरी डायरी में यह, पुरातन उद्धरणों का जखीरा पनप रहा है। सूर्यमुखी में पानी की फुआर की तरह, रामदयाल निरन्तर बौछार करते रहते हैं।

फूल के लिए कलियाँ फट पड़ने को तैयार हैं। बेताब।

मेरे साले के लिए यह अच्छी पैदावार है। वह उन्हें फूल की तरह नहीं, तेल की धार में देखता है। वह लम्बे समय से निलम्बित है। जबकि उसे मालूम था

भले लोगों के लिए दफ्तर कोई अच्छी चीज़ नहीं है। उसे चांप लिया गया। उसकी अँगूठियाँ उतरवा ली गयीं। ऐसा करके कहा जाने लगा कि वह रँगे हाथों पकड़ लिया गया है। वह अपनी जी की तरह एकदम गोरा नहीं है। साँवला ही है, इसके बावजूद कहा गया कि वह रँगे हाथों जब्ती में था। पुखराज की अँगूठी भी दबिश में रह गयी। इससे तुरन्त राजपाट प्रभावित हुआ। गुरु नीच का हो गया। अब वह खाली हाथ लड़ रहा है। निहत्था। अब वह सारे नैतिक और अनैतिक प्रश्नों के ऊहापोह से, साक्ष्य से, न्यायालय से और अपने अवसाद से उबर गया है। वह आदेश की प्रतीक्षा में है। वह बेहद दरियादिल है। मेरे और मेरे दोस्तों की शाम उसके मुँह बाये बटुए के पास रहती है। आजकल समय गुजारने के लिए वह जर्मनी की शायद लग्जमबर्ग शहर से आने वाले विभिन्न उत्पादों की देखभाल करता है। उसने मुझे एक बोरी खाद नहीं दी। नमक के एक पैकेट के बराबर हरी खाद। वह पौधों के पास बैठकर जड़ों में डालने लगा। उसके उठने और बैठने में ही मोटी गर्दन पर स्वेद बिन्दु उीर आते हैं।

फूलों के खिलने के साथ ही घर में लोगों का ताँता लग गया। फूल वैसे ही थे। कोई नयी बात नहीं। छोटी प्लेट की तरह। गहरे पीले। बीच में कत्थई भूरे। वे पतले तनों पर टिके थे। पत्ते भी वैसे ही थे। हरे खुरदरे बड़े। किन्तु चींटियाँ तनों पर होती हुई पुष्पों तक नहीं जा रही थीं। वे गायब थीं। मधुमक्खियाँ कतराकर छोटे फूलों की तरफ जा रही थी। नालायक।

सूर्यमुखी के फूल झमाझम खिले थे।

वे सूरज की तरफ नहीं देख रहे थे। वे सूरज के घूमने पर नहीं घूमते थे। वे सूरज की ओर पीठ किये थे। सभी फूल पीठ किये। लोग ठठाकर हँसने लगे। ये हुई न बात। नयी चीज। उनके पास पौधे जल्दी ले जाने की फरमाइश थी।

यह एक ऐसी नर्सरी थी जहाँ कैश मैमो नहीं कटता था। उपहार की प्रकृति आवागमन है। चले गये उपहार आने की प्रतीक्षा छोड़ जाते हैं। एक जगह, जिसे अनिवार्य रूप से भरा जाना है।

सूरजमुखी रोशनी की तरफ नहीं देखते। वे उसकी तरफ पीठ किये रोशनी को रोकते।

मेरे मौसा जी इन्हें देखकर चकित रह गये। वे पहले मालूम नहीं किन पार्टियों में थे। परन्तु उनसे होते हुए वे अब स्वदेशी जायके का आन्दोलन पीट रहे थे। मैं उनके साथ कई बार गया। बहुत आनन्द है। पिज्जा की जगह चीले पर उनका सैद्धान्तिक जोर है। हम खाते। कभी पिज्जा। कभी चीला। उनकी उत्तेजक भाषण शैली से पार्टी, होटल और ग्राहक डर जाते। उन्होंने कभी भी घाघरा या हाफ पैंट

पहनी लड़कियों को जो आमतौर पर निस्संग और विदेशी होतीं, अपना मुद्दा नहीं बनाया। उन्हें ये बहुत पसन्द आये। फूल। ले गये।

मेरे लड़के के अनगिनत दोस्त आये। उन्हें समझ न आया, इनका किया क्या जाये? बेटे के जोर देने पर वे इसे ले गये। उनके घरों में गमलों में जगह नहीं थी। वे रेस्टॉरेंट के आये सब्जी डिब्बों में इसे लगायेंगे। मेरी बहन इंटीरियर डेकोरेशन का काम करती है। उसे हड़बड़ी है। वह बीज का इन्तजार नहीं कर सकती। पालीथिन की काली थैलियाँ। कतार। हरेक में एक। उसे डॉ. मीरचन्दानी को देना है। एडवोकेट गुप्ता जी को देना है। कुक्कुट पालन एवं संवर्धन निगम के प्रबन्ध संचालक श्री फूलझर को देना है। डॉ. मीरचन्दानी और एडवोकेट गुप्ता की प्रैक्टिस में सीलिंग आ गयी है। अब वे नगरपालिका में जाएँगे। श्री फूलझर इसी इकतीस को सेवानिवृत हो जाएँगे। उनका तय नहीं हैं। वे नगरपालिका में जाएँगे या गाँव की आरक्षित सीट आजमाएँगे। लेकिन फूल वे भी उगाएँगे।

मेरे मित्र डॉक्टर स्वामीनाथन भू-जल वैज्ञानिक हैं। अभी-अभी वे सूचना सलाहकार पद से हटे हैं। अब वे लम्बे समय के लिए बाहर चले जाएँगे। जहाँ उन्हें भारतीय जनजाति के समाजशास्त्र पर काम करना है। वे ले गये। मेरे मित्र के भाई आबकारी अधिकारी हैं। नहीं, कवि वे पहले हैं। वे मुझे खोजते हुए आये। उनका नौकर ले गया। वे कहते हैं कि यह श्रृंखलाबद्ध कविता का मामला है। जम गया तो मुख्यमन्त्री के सम्मुख पठन किया जायेगा।

वे सबके सब ले जा सकते थे।

एक छोड़ दिया गया। मेरे लिए। वह इकलौते डंठल पर खड़ा है। इकलौता। उसकी पीठ सूर्य की तरफ है और चाँदनी में सिर झुक जाता है। उनका नाम मुझे मालूम नहीं। न चेहरा। पर मुझे याद है। उनके पास राई बराबर दाने थे। उन्होंने कहा था, तुम इसे उगाओगे तो स्तब्ध रह जाओगे। या तो तुम हँसोगे या उगाना बन्द कर दोगे। देखो ये लाजवंती के बीज हैं। छुईमुई।

नहीं, मैं क्यों नहीं उगाऊँगा। भला।

बीज होते ही हैं उगाने के लिए, खोल में बन्द भविष्य। जरा-सी नमी। जरा-सी देखरेख। ठीक-ठीक वातावरण मिलने पर वे बाहर आ जाते हैं। इतराते हुए।

मुझे लाजवंती के बीज ढूँढ़ना है।

मैना

बस्तर के महाकान्तार में छाया और हरी पत्तियों की ओट है। उसमें मैना मिलती है। वह मामूली नहीं है। साधारण मैनाओं की तरह मूर्ख या चटोर नहीं। वह बोले गये शब्दों को हूबहू दुहराती जाती है। आरोह अवरोह। मनुष्य का गला। उसके पास वाक्यों का खजाना होता है। खजाने में खास स्वर के आदमी के नाम जमा हो जाते हैं। वह लुप्तप्राय है। इसलिए संरक्षित है। इसलिए प्रोजेक्ट है। इसलिए वर्ल्ड बैंक है। उच्चस्तरीय अधिकारी की देखरेख है। पूरे दिन चौकीदार है। समूचे वृक्ष को पिंजरे में रखकर प्रजनन के आँकड़े हैं। इसलिए उसे बस्तर की मैना कहा जाता है।

यह एक पर्यटन स्थल है। विश्रामगृह है। मांस है। मदिरा है। बॉरबेक्यू है। टार्च है। सड़क है। टावेल लिए चौकीदार है।

विश्व प्राणी संरक्षण परियोजना के विशेषज्ञ का आगमन है। वे मूलतः किसी छोटे से देश के अर्थशास्त्र के प्रोफेसर हैं। अब प्रतिनियुक्ति पर पर्यावरण का काम देखते हैं। बाँध, गुबरैला, पांडा या यह मैना। उनके एक नीले हस्ताक्षर से अनुदान पर पर्यावरण की तलवार गिर सकती है। तरबूज-सी अनुदान की दो फाँक। पर गिरती नहीं। अधर में तलवार ठहरी रहती है। नीले हस्ताक्षर सहस्रपदी से टटोलते हुए बढ़ते हैं। नीला सहस्रपदी। ठहराये रखने के लिए वन संरक्षण एकांश के विशेषज्ञ साथ में हैं। मैना विशेषज्ञ राजघराने से सम्बन्ध रखते हैं। स्वाभाविक रूप से चीतल का मांस प्रिय है। खट्टा और बहुत रेशेदार। शादी-ब्याह के मौके पर वे साम्भर के नागरा पहनते हैं। पीले रोयें पर सोने-सा जरी का काम। मैना विशेषज्ञ पर्यावरण विशेषज्ञ को सादर लिये मैना के सम्मुख खड़े हैं। दोनों विशेषज्ञ जानते हैं। मैना से क्या बात करना है।

मैना नयी-नवेली नहीं है। जानती है उसका क्या काम है।

वह ऊपरी टहनियों से कूदती आ रही है। चपल गतियों में इधर-उधर हो रही है। विद्युल्लता। काली। चमकदार। नारंगी चोंच। प्यारी मैना। विशेषज्ञ आह्लादित

हो गये। उन्होंने उँगलियों से पिंजरे को ठकठकाया। उनकी अंग्रेजी में उनके देश की लचक थी। मटकती मैना से उन्होंने प्यार किया, हाऊ आर यू माई डार्लिंग!

हाऊ आर यू माई डार्लिंग?

मैना ने नहीं कहा। वह हिन्दी में ही चट् से बोली, ''आ गये हरामजादे''।

मैना विशेषज्ञ का मुँह लाल हो गया। तत्काल सहज होकर बोले, ''हिन्दी भाषा में यह आपका स्वागत कर रही है, सर।''

उन्होंने खुशी से कहा, ''मुझे खुशी है तुम स्वस्थ हो मेरी प्यारी मैना।''

दो भाषाओं में संवाद चल रहा है।

''ठीक है। खूब भकोस कर खाओ। मुझे क्या?''

''तुम्हें यहाँ अच्छा लगता है?''

''किस चूतिये ने कहा था यहाँ नौकरी की जाये।''

''तुम्हारा दोस्त प्रजनन में रुचि तो ले रहा है?''

''मा चो रात भर जगाएँगे। खाएँगे। पिएँगे। नौटंकी अलग।''

मैना विशेषज्ञ बुखार से तप रहे हैं। कमाल के संयती हैं। उन्होंने केवल जलती आँखों से चौकीदार को देखा। वह झाड़ी की बगल में एक ठहरी झाड़ी की तरह खड़ा था। अवाक्।

मैना विशेषज्ञ ने बतलाया, ''आज गुरुवार है। यह आज हिन्दी में ही बात करेगी। सर।''

वे मुदित हुए। किसी पंछी की तरह कन्धे उचकाते हुए बोले ''बहुत अच्छी।''

बहुत अच्छी बातचीत रही। आप इसके प्रजनन में सावधानी से लगे रहिए।

''सर। ये बहुत उदार है। बहुत खुशमिजाज।''

वे हो-हो करके हँसे। मैना विशेषज्ञ को भी हँसना पड़ा।

दो दिन में ही चौकीदार का स्थानान्तरण आदेश आ गया।

और अधिक घने हिस्से में उसे जाना है। मोहिनी नामक तेन्दुए की सेवा टहल में।

स्थानान्तरण आदेश पर हस्ताक्षर करते समय मैना विशेषज्ञ दबावमुक्त थे।

खाली कमरे में उन्होंने कहकहा लगाया। कलम रखा।

वे मैना की तरह हिन्दी में बोलते।

पर उनसे बना नहीं।

बन पाया नहीं।

व्यंजन

प्याज़ की जगह मूली अनायास स्थल ले लेती है। हमारी थाली और हमारी बातचीत में। दोनों की तीखी गन्ध को अलगाती है तमस गुणों की प्रशासनिक कला। मूलियाँ छिपी-छिपी खेतों का समाचार बहुत दिनों बाद ले आती है। ज़मीनदोज स्वप्नों में पूरे संसार की सतह से मुर्झाती बाहर आती हैं। पतली हरी पीली पत्तियाँ किसान के स्वप्नों का इस तरह ज़मीनदोज होना, ऊगना, अनिश्चित। जैसे टूटा अनकहा स्वप्न बढ़ती हुई प्याज की दर। शहरों में बौद्धिक आँकड़ों में समाती है। हम किसी एक रुकी हुई बात का इंतज़ार करते हैं। मूलियाँ तमाम आयुर्वेदिक गुणों के बावजूद महकती हैं। पेट के मरोड़ में व्यंजन अपनी उष्मा के लिए एक नीति की प्रतीक्षा करती हैं। व्यंजन संस्कृति नहीं बदलाव की नीति है।

राजकीय

तना वाकई स्तम्भ था। अटल। बहुत परिधि वाला। खुरदुरा। उसके पेट की ऊँचाई पर चूने से और गेरू से पट्टियाँ बनी थीं। पहले सफेद। गेरू, सफेद। आदमी की ऊँचाई। पेड़ ऐसी टी शर्ट पहने राजकीय था। सड़क की सीमा से घूमते हुए पेड़ों की कतार चली गयी। वे सभी टी शर्ट पहने थे। कुछ बहुत बड़े मोटे वृक्ष टी शर्ट पहने अटपटे लगते। राजकीय होना उनमें अनमनापन-सा था। टी शर्ट की यूनीफार्म थी और उनमें वे नौजवान से बनाए गये थे। उन्हें कहाँ मालूम था कि किसी पीली जर्जर पंजी में इनकी प्रविष्टि है और वे बड़ी संख्या में जाने जाते हैं।

उनकी कतार में लगभग एक ही प्रजाति थी फिर भी उनके सामने के हिस्से में जो सड़क के सामने थी, आयताकार छाल उखाड़ ली गयी थी। अब वह आयताकार खुदा हुआ प्राकृतिक अंग लगता। सभी चोट मार के प्रहार से कटाव अब प्राकृतिक बन गये थे। नैसर्गिक। उन सब में आयताकार हद के अन्दर उनकी प्रजाति लिखी रही होगी। अब नहीं है। वे यूनीफार्म पर मैडल थे। टी शर्ट पर अनजानी कम्पनी का नाम।

बहुत बूढ़े पेड़ की टी शर्ट में एक डंठल निकल आया था। उस पर तीन पत्तियाँ। टी शर्ट पर एक ज़रूरी नमूना। यह बात पंजी पर बतलाई नहीं गयी थी। पतली कमर वाले अनेक पेड़ इन सबको घेरे हुए थे। पीछे से। उनकी टी शर्ट नहीं थी। वे मनमाने तरीके से ऊपर बढ़ रहे थे। जितनी पत्तियाँ, उनसे कम डालें नहीं। अनेक डगालों अनेक पत्तियों का चिलमन। वहीं, अपनी अकेली काया में वे वृक्ष राजकीय थे।

अकेले स्तम्भ पर चीटियाँ थी। लाल पूँछ वाले कीड़े सरसरा रहे थे। पीली काया पर काली बूँद वाली इल्लियाँ घर बनाकर घुस रही थीं। पत्तों के बीच में हलचल थी। जैसे उन्हें कोई झिंझोड़ रहा हो। उनकी काया से गिरने लगे पसीना नहीं, उनके संजोए फल। फल अपने समय की प्रतीक्षा करते थे। इमली, आम, महुआ। समय बारी-बारी से उन्हें गिराता। जमीन पर एक परत बन जाती।

उसके ऊपर खुशबू की। अरघान। वृक्ष लगातार झिंझोड़े जाते। वे झरते जाते। इसी समय ट्रक आता है। मज़दूर कूदते हैं।

ठेकेदार सामने से उतरता है। ड्राइवर से कहता है "इस साल भरपूर फसल हुई है। अच्छा है।"

"साहब फसल तो खेत में होती है!"

"अरे! ठेका है यार ठेका, समय देखकर बोली लगाओ। जो होने वाला है। उसका ठेका। हद है!" जो है उसका नहीं।

ड्राइवर वाचाल है। "ये सब साब आपके डर के मारे जादा हो रहे हैं। है कि नहीं? ठेकेदार हँसता है।" ठेके का कोई भरोसा नहीं।

ऊपर पेड़ अपने आप झंझा में नहीं है। लोग कूदते हैं। उनके बदन पसीने से काले चमक रहे हैं।

"बस हो गया?"

ठेकेदार पत्तों में खोजता है।

"अब कुछ नहीं है।"

वे एक साथ चिल्लाते हैं। जो ट्रक से कूदे थे वे टोकरियाँ भर रहे थे। झुके-झुके। राजकीय पेड़ की आड़ में पेड़ से कूदने वाला एक बड़ा आम धोती से निकालता है। चमकदार। आम के मुँह से निकलीं लार। चेंपी। ट्रक से कूदने वाली तन्मय होकर खा रही है। राजकीय पेड़ से छुपकर।

"इस साल खूब हुए।"

"ठेके में कम हों या जादा। हमें क्या?"

ठेकेदार कहता है, चलो चलो जल्दी करो। ठेके पर उठे राजकीय वृक्ष पहचाने नहीं जाते। फल के बिना आजकल कोई भी पेड़ पहचान में नहीं आते।

थोड़ी देर में वे अकेले हो जाएँगे।

छूँछे।

प्रतिदिन

दोपहर बाद ट्रेन में उनका झुंड सरकता है। अलग-अलग डिब्बों में। उम्र और अनुभव से लबालब मधुमक्खियाँ। एक खाली अष्टकोण। यानी टेढ़ा-मेढ़ा। बेफिक्र हँसी में खुलते कूट वाक्य, ताश की गड्डियाँ। तलाशते हैं अपने छूटे हुए साथी। ताश, उनके खेल में संक्षिप्त जगह चाहते हैं। सिकुड़ी जाँघ। उटंग कुहनियाँ, वे किसी नायिका का वर्णन अभूतपूर्व भाषा में करते हैं। उसकी ऊँचाई, रंग, सौन्दर्य को जान नहीं पाते आरक्षित यात्री। यहाँ तक कि टीटीई। वे लगातार लाए गये सामान और स्त्रियों की बातें करते हैं। लेकिन वे ऊबकर एक आखिरी पड़ाव पर आ जाते हैं जहाँ मुख्यमन्त्री, प्रधानमन्त्री, पुलिस होती है। उनकी सटीक उक्तियाँ आरक्षित यात्रियों का मनोरंजन करती हैं। वे भूख, सूखा, राहत कार्य, बेरोजगारी की चर्चा करते उतर जाते हैं अपने अपने बच्चों के फुग्गे लिए।

आरक्षित यात्रियों को यात्रा के जोखिम मालूम हैं। वे अपने शयनयान का क्रमांक याद करते हैं। अभी रात में समय है।

हरा चेहरा

सुबह उसके चेहरे पर ताज़गी की चमक तनी थी। शाम होते होते उसकी आँखों पर दृश्यों का बोझ था। उसकी आवाज़ में शब्द फाँक-फाँक गिरते थे। चेहरे की त्वचा हरी हो गयी। हरी और खुरदुरी। उसने नहीं कहा कि मैं थक गया हूँ। लम्बी साँस ली। पानी पिया। गट गट। फाँक नहीं थी।

तो दिन इस तरह पूरा हुआ। समय कैसे बीत जाता है। पता ही नहीं चलता।

वह अपने हरे चेहरे को आयने में देख नहीं पाता।

सुरंग में टहनी

दूज का चाँद था उसका चेहरा। उसकी देह भी वैसे ही मुड़ी थी। जाँघों के बीचों बीच बच्चा हिल रहा था। ऊपर नीचे। गेंद की तरह। तुम ऐसा नहीं कर सकते। क्या तुम्हें याद है? तुम्हारी उम्र ने क्या उसे भुला दिया है?

बच्चा गढ़े फूल सा हिलडुल रहा था।

टहनी सो रही थी।

पतली गली-सी रेल पथ पर छोटे हिचकोलों में डब्बे थे।

अँधेरी सुरंगों में भागती रेल थी।

अचानक सुरंग का मतलब बदल गया था। वे हज़ारों मजदूरों की मेहनत के स्मारक थे। सुरंग की दीवार पर रिसता झरना। उनका पसीना। जो सूखने को है। छोटे डब्बे में टहनी का जागना। उसकी देह का खुलना। टहनी जब भी अपने आपको छुपाती है। हरे पत्ते छितर जाते हैं। छा जाते हैं।

फूल हँसते हैं।

बच्चा कुल दो दाँतों से हँसा।

सुरंग में रोशनी अचानक आती है।

कुरते

रोज रोज पहिनता हूँ कमीज़। उसकी छाप पर लिखा है दस से पाँच। मगर वहाँ। सितार पर छूती है किनारियाँ बाँह की। बेला की लट झूमती है। वाह वाह करता है सभागृह। एक हज़ार कुरतों की तालियाँ। बेला के बड़े फूल कुरतों पर सोखता है पसीना। टमाटर रंग का कुरता। कुरता काले रंग का। कैनवास। ब्रश उन्मुक्त दाढ़ी। रंगों की गाढ़ी धार। कुरता पहनते ही बदल जाते हैं तेवर सभागृह में। काही रंग का कुरता खास। व्याख्यान के पहले पड़ता है। एक घना परदा विचारों में यवनिका पतन। कुरते का चटख नीला रंग कविता के आरपार जाता। कुरते का सफेद रंग। सफेद? कोई विवरण नहीं। हम सभी बनियान के ऊपर पहिनते हैं कभी कभार एक चटखीला रंग। कुरता विधा की चमक से कड़क। इस कला समय में कुरता एक सिर को जीवित रखे हुए है। और दो सुन्न हाथ।

अग्निरोधी

छोटे से चौकोर चबूतरे के बीचों-बीच बम्बा लगा हैं चमकदार लाल रंग। उसके पीछे दीवार पर लाल रंग की और आँत की तरह ही लपेटी गयी कपड़े की चौड़ी पाइप। किसी आकस्मिक अग्नि संकट से निबटने की तैयारी।

बम्बे से बूँद-बँद पानी झरने लगा है। कहीं कोई पेंच ढीला हो गया है। धीरे-धीरे चबूतरे पर हल्की हरी काई की चादर बनने लगी है। चादर पर से पानी फिसलता हुआ बहता है।

छोटी मधुमक्खियाँ, बहुत छोटी, उड़ान के साथ पानी पर बैठती हैं। वे पानी चूस रही हैं।

बहुत सारी पीली-सी मधुमक्खियाँ।

अग्निरोधी नल से पानी धीमें-धीमें बह रहा है।

ऊँचाई पर धूप में उनका छत्ता काला दिखता है।

मधुमक्खियाँ क्या अपने पेट में शहद को तनु कर रही हैं?

या प्यास?

बाग में बहुत सारे फूल हैं।

फूल, शहद, पानी, प्यास।

मधुमक्खी होना एक आदत होना है।

छड़ी

पहाड़ों की गहराई के लिए वे नीचे चले गये थे। हरी पत्तियों में छिपी धूप के नीचे। पत्तियाँ हरी होती थीं परन्तु काली छायाओं में थीं। उन्होंने हरी पत्तियों की सुगन्ध के बारे में बतलाया। बहुत पतली पगडंडी के दोनों ओर से जन्तुओं के झाँकने को बतलाया।

वहाँ, जहाँ हर भरा-पूरा पेड़ एक आदमी की तरह था।

कभी जानवर उनकी साँसों में व्यवस्थित वृतान्त था।

पाने का वर्णन। चेहरा विवर्ण था।

उसके नीचे ताज़ा उत्तेजना बाहर आने को थी। वे प्रकृति की ऐंठी जड़ों में एक रेशे की तरह थरथरा रहे थे।

उनसे सांत्वना से पूछा, "इतना घना जंगल। सीधी ढलान। अकेले क्यों चले गये थे?"

"अकेले? अकेले कहाँ छड़ी साथ थी।"

छड़ी। छिली। पालिश। गठानों पर गोला।

उन्होंने छड़ी को वादक की तरह हिलाया।

वृक्ष की टहनियाँ भी हिल रही हैं। उनके पीछे।

वे छड़ी बनने को तैयार हैं।

जस्ते का शब्द

वे वर्णमाला के खानों में उँगलियों से टटोलते हुए अक्षर उठाते थे। वे जुड़ कर जस्ते के बने हुए ठोस शब्द होते थे। वे सीधे हैं या नहीं। उनकी पहचान एक कटाव से होती थी। सारे शब्दों की सीध में नीचे कटाव से एक नाली सी बन जाती थी। अक्षर उठाए जाते थे, वे मशीन पर पिटते थे। फिर उन्हें भट्टी में झोंक दिया जाता था। वे चमचमाते निकलते।

हमारी सोच, कृति, कथानक का इससे कोई मतलब नहीं है।

पारदर्शी जिलेटिन पर छपे अक्षरों और शब्दों के आर-पार एक चेहरा देखा जा सकता है। इसका भी बहुत खास मतलब कथा से नहीं है।

मगर फिर भी वह हड़ियल आदमी याद आता है जो जस्ते के शब्द जमाता था। उसके हाथों की नसें बहुत उभरी हुई होती थीं। जैसे केंचुए उसकी त्वचा पर पसर कर आराम कर रहे हों। उसकी आँखों के ठीक सामने बल्ब, जलता रहता। आँखें रोशनी सोख लेतीं। चमक नहीं होती। वह शब्द जमाने के बाद ठोस जस्ते की सतह पर हाथ फेरता। मेरे शब्द ब्रेल लिपि में नहीं थे। वह उठता। उसे जस्ते के बदले एक गिलास दूध दिया जाता। वह पीते हुए एडवांस की माँग करता। मैनेजर हर बार अधूरी दिहाड़ी देते हैं, जिससे वह अगले दिन आ सके। वह दूध से ज़्यादा एडवांस का स्वाद लेता। पारदर्शी जिलेटिन पर शब्द खूबसूरत लगते हैं। वे उसके पीछे के चेहरे पर छपे लगते हैं। चेहरा एक साँवली लड़की का है उसकी आँखों में शब्द के आर-पार कोई खोज है।

चमक नहीं हैं। तनिक भी नहीं। वह आदमी अपने केंचुए के साथ वहाँ नहीं है। मालूम नहीं कहाँ गायब हो गया है।

धूप-घड़ी

बाहर की भगदड़ यहाँ नहीं थी। कूपे का दरवाज़ा बन्द था। खटखटाया। जैसे घर का सामना हो। किसी के पैरों की लचक और पूछती आवाज़ का इंतज़ार। कई के पहले एक दरवाज़ा। कुली सिर पर सामान रखे था। पेटी के नीचे थरथराता हुआ सिर एक सामान लगता था। नीचे लाल रंग से बिछुड़ती कमीज़। वह डगमगाते हुए बोला, "ज़रा आवाज़ लगाइए। जोर से।"

उसे मालूम था, उसकी बोलचाल से वे जान जाएँगे, कुली है।

मैं कुली की समझदारी से खुश हुआ। समझ नहीं, अनुभव। गले को तानकर चिल्लाया, "अजी, कितनी देर करेंगे, जल्दी खोलिए?" फिर खटखटाया। पोरों पर लय नहीं थी। वे अनजाने रुआब का अभ्यास करती थीं। दरवाज़ा खुला। धीरे-धीरे सरकने वाली दीवार। सामने घरेलू धज में वे खड़े थे। चेहरे पर अभिवादन की सलवटें गायब थीं।

"दरअसल हर स्टेशन पर बेवजह लोग घुस आते हैं। फिर पूछते हैं—सैकेंड क्लास है? गधे। आइए।"

कूपा भरापूरा था। मैं चौथा। यानी आखिरी। दो और यात्री अनन्त यात्रा की बेरुखी से दबे लेटे थे। वे भी लेट गए और छत की तरफ देखे हुए बोले, "अच्छा रहेगा, यदि दरवाज़ा जल्दी बन्द कर देंगे।" मैंने उनकी तरफ नहीं देखा। पहले से बैठे यात्री पुराने मालिक बन जाते हैं।

दोस्ताना लहजे में मैंने जल्दी की, "यार कुली भाई, कितने पैसे हुए?"

मालूम नहीं क्यों उसके चेहरे पर लाचारी पुत गयी। कंधे गिर गये। पुरानी अदा से चेहरा अपने आप सामान की तरह गिर गया। हँसने की कोशिश की, "साब, जो ठीक समझें, दे दें।"

"अरे, ठीक क्या! ठीक बताओ।"

"बड़ी मेहनत है। पुल के पार। जो ठीक समझें।"

"अरे यार, पहेली न बुझाओ। चार रुपये?"

वह शरीर झटकने लगा। "नहीं-नहीं। दस रुपये।"

"क्या? दस रुपये! होश में तो हो! दस! नहीं-नहीं। चार।"

उसका होश जानने के लिए सहयात्रियों की ओर मुड़ा! वे निर्लिप्त दीवारों पर आँखें टिकाए नयी सूचनाएँ ढूँढ़ रहे थे। सुखद सूचनाएँ! कुली के साथ मोलभाव साँसत थी। बड़ी देरी। तीखा होकर बोला, "फर्स्ट क्लास समझ के लूट लोगे? चार ठीक है, चार।"

"साब, कितनी दूर से लाया। सोच-समझके दीजिए।"

"सोचकर ही देते हैं भाई! क्या सैकेंड में नहीं बैठते? लो चार ठीक हैं।"

जबरदस्ती उसके हाथों में चार ठूँसने लगा। उसने साथ लगी तिपाई पर रुपये रख दिये। बोला, "ये पैसे हैं? कितनी मेहनत। जाने दीजिए। जाता हूँ।"

पैसे की तरह रुपये रखे हैं। रस्साकशी। वह भी खड़ा है। मैं भी। चिढ़कर बरबस बोला, "अच्छा, पाँच।"

अचरज के अभिनय में मुँह खोले रहा, "क्या? बस!" हाथ हिलाकर वह थोड़ा-सा तना। अन्तिम बात "नहीं-नहीं।"

हारकर मैंने दस का नोट निकाला, "मैं जानता हूँ, तुम ठग रहे हो।"

उसकी तनी आँखें पानी से चमक गयीं। मालूम नहीं पड़ता, खुशी है या चालाकी। बहुत बनकर बोला, "शुक्रिया। बड़ी मेहनत है साब! आप तो जानते हैं!"

वह भुनभुनाते हुए जाने लगा। मैंने पूछा, "क्या है?" वही फिर सामान की तरह सिर हिलाकर चला गया। साले, एक दिन तेरा सिर भी चपटा हो जाएगा। पेटी-सा। मेरी अनसुनी रह गयी। चिढ़ का ढक्कन खुला नहीं।

सूचनाओं में अभी भी तल्लीन सहयात्रियों को सुनाते हुए कहा, "बस, घर से बाहर पैर धरो, ठगाई शुरू हो जाती है।"

वे बोले, "अब बन्द कर दीजिए। सिटकनी लगा दें। यह तो अच्छा हुआ, यहाँ भभ्भड़ नहीं मची। घुस आते हैं सब।"

वे हाथों की आपसी पकड़ में मालिश कर रहे थे।

"जी नहीं। हमारे शहर में सब समझदार हैं। कोई घुसा?"

चुनौती का उनके लिए कोई मतलब नहीं था। उन्होंने सिर घुमाकर मुझे हलके से देखा। सारे लोगों की समझदारी की बात अब अटपटी लगी। मालूम भी होता तो कोई कहता कहाँ है। पानी के बहाव की तरह बूढ़ा शरीर भी एक तरफ को खिंच जाता है। पहले लगा, वे उन्मुक्त हँस रहे हैं। फिर नहीं। होंठ कसाव छोड़ नीचे को झूल रहे थे। दाँत हँसते लगते। धीमे से बोले, "इन कुलियों की यही बात गन्दी है। यार, भाई बोले तो बस समझने लगते हैं, आदमी गावदी है।"

मैं भुगत चुका था। कूपा उमस से भरा था। बहुत पुराना कूपा। कई बार नयी गाड़ी में पहले दर्जे का पुराना डिब्बा लगा देते हैं। उसे जमाने की सुख-सुविधाओं पर कई-कई मोटी पेंट की तह होती है। गुट्ठल ढाँचा बन जाता है। उनकी आँखें पीछा करती थीं। सामान नीचे सरकाते हुए बोला, "अब वह जमाना नहीं रहा। प्रेम से ही काम निकालना पड़ता है। नहीं तो कोई नहीं सुनता।"

वे सहज मुस्काए, "वह तो आपने देख ही लिया!"

वे तीसरे दर्जे की खादी पहने थे। कुर्ता और लुंगी। खादी की यह बात दूसरे कपड़ों में एकदम से पता नहीं चलती। अब चपरासी और फर्राश वर्दी में इसे पहनने से बचते हैं। कुछ अपनी ओर से पैसे मिलाकर वे नये किस्म का कपड़ा ले आते हैं। तीसरे दर्जे की खादी, झोले और टेंट हाउस की चादरों में बदल जाती है। इस खादी में उनका दुबलापन उभर रहा था। खादी के मेल में चेहरे पर खूँटियाँ उग रही थी। सिर के सफेद बाल काँस से खड़े थे। मानो उनके थोड़े कट जाने पर वे चेहरे पर अटक गए हैं। उम्र की सलवटों में। वे नीचे का बर्थ में पाँव सिकोड़कर बैठ गये थे। किसी लम्बी चर्चा के इंतज़ार में। उनकी बगल में सफारीधारी तकिया लगाए अधलेटे पान मसाले की अगली खेप मुँह में डाल रहे थे। उनके वजनी उदर को देखकर नाव की याद आती हैं। नाव वाला देखता तो कहता, बाबूजी, तीन एक तरफ, आप एक तरफ। नाव झुकी-झुकी जाती है। यह कूपा नहीं।

लम्बी यात्रा की कल्पनाएँ पहले ही टूट-फूट गयी हैं। आरामदेह कल्पनाएँ जेबकटों, देर से आती ट्रेन और गहमागहमी के बाद भी बची रहती हैं। भरेपूरे परिवार का साथ मिलेगा या नहीं? ट्रेन की प्रतीक्षा में आरक्षण चार्ट एक पहेली है। खेल है। गरम साँसों और सिगरेट के धुएँ के बीच कई सिरों के झुरमुट में से धुँधले नामों को टटोलना रोमांचक है। इसीलिए खेल है! जेबों पर मन की एक पहरेदारी रखे सूची में अपने नाम के साथ जुड़े आगे-पीछे के नामों को ढूँढ़ना। लम्बा यात्रा में पहले नाम मिले। फिर झलक। फिर परिचय के शहर। यात्रा में चाय, चहक और बातूनी होने के लिए चुप-चेहरा। वह सुखद कल्पना जिसे भूल चुका था, तमाम हड़बड़ी में इन्हें देखकर याद आ गयी।

खिड़की के काँच सावधानी में कसे थे। मटमैले उल्टी धब्बों के पार स्टेशन का पिछड़ा हिस्सा दिखता था। बड़े-बड़े बाँस की टोकनियाँ। इनमें बर्फ़ से दबी मछलियाँ हैं। गन्ध पानी के साथ रिसती होगी। उससे लगी हुई सीमेंट की बेंच पर खिलाड़िनें बैठी थीं। कुछ खड़ी। उनके कोच कानों तक खींचकर हँस रहे थे। बेवजह। वे सब हँस नहीं रही हैं। हॉकी झुलाती ट्रेन और खेल का इंतज़ार कर रही हैं। बेरौनक घिसी यूनिफॉर्म। मटमैले धब्बों में वे और भी सूखी लगती हैं।

मैंने कहा, ''काँच खोल दिया जाए, ताज़ा हवा आएगी।''

वे खूँटियाँ सहलाते तुरन्त बोले, ''अभी कहाँ! गाड़ी चलने दीजिए।''

वे मेरी बर्थ पर बैठे साथी की ओर देखने लगे। भारी सिर और मन लिए वे एकान्तवास में थे। उनकी घरेलू गतिविधियों के आदी हो गये होंगे। या अकसर इसी में सफर करते होंगे। हूँ भी नहीं की। लम्बे सफर में चलने वालों की उदासीनता उनके पास थी। खिड़की से कोई मतलब न था।

''दौलत भाई, खोल दो खिड़की, कौन जुकाम हो जाएगा!'' सफारी वाले ने पहलू बदलकर कहा। उनकी आवाज़ बेहद मुलायम थी और शब्द गोल-गोल होकर लुढ़क रहे थे।

''रसिक भाई, जुकाम तो आज तक मुझे हुआ नहीं। हवा है, पाला नहीं। खोल लो। हमें क्या! लोग ज़रा-सी खिड़की में घुसे पड़ते हैं।''

रसिक भाई ने उनके इतिहास को टटोलने में देर नहीं की। साथ पुराना होगा। तुरन्त चेहरे पर हँसी की चमक खिल गयी। फुरफुराया बदन। हँसी जैसे शरीर की मालिश करती हो। ''गुरू, तुम्हें काहे को होने लगा। दो रोटी की चिन्ता करे वो जो खाँसी-खुर्रे में मरने लगे। तुम्हें क्या?''

मैंने खिड़की तुरन्त खोल दी और इसी से सटकर बैठ गया। मेरे भारी सिर वाले साथी विनम्रता से खिसक गये। छोटे बच्चे को मान-मनौवल के बाद खिड़की दे रहे हों जैसे। उनके बच्चों की यह जगह छूटी रही हो। आदत में।

''कहाँ जा रहे हैं?'' मैंने चट् से पूछा।

वे पत्रिका में अक्षर पकड़ रहे थे। वहीं से बोले, ''मद्रास।''

''ओ हो, बड़ी दूर।'' फिर तसल्ली हुई। मालूम नहीं, क्यों हर बार हम अपने सहयात्री से यही पूछते हैं। अपने से दूर शहर पर उतरने की खबर एकदम से निश्चिंत कर देती है।

''एक बार मैं भी मद्रास गया था। हिन्दी सिखाने वाली समिति में। अब तो साहब, बड़ा बदल गया होगा।''

सचमुच दौलत भाई के लिए यह कमरा था। हर बातचीत में शामिल। वे पुराने मद्रास को याद कर रहे थे।

''तुम यार, हिन्दी कब से सिखाने लगे?''

रसिक भाई किसी बिगड़ैल की तरह लग रहे थे। उम्र में काफी छोटे। सम्बोधनों की भूल नहीं थी। हर बार एक नया सम्बोधन। उन्हें मालूम है, हिन्दी एक डिग्री है। दौलत भाई के पास नहीं है।

''बड़ी पुरानी बात है भाई! अब तो यह चलन बन्द हो गया।''

वे हिन्दी से ज़्यादा पुरानी बात में डूब रहे थे। एक पुराने मद्रास में। स्लेट और पेंसिल के साथ।

''हिन्दी या सिखाने का चलन?''

मैंने पूछा नहीं था। उन्हें दुविधा में डाल रहा था।

''दोनों ही। जब दोनों की हालत ऐसी हो।''

कठोर उँगली से दौलत भाई की ओर इशारा करके रसिक भाई ने हँसी से अपनी बात को नहलाया। दौलत भाई ने उनकी ओर धीमे से मुड़कर देखा। वे बोलने के लिए तैयार हो रहे थे। मगर होंठ कस गये। कुर्ते की जेब से सुँघनी निकाली। नथुने फड़फड़ाए। हथेलियों को ताली से साफ किया और उठे। इतनी तैयारी के बीच जैसे बोलना याद ही नहीं रहा। दोनों तरफ देखते हुए बाहर निकले। दरवाज़ा बन्द कर गये।

ट्रेन ने अँगड़ाई ली। नींद से जागती। हवा के झोंके से मालूम पड़ा, अभी तक मछली की गन्ध भरी थी। शहर धीरे-धीरे छूटने लगा।

''आप कहाँ तक?'' बाहर भागते घरों को गिनते हुए पूछा।

रसिक भाई ने रूमाल से होठों के कोर पोंछे और झंडी की तरह दो उँगलियों के बीच झुलाने लगे, ''दिल्ली तक गया था।''

''कोई बिजनेस वगैरा करते हैं?'' पहले आदमी की कदकाठी से उसके काम-धन्धे के बारे में कुछ-कुछ आभास हो जाता था। अब अन्दाज़ कहाँ होता है। इंजीनियर, डॉक्टर, सम्पादक, जिलाधीश—इनमें से भी कुछ हो सकते हैं रसिक भाई! पूछने का एक ढंग होता हैं बस और ट्रेन की बोलचाल दो अलग कायदों में चलती है। बस में बैठकर मुँह से मुँह भिड़ाकर जोर-जोर से चीखते हुए हम थोड़े शब्दों से काम चला लेते हैं। ट्रेन में बैठते ही उत्सुकता पतंग की डोर बन जाती है।

''हाँ जी, साबुन का धन्धा है। कैमिकल की बात करने गये थे।''

''साबुन का धन्धा भी खूब चलता है। आजकल जितनी देर आप नहाते हैं, उतने में पाँच साबुन के नये नाम आ जाते हैं।''

''बस, साहब, चल गया तो समझो चल गया। कुछ चले इसी से नये नाम चलाने पड़ते हैं। इन दिनों तो लोग बस नाम घिसते हैं, साबुन से क्या?''

''इससे तो चूरा अच्छा।''

''भाई साब, मैं तो दिल्ली गया था जोर मारने। रम का जुगाड़ हो जाता हो वही बनाते। बाहर की बजाय कम से कम अन्दर की धुलाई तो होती।''

''अन्दर की धुलाई ऐसे ही हो सकती है, वरना किसी को क्या पड़ी है।''

सहसा ताजा राष्ट्रीय घटनाओं का जिक्र होने लगा। घटनाएँ कितने करीब की होती हैं, यह बोलते-बोलते ही समझ आती हैं। छोटी बातें हो गयी हैं यह

बताना कि किस नीति में, किस योजना में शुरू से गलती कहाँ से हुई। अब तो सभी जानते हैं, घपले तो होंगे ही। किसका स्वभाव कैसा है, कौन भगोड़ा है! हमदर्दी के बहाने हम कहाँ भटकेंगे, यह जानना मामूली हैं सलीका तो यह है कि गठबन्धनों के फर्जी कार्यक्रम में वे लोग धोती पहनते है। या पैंट, इसकी बात हो जाए। ''विश्वास नहीं है'' का पीछा करता हुआ भोला विश्वास भागता है। किसी भी समस्या का हल इसी के सहारे हिलती-डुलती बोगी में हरेक के पास है। समस्या की सूची और हरेक के तीन हल। सलीके पर हाथ फेरते हुए रसिक भाई ने कोई नाम याद किया। शाम, होटल, शराब इत्यादि? परिचित नाम का अपना ही प्रभाव होता हैं मेरे बगल के साथी पत्रिका बन्द करके सुनने लगे।

''क्या? क्या सुना रहे हो?''

धीरे से दरवाज़ा सरकाते हुए दौलत जी आए। पहले सिर आया। पंजों के बल। स्लीपर गीली थी। चट्-चट् पैरों पर तमाचे मारती।

रसिक भाई ने आँख दबाई। मुस्काए। ''वही जो मस्ती में...हाँ!''

''इस देश का बहुत पतन हो गया है।'' दौलत जी का मुँह लटक गया, ''कभी हमने सोचा था क्या, इसी दिन के लिए यह बलिदान था? क्या यही होना था?''

उनके हाथ हतभाग्य से हवा में तैरे। तैरते हुए मेरी ओर अधर में टिक गये।

कई बार सुनी बातों का जवाब आसान होता है। उसे बस बल खाते बाहर करना होता है। मेरे कहने के पहले ही रसिक भाई बोले, ''तुम्हारी यही खराबी है पंडिज्जी! क्या? अरे जब ज़मीन आ गयी, पैसा आ गया, तो क्या बैठकर रोएँ? लहसुन खाओगे तो गरमी होगी कि नहीं? करते हैं! खाएँ-पीएँ न, मौज न करें, तो क्या तुम्हारे बलिदान वगैरा को सेएँ?''

तू-तड़ाक के बहीखाते को रसिक भाई बड़ी जल्दी से पलट रहे थे। उन्होंने दौलत भाई के कन्धे को छुआ। जगह दी। ठिठोली से बैठाया। हँसकर बोले, ''आपका क्या है?''

''भई, जिसमें गूदा होता है, वही न्यौता देता है। वही जाता है।''

दौलत भाई थोड़ा-सा सिकुड़ गये। सिकुड़ने को ज़्यादा जगह न थी। फिर उन्होंने मुँह फेरा और खिड़की के बाहर घने होते अँधेरे को देखने लगे। बातचीत का एक बिन्दु ऐसा ही आ जाता जिस पर ठहरकर हम सभी कुछ बोलना चाहते हैं। उत्तेजना, खलबलाती उक्तियाँ और चुनौती की लुग्दी।

''दौलत भाई, क्या सचमुच बदल गये हैं? मेरे खयाल से नहीं। बस, तरीके बदल गये हैं।'' पहली बार मेरे साथी ने समझाकर कहा।

''क्या तरीके बदल गये हैं! नहीं-नहीं, हम पहले से भी अधिक हिंसक हो गये

हैं। जरा भी देर नहीं करते। काम का तरीका एक ही है यह। केवल।'' दौलत भाई ने कहा। वे खीजे हुए थे।

''हिंसा तो पहले भी थी। इतनी ही। पर पहले आदिम कहकर कम आँकते थे। लोग बढ़ गये हैं। तरीके बदल गये हैं। तो इसका रोना भी बढ़ गया है।''

''तो आप कहते हैं सत्य, करुणा, अहिंसा—इन सबका कोई मोल नहीं है?'' दौलत भाई ने पूछा।

''है क्यों नहीं! मगर इनका स्टॉक आप लोगों ने वास्तव में रखा होता तो क्या चुक जाता। मैं तो आज़ादी के बाद हुआ हूँ। बताइए, बलिदान की याद आप लोगों को ही बार-बार क्यों दिलानी पड़ती है?''

बहस में टुकड़ा जोड़ते हुए मैं बोला था।

''कोई साधु है तो उसका ट्रेड मार्क है। बल्कि कई हैं। भगवा हो, चाहे उपवास, इनका भी यही है। क्यों, है न दौलत भाई?''

रसिक भाई अपने सहयात्री की चिकोटी ले रहे थे। अपनी बात कहकर बहुत अपनापे से वे दौलत भाई को छूते थे। दौलत भाई अपनापे की छुअन और उनकी बात का जवाब नहीं देते हैं। वे सोच में डूबते हैं। जैसे पहल बार। उनकी सहज लटकी मुद्रा को इसका अभ्यास करना होगा। हर बार लगता होगा, यह पहली बार है। वे सहसा बोले, ''चलो भोजन हो जाये, बातें तो होती रहेंगी।'' वे उठकर खड़े हो गये। मैं और मेरे बगल के साथी व्यस्त हो गये। मैं ऊपर की बर्थ पर बिस्तर फैलाने लगा। बर्थ के मामले में रेल उम्र का खयाल रखती है।

दौलत भाई ने अपना एल्यूमीनियम का डिब्बा निकाला। रसिक भाई के पास बड़ा टिफिन था। अखबार बिछाकर डिब्बे सजाने लगे। उन्होंने बतलाया कि दिल्ली के प्रसिद्ध होटल का माल हैं। आग्रह से प्लेट में हमारे लिए तंदूरी रोटियाँ लगाईं। सब्जी और मिठाई रखी। धीरे से बिना कहे मन बन गया। हमने अपने डिब्बे निकाल लिए। एक सैंडविच मैंने दौलत भाई की तरफ बढ़ाई। रसिक भाई बन्द मुँह में हँस रहे थे। कौर खाकर बोले, ''ये नहीं खाएँगे। रहने दीजिए। ये महाराज पाँच दिन की हल्दी-पूड़ियाँ घर से लेकर निकलते हैं।'' दुष्टता से बोले, ''असली घी की छान रहे हो महाराज!''

तरह-तरह की रोटियाँ, सैंडविच, सब्जी, मिठाई। ठीक यही समय होता है जब घर की याद आती है। घर से लगातार बढ़ती दूरी। कभी-कभी बहुत विस्मय होता है। आए-दिन अखबार डराते हैं। खाने-पीने की चीज़ों में बेहोशी की दवा से लोग लुट रहे हैं। हर बार इस सावधानी को भूल जाते हैं। अभी-अभी भूल याद आयी। लोग लुटते होंगे, लुटें। अन्न-जल आशंका को मिटाता है। दौलत भाई

अपने द्चके एल्यूमीनियम के डिब्बे में से बहुत कम खाते हैं। उनके डिब्बे से एक ही गन्ध उड़ती है। पूरे डिब्बे में फैल जाती हैं अचार की तीखी गन्ध। सरसों और आम की। सबसे ऊपर। इच्छा होती है एक कली माँगूँ। टाल जाता हूँ। गमकता अचार टाल जाता हूँ। वे सबके साथ बैठकर अकेले हो, खाते रहे थे। निस्संग।

दरवाज़े पर सकुचाते हुए टीटी खड़े हो गये हैं। उन्होंने कहा कि अरे आप लोग भोजन कर रहे हैं, कीजिए-कीजिए। वे खड़े नहीं रहे। एक कोना बनाकर बैठ गये। रसिक भाई ने बतलाया कि हम सब भोजन लेकर निकले हैं। अब यहाँ के डिब्बों का कौन इंतज़ार करे। टीटी ने पुरानी बात को याद करते हुए कहा कि घर आखिर घर होता है। वे बोले कि यह सब दिल्ली की ऊँची होटल का खाना है। आप भी खाइए। टीटी ने कहा कि "नहीं साहब, हमारी किस्मत में कहाँ। बहुत काम पड़ा है। खा लें तो टिकिट बतलाएँ।" टीटी ने यह कहकर टिकिट देखने के लिए हाथ बढ़ाया।

"कोई बात नहीं। मैं खा चुका। पास है।"

दौलत भाई कूपे में घर-सा टहल रहे थे। साथ ही साथ थैलियों में छोटे-मोटे सामान जमा रहे थे। हर चीज़ के लिए उनके पास थैली थी। छोटी-बड़ी। उन सभी के मुँह बटुए की तरह खुलते थे। नाड़ा खींचने पर बन्द हो जाते थे। थैली में से उन्होंने पास निकाला। नीला पासपोर्ट जैसा। उसे देते हुए दौलत भाई का चेहरा संतरे की तरह खिला हुआ था। उनकी सारी चीज़ों में यही नीला था, एकदम नया-सा। सुनहरे शब्द ऊपर खुदे थे। उनकी सारी पुरानी थैलियों को जगमग करने लगी थी चमक।

टीटी पन्ने फेरते हुए बोले, "आप तो काफी घूम आये।"

दौलत भाई के चेहरे पर बच्चों की खिलखिलाहट छपी थी। उनका शरीर ढीलापन भूलकर हड्डियों पर तना था। यह तान थी जो पहली बार उन्होंने दिखलाई थी, वरना गाड़ी की चाल में, उसकी हिलडुल में वे वैसे ही हो गये थे। उसकी चाल में समरस। किसी अनुभवी बुजुर्ग की तरह वे थे। बोले, "पूरा हिन्दुस्तान देखना चाहता हूँ। हमारी मातृभूमि। सुविधा मिल गयी। लो देखो! खूब देखो!"

टीटी ने उनकी बात को पास पर नजर झुकाए-झुकाए सुना। वे बोले, "ज़्यादातर आप दिल्ली गये। खूब काम रहता होगा। कुछ भी कहिए, फ्रीडम फाइटर होने का यह तो आनन्द है।"

दौलत भाई फोल्डिंग कुर्सी की तरह मुड़-से गये। वे कुछ बोले नहीं। रसिक भाई उनकी तरफ तुरन्त देखकर बोले, "अरे साहब, अब दिल्ली न जाएँ तो कहाँ जाएँ? क्या कहते हैं कि, वही तो बस मातृभूमि बची है।"

सब हँसने लगे। वातावरण हलका हो गया। सब नहीं। दौलत भाई जैसे इस बढ़िया मज़ाक से बाहर थे। वे घुटनों के बीच में दोनों हाथ डुला रहे थे। साफ-साफ नहीं दिखते थे। घुटने कटोरियों की तरह थे। हाथ जैसे हिलकर इंकार कर रहे हों। चुपचाप। या शायद मुझे ऐसा भ्रम हुआ हो। बेचैनी में लोग हाथ-पैर हिलाते हैं। फिर आदत पड़ जाती है। बगैर बेचैनी के। वे यूँ ही कवायद करते रहते हैं। सतर्कता से पन्ने पर टिक लगाते हुए टीटी ने पूछा, ''इसमें केयरटेकर का फ्री पास भी है। कौन हैं आपके केयरटेकर?''

दौलत भाई की आँखें बहुत सूनी हो गयी थीं। वे बोलना नहीं चाहते होंगे। सूनेपन से उनकी आँखें और सिर मूक, रसिक भाई की ओर मुड़ गया। रसिक भाई कौर मुँह में घुलाते हुए खुश हुए, ''और कौन, मैं!''

''अच्छा, अच्छा! आप हैं!''

विनम्रता से टीटी ने नाजुक होकर कहा, ''माफ कीजिए, काम निबटाना पड़ता है। पिछली दफे बड़ी गड़बड़ हो गयी थी।''

''क्या?''

''बुरा मत मानिएगा।'' वे दौलत भाई की ओर बिना संशय के देखकर बोले, ''पिछली दफे अटेंडेंट एक गरीब को निकाल फेंके दे रहा था। अकेला था। कूपे के लोग भी पीछे लगे थे। मालूम नहीं कौन है, रात को कुछ कर जाए।''

टीटी रुके। खुलकर कहकहा लगाते हुए कहने लगे, ''दरयाफ्त की तो मालूम पड़ा, जनाब के पास, पास है। नये-नये थे। वो भी अकेले। साहब, कायदे से पेश आना पड़ता है। बुरा जमाना है। गर्दन पर तलवार लटकी रहती है।''

थैली में दौलत भाई ने पासबुक को सहेजा। सुँघनी निकाली। छोटी डिब्बी। चुटकी में लेकर बड़ी जोर से साँस ली। कोई तना छीला जा रहा हो। वे कुछ बोले नहीं। बस, लम्बी साँस लेने लगे।

टीटी ने हलके से झुककर कहा, ''अच्छा, रात को सिटकनी लगा लीजिएगा।'' फिर हँसा, ''जानमाल की रक्षा तो आखिर अपने को ही करनी होती है।''

उसके जाने पर रसिक भाई बोले, ''ये टीटी भी अजीब होते हैं। प्लेटफॉर्म पर खड़े हों तो अलग दिखते हैं। दूसरे दर्जे में कुछ और हो जाते हैं। स्टेशन के साथ-साथ इनकी हालत भी बदल जाती है।'' फिर जैसे कोई काम याद आया, ''आप कह रहे थे, मद्रास जा रहे हैं। किसमें हैं?''

मेरे बगल वाले सज्जन भीतरी स्वर में फुसफुसाकर बोले, ''इंकमटैक्स, आयकर।''

वे कम बोलते थे। इतनी गहरी आवाज़ सुनकर लगा, वे इंटेलीजैंस बोल रहे हैं। इंकमटैक्स, यू आर राव!

“अच्छा, अच्छा, यह तो बहुत अच्छा है।”

रसिक भाई खुश हुए, जैसे बोगी में नयी सुविधा जुड़ गयी है, या कमोड में फ्लश ठीक-ठीक पानी फेंक रहा हो।

राव साहब तसल्ली के लिए मेरी तरफ देखने लगे।

“मैं कैमल आर्टीफीशियल इंसेमिनेशन सेंटर में हूँ।”

भौंचक रसिक भाई मेरी ओर देखने लगे। राव साहब ने जतलाया जैसे सब जानते हैं। नये-नये काम-धन्धों के ऐसे ही नाम होते हैं। उन्हें पता है।

“रसिक भाई, गाय-बकरी तो पालेंगे ही। कभी ऊँट की सेवा लेनी हो तो मुफ़्त सेवा है। सेवा तो समझ ही रहे हैं न?”

वे खिलखिलाए। राव साहब की ओर हाथों से बोतल का आकार बनाकर पूछा, “चलेगी सर?”

“हाँ, ठीक है। न भी हो तो कोई बात नहीं।”

“है न सर! इसीलिए तो पूछता हूँ।”

गिलास बन गये। “सर, पहले से मालूम होता तो खाना बाद में हो जाता।”

“खाने का क्या है! कभी भी खा लो। असल चीज़ तो है कम्पनी।”

वे गिलास और खाने को संग-साथ के अहसान से निचोड़ रहे थे। रसिक भाई ने मधुरता से कहा, “जी हाँ, सर! जी हाँ!”

“अब सर मत बोलिए। सुन-सुनकर ऊब होती है। ट्रेन ही तो है जो ऊब को अपने ढंग से कुचलती है। पिकनिक है।”

वे अपने अन्दर पिकनिक की हरियाली गुपचुप लिए चल रहे हैं, यह सुनकर विस्मय हुआ।

“वाह, क्या बात है! वैसे हमारे यहाँ तो आपके लोगों का आना-जाना बना ही रहता है। क्या करें, छोटी जगह है। पैसे का क्या अचार डालेंगे।”

यह कहकर उन्होंने चार-पाँच नाम लिए। यू.आर. राव उन्हें जानते नहीं थे। बस, गिलास से चुपचाप बड़े-बड़े घूँट लेते रहे। घूँट गले से मजे में सरक जाता था। मेरे गले की घुटकी बाहर निकली हुई थी। वह हर घूँट में ऊपर-नीचे होती। गट्-गट् की आवाज़ आती। उम्र बढ़ने पर घुटकी गुम हो जाएगी। गर्दन की गोलाई में। यू.आर. राव की तरह निःशब्द। तब तक मेरे इलाके में ऊँट की जनसंख्या बीस हज़ार हो जाएगी। बीस हज़ार रेगिस्तान के जहाज़। इन जहाज़ों के लिए चटियल भूमि का विस्तार होगा।

रसिक भाई ने अपना पर्स खोला और ताश की तरह विजिटिंग कार्ड फेंटने लगे। एक मुझे भी दिया। राव साहब का पता नोट किया। मुझसे रसिक भाई

बोले, ''मालूम नहीं, ऊँट की थैली अब बिकती है या नहीं? हमारे यहाँ बहुत पुरानी पड़ी हैं। पानी और इत्र की कुप्पी। सुनते हैं, उसमें पानी पीने से प्यास नहीं लगती। अब तो कहीं दिखाई नहीं पड़ती।''

''अब तो किसी भी चीज़ से होंठ लगाके पियो। प्यास बनी ही रहती है।'' राव साहब ने लहककर प्राचीन आशिक की तरह कहा।

रसिक भाई ने कुछ चुटकुले उदर पर हाथ फेरते हुए सुनाए। वे सब सुने हुए थे। राव साहब ने उटंग होकर उनके हाथ पर हाथ मारा। वे पतंग की तरह हलके और सधे थे। किसी कॉलोनी के नाम पर उन्होंने अगली यात्रा में रसिक भाई को शामिल किया। रसिक भाई ने संजीदा होकर आँख मारी, ''बुरा मत मानिए, मेरे अपने उसूल हैं। बालक-पालक साथ होंगे। है न दौलत भाई?''

दौलत भाई हम सबसे अलग थे। कोई भजन गुनगुना रहे थे। भुन्न-भुन्न। उन्होंने मन रखने के लिए सिर को थोड़ा-सा हिलाया। जो नहीं पीते, वे योगी की तरह हरेक को देखते हैं। गिलास, बोतल, कहकहे, बहकी बातें, गायक से लहराते पियक्कड़। मिथ्या। परन्तु वे किसी अनजाने दाब में मन रखते हैं। दौलत भाई जैसे किसी ऊँची चट्टान पर बैठे थे। रसिक भाई के तहे हुए दिल को रख रहे थे।

लोहे के पहिए किसी विशेष धुन पर नाचते चल रहे थे। अब उसके भागने की गति में भाँय-भाँय नहीं थी। धुन तो थी, पर शब्द बिछुड़ गये थे। बाहर अँधेरा है। अँधेरे में डूबा जंगल। धुन्ध में सोती घाटियाँ। रोशनी की खिड़कियाँ उन पर लगातार छप रही थीं। इनमें से बीच-बीच में पौधे दिखते हैं। कभी डायरी में कविता हो जाती थी। अब पीने के दौर में आती है। जाती है। धुन हू-ब-हू वही थी। गीत याद करने लगा। छह-छह पैसे। छह-छह पैसे। इस धुन पर क्या नया तैर सकता है। पुरानी धुन, नयी बात।''

''राव साहब, आइए, इस धुन पर कोई गीत कहें।''

अचकचाकर उन्होंने मुझे सूँघा। ''गीत? अच्छा, सोचते हैं।''

रसिक भाई जोर से हँसे। दोनों पैर फैलाकर शरीर को ढीला छोड़ दिया। ''क्या धुन और क्या गीत। इन सब बातों के लिए समय कहाँ है।'' रुक कर बोले, ''सुनना है तो इनसे सुनिए। खूब याद हैं। सुनाओ तो दौलत भाई—'नहीं झुकेंगे बढ़े चलेंगे।''

''...''

''अरे यार, सुनाओ! आपको तो खूब याद हैं। भई, अपने शहर की लाज रखो। हाँ, वो वनमाली फेंक हो जाए।''

''हाँ-हाँ, सुनाइए। इसी बहाने वक़्त कटेगा।''

हम सबने इसरार किया। रसिक भाई की दबी आँख उनके दूसरे ओर थी।

देख नहीं पाए थे। दौलत भाई ने जम्हाई ली और बोले, "वे दिन और थे। तरुणाई का जोश था। गीत थे, टोलियाँ थीं और हम गाया करते थे। हमारे शहर में गाँधी जी आए थे। बड़े दुबले-पतले हो गए थे। मैंने ही बगीचे से नीबू तोड़े थे। खूब बड़े और पीले। ढेबर जी कहने लगे—दौलत, गाँधी जी देश-सेवा करते हैं। लोगों में प्राण-संचार करते हैं। गाँव-गाँव, शहर-शहर घूम-घूमकर लोगों को जगा रहे हैं। आज स्वल्पाहार भी नहीं ले रहे हैं। दौलत, तुझे सेवा का मौका मिला है। जा, तू नीबू ले आ कैसे तो भी करके। बहुत बड़े-बड़े नीबू। नीबू का शर्बत पिया होगा उन्होंने। इतने बड़े और मस्त नीबू थे।"

दौलत भाई ने अपनी हथेलियों में जगह बनाई। अदृश्य, बड़े और मस्त नीबू उसमें घूम रहे थे। वे हमारी तरह ही किसी लय में खो गये हैं। शराब के दौरादौर में यह न पीने वालों पर भी असर करने लगती है। हवा में घुलकर, नथुनों के सहारे। दौलत भाई पैरों को पालथी में समेट, हाथ उन पर रखे थे। हड्डियों पर त्वचा रस्सी की तरह ढीली-ढीली बँधी थी। जैसे रस्सी खुल जाने पर एकदम हड्डियाँ दिखने लगेंगी। खादी की लुंगी को उन्होंने थोड़ा ऊपर मोड़ लिया था। वे बोगी के साथ किसी सपने में धीमे-धीमे हिल रहे थे। कभी इधर, कभी उधर। बरबस मुस्कान होंठों पर लगातार थी। उन्होंने बताया, "जब कभी सभा होती, समझो मैं ही ढिंढोरची था। हर जगह जा सकता था। जाता। एक रात ढेबर जी ने बुलाया। खूब रात। कहने लगे—अचानक कल की बात बनी है। पांडुरंग जी आ रहे हैं। हो सकता है, पंडित जी भी आएँ। लोगों को इकट्ठा करना है। सभा जमके होगी; तो मैं, साहब, रात-रात घूमा। सभी भाइयों को खबर की। दूसरे दिन पांडुरंग जी तो आए, नेहरू जी किसी काम में फँस गये थे, आ नहीं सके। ढेबर जी बोले थे,—दौलत, तुमने बड़ा काम किया। रात-भर, दिन-भर, एक कर दिया। पांडुरंग जी काफी प्रसन्न थे, बोलते थे, नेहरू जी को खबर करेंगे। ऐसा जोश, ऐसा उत्साह था साहब। अब कहाँ! वो तो एक बार...।"

"'यार दौलत भाई, आपकी यही खराबी है। कहते हैं, गीत सुनाओ तो नहीं। बस, वही पींपीं'।"

रसिक भाई कड़वे मुँह से बोले थे। अब अटपटा नहीं लगता। पहले लगता था। उम्र के परदे उतर गये थे।

"हाँ-हाँ, वही तो सुना रहा हूँ।"

वे एक टेक लेकर गाने लगे। भरी साँस। ऐसा गाना जो कोई कहे तो हम सभी सुना नहीं सकते। पूरा याद नहीं आता। पर कोई गाये तो पीछे-पीछे गाया जा सकता है। शब्द दर शब्द। मेरी आँखें नींद और नशे से बोझिल हो गयीं।

दौलत भाई के बेसुर चढ़ने लगे। मैं उचककर ऊपर की बर्थ पर लेट गया। नींद कभी भी ट्रेन की गति से नहीं भागती। सपना, खटखट और राव साहब की हँसी के बीच दौलत भाई का किस्सा चल रहा है। बलिदान, पुण्यभूमि, गोलियाँ, शराबबन्दी। बहुत सारे किताबों से झरते नाम। नींद में दौलत भाई दिखलाई पड़ते हैं। मैं चित पड़ा हूँ। उनकी उँगलियाँ लोहे की संसी में बदल गयी हैं। वे कमर में रेशम की लम्बी रस्सी बाँधे हैं। उसके छोर पर फुँदना है। रसिक भाई रस्सी को झटका देते हैं। मोटी रस्सी। वे संसी से मेरा गला दबाते हैं। पतली-पतली लोहे की उँगलियाँ! राव साहब के हाथ में बहुत सारे नीबू हैं। वे दो हाथों के बीच अनेक नीबू उचकाते हैं। दो हाथ में बाकी अधर में। बारी-बारी से। एक चक्कर में। वे जादूगर की तरह जोर से गिनते हैं। दौलत भाई बोल नहीं पाते। उनकी जीभ पर दूसरी लम्बी जीभ चढ़ी है। मुँह बन्द नहीं हो पाता। दुहराने में गों-गों की आवाज़ करते हैं। मैं पसीने के बीच अपनी टूटी नींद को पाता हूँ। कूपे का रंग, बदल गया हैं नीला बल्ब। लोहे के चक्कों में कोई लय नहीं है। वे पूरी जोर से चीख रहे हैं। खट् खटा खट्। खट् खट्। करवट बदलकर नीचे देखता हूँ। दोनों चादर करीने से लपेटे सो रहे हैं। ऊपर की बर्थ पर दौलत भाई हैं। आँखें छत पर टिकी हैं। दिपदिप करती खुली हुई। मैंने बहुत धीरे से पूछा, ''दौलत जी!''

''हूँ?''

''नींद नहीं आ रही?''

''हाँ।''

''बहुत रात हो गयी।''

''हूँ। आप सो जाएँ।''

मैं उन्हें दोबारा नहीं देखता। करवट लेकर दूसरी तरफ हो जाता हूँ। दौलत भाई क्या अभी भी जाग रहे होंगे? सपने आते हैं। वे कहीं और चले गए हैं।

सुबह चाय वाले की पुकार से हुई। कोमल धूप से कूपा कुछ बड़ा लगने लगा है। लम्बी और छोटे कद की पहाड़ियाँ हरी थीं। ''चाय लाओ सबके लिए।'' मैं कूदकर नीचे आ गया। जैसे दिन पर कूदा। रसिक भाई और राव साहब चादर गले तक ओढ़े हुए हैं। दौलत भाई नहाकर आ गये थे। बालों से पानी चू रहा है। मैं दिन की शुरूआत में नरम था। हँसकर बोला, ''आप तो नहा लिए।''

''बहुत पहले। मेरे लिए चाय रहने दें।''

''क्यों?''

“बस, कभी-कभार पीता हूँ। दूध की आदत थी, वह भी छूट गयी।”

भरपूर सुबह है। कुछ समय बाद मेरा स्टेशन आ जाएगा। क्या बारिश मेरे यहाँ भी हो रही होगी? हलकी बारिश रात को होती रही। पता ही नहीं चला। चमकदार धुले पत्तों पर किरणें उछल रही हैं। आग्रह से कहा, “पी लीजिए आज।”

“रहने दीजिए। बोल दिया सो बोल दिया।”

रसिक भाई ने समझाया। रात को दोनों खेदा कर रहे थे। चारों तरफ से हुंकारा करते। गीत गाते दौलत भाई। क्या बजा होगा? घड़ी देखी तो बन्द है। चाभी को घुमाने की कोशिश की। भरी हुई थी। कान के पास ले जाकर सुना। निर्जीव। निस्पंद। उसे हथेलयों के बीच थोड़ा-सा ठोंका। कोई हरकत नहीं। दौलत भाई बहुत ध्यान से देखने लगे। उनकी कलाई पर घड़ी नहीं थी।

“राव साहब, क्या बजा है?”

वे तकिए के खोल के अन्दर हाथ डालकर घड़ी खोजने लगे। दूसरी श्रेणी में होते तो चप्पल भी तकिए के नीचे रखते। उन्होंने बताया। अब इस रूठी घड़ी में क्या समय बजाएँ।

“क्यों साहब, क्या हो गया? लगता है, बन्द हो गयी?”

घड़ी चुम्बक है। वे खिंच आये थे।

“हाँ। हो गयी।”

“लाइए। देखूँ।”

दुविधा में मैं हाथ में घड़ी लिए रहा। इसमें अब देखने को क्या है। रसिक भाई की ओर देखा। वे बताएँ कि क्या करें। बहुत अधिकार से बोले, दे दीजिए। देखिए इनका कमाल।

दौलत भाई फूल की भाँति घड़ी को हथेली में लिए थे। पिन से पीछे का ढक्कन खोल रहे थे।

“दौलत भाई से निश्चिंत रहें। हमारे यहाँ के बेहतरीन घड़ीसाज़ रहे हैं। बड़ी पुरानी दुकान थी साहब। क्यों दौलत भाई, अंग्रेजों के जमाने में सबसे पहली? हमारे यहाँ?”

“हाँ।” वे मशीन को आँखों से टटोल रहे थे। हिलती-डुलती गाड़ी में अब पुर्जे उछलकर गिरेंगे। अभी तो मशीन चमकदार है और अनारदाने-से नग स्टील पर चमक रहे हैं।

“बाद में तो बस नाम को रह गयी। कभी बैठे ही नहीं। समय मिले ढेबर जी से तब न। कोई घड़ी दे गया तो समझो, महीने-भर की छुट्टी। ढूँढो इनको सभा-जलसे में। कभी यहाँ कभी वहाँ”

"ऐसा क्यों?"

"मन ही नहीं लगा।"

दौलत भाई इस बार बोले। होंठों पर हँसी रेंग गई।

"अरे मन क्या? इतनी अच्छी दुकान। छोटी ही सही, बड़ा नाम था इनका। बन्द हो गयी। आज तक वही हाल है। हर जगह सभा-समारोह में माला तैयार है। बुलाओ दौलत भाई को। माला पहनाओ और सुनो इनकी बातें। रोज-रोज। अब शहर में उन दिनों के लोग रह कहाँ गए हैं। जो हैं वे छोटे-मोटे में हिस्सा लेते नहीं।"

"अरे बचते हैं। बस, खींचो मेरे को।"

"गुरु, कह तो ऐसे रहे हो, कोई ढकेलकर ले जाता है। अब तो चुपचाप चले जाते हो। पहली कुर्सी हथिया लेते हो। मजे हैं। और बस, एक वही भाषण।" रसिक भाई लाड़ दिखला रहे थे। किसी कोने में वे वैसे ही शहरी थे। उसी शहर में माला पहनाते होंगे। अफसोस के साथ बोले, बच्चा था तब से ऐसा ही देख रहा हूँ। इसके सिवाय किसी ने कुछ पूछा नहीं। इन्होंने कुछ किया नहीं। आप मानो कि इनका लड़का और पोता दोनों मेरे यहाँ साबुनपानी करते हैं।

"अब ठीक है।"

दौलत भाई ने उनसे कहा। रसिक भाई ने सिलसिला तोड़ा नहीं। मोड़ दिया। बोले, "डंका बजता था। इतना अच्छा कारीगर। कभी-कभी लोग पुरानी घड़ी लेकर आ जाते थे। ऐसा बुरा बोलते थे कि बन्द हो गया। अब क्या यही काम रह गया है। मिस्तरी हैं क्या हम!"

"अरे नहीं। ऐसा कहाँ! क्या काम नहीं कर देते?"

"छोड़ो भी। फिर तो लोग भूल नहीं गये? पर साहब, पुरानी घड़ी के एकदम कीड़ा हैं। दौलत भाई!"

"हज़ारों घड़ियाँ देखीं, तरह-तरह की। लोग उस ज़माने में चार हज़ार की घड़ी बिना हिचक दे जाते थे।" रुककर उन्होंने ज़िन्दगी-भर की घड़ियों की टिक्-टिक् सुनी, फिर बोले, "हमारे यहाँ का पुराना ज्ञान महान् है। बड़े-बड़े वैज्ञानिक पैदा हुए हैं। आप संसद मार्ग पर गए हैं?"

"हाँ-हाँ।"

"उसके आगे जंतर-मंतर है। गए?"

लापरवाही से बोला, "गये तो!"

"कमाल है साहब! धूप-घड़ी देखी। धूप के कोण से समय पता चल जाता है। ठीक-ठीक। बदन में मेरे तो सिहरन हो जाती है। एक ग्रह दूसरे ग्रह को समय बतलाता है। हज़ार साल से।"

"खामी बस यही है, कहीं ले जा नहीं सकते।"

"नहीं-नहीं।" उदास होकर दौलत भाई बोले, "यह बात नहीं है। सच तो यह है कि सूरज छिप जाये तो किसी काम की नहीं रहती। धूप-घड़ी कहाँ की? एकदम मरे आदमी की कबर। मज़ार।" वे पिन से मशीन को टटोल रहे थे। मगन होकर बोले, "बड़ी छोटी-सी बात है। लीजिए, हो गया।"

"चल गयी?"

दुर्लभ चमक उनके चेहरे पर कौंध गयी। सूखे चेहरे पर आर्द्र।

"मैं हाथ लगाऊँ और न चले? फिर रखा ही क्या था इसमें! चाभी आपने ज़्यादा भर दी होगी। अटक गयी। बड़ी पुरानी है।"

"हाँ। नहीं बदलता। यही अच्छी लगती है। मेरे नाना ने हाईस्कूल में पहले आने पर दी थी।"

"वाह जी। बहुत अच्छी बात।"

वे घड़ी का पट्टा खोल अपने कुर्ते से घड़ी का फ्रेम घिसने लगे। बढ़िया कारीगर का धीरंत। "आपने ठीक किया। समय को किसी न किसी भावना से जुड़ा रहना चाहिए।" वे नये जमाने की घड़ियों की बातें बताने लगे। वे सभी घड़ियाँ जो खुद जानने के लिए खोलीं। लैंस से परखा। अब इनमें करने को कुछ नहीं है। फिर अनुराग से बोले, "पर होती बहुत अच्छी हैं।" घड़ी साफ-सुथरी हो गयी। दोनों हाथों से देकर बोले, "देखा, ऐसे किया जाता है। घड़ी से कभी भी सख्ती से पेश नहीं आना चाहिए। बच्चों-सी होती हैं। नहीं तो मुँह फुला लेती है।"

कोई छोटा स्टेशन आया। बड़े के इंतज़ार में पहले सुस्ताने के लिए।

"मैं चाय पियूँगा। आप भी आओ न! आप लोग भी आइए।"

"बस। बस। हो गया!" उन लोगों ने कहा। दौलत भाई उठे। स्टेशन पर दो-चार लोग थे। एक बहू किसी बुजुर्ग से लगकर रो रही थी। जोर-जोर से। दूसरे लोग इस तरह कह रहे थे कि जल्दी रोना खत्म करे। समय नहीं है।

"भाई, मैं पियूँगा नहीं। ऐसे ही आ गया। बहुत देर से जमीन पर चहलकदमी नहीं की, इसलिए।"

"अरे लीजिए!"

"ऐसा तो नहीं कि आप मेहनताना दे रहे हैं?"

उन्होंने जैसे मजाक किया हो।

"ऐसा कैसे होगा! वाकई आप तो बहुत बड़े घड़ीसाज़ हैं। इतनी जल्दी।"

"अच्छा, ठीक है। लाओ, पीते हैं।"

उनकी गहरी खुशी में चाय को सहारा मिल गया। "वैसे कभी-कभार चलती

है। बड़ा खर्चीला शौक है। कितने की है?''

''डेढ़ रुपये।''

''एक?''

''और क्या?'' चाय वाले ने उकताकर कहा।

''लूट है साहब!'' हँसे और बोले, ''सालों बाद रेट पूछे।''

दोनों हाथों से वे कप पकड़े हुए थे। भाप को गहरी आत्मीयता से खींच रहे थे। सुँघनी की पुरानी आदत। बहुत दुबले मांसहीन शरीर का यह हिस्सा लगता है। हड्डी का कप। बोन इंडिया।''

''आपने उस समय क्या किया था?''

जबकि मैं पूछना चाहता था, ''आपको ताम्रपत्र कैसे मिल गया?''

''मेरा जो लड़का है न, उससे बड़ा वाला, चौक पर से आ रहा था। मालूम नहीं, दुकान आ रहा होगा। छोटा था। मालूम नहीं, क्या बात हुई, गोली चलने लगी। मर गया। मैं सुन्न। बाद को बड़ा गुस्सा आया। सीधा थाने गया। हवलदार को चार जूते लगाए। मालूम है नाम, गयाप्रसाद। अंग्रेजों का जमाना। महीने-भर जेल रहा।''

उन्होंने बहुत थोड़े में कहा। चाय पीने लगे। वे सुड़कते हुए चिन्तित थे। गहरे डूबे। इतने कम में उन्होंने कोई बात की नहीं थी।

''इस दौरान बहुतों से भेंट हुई होगी?''

दौलत भाई ने कप चाय वाले को थमाया। अपनापे से मेरे कन्धे पर हाथ रखा। गहरे रहस्य से बोले, ''हाँ-हाँ, बहुत। आपने मुझे बढ़िया घड़ीसाज़ कहा। मैं जानता हूँ, आप एक न दिन दिन घड़ी बदलेंगे। किसी और को भी देनी पड़ती हैं ले के। एक बात सुन लीजिए। सभी घड़ियाँ अच्छी नहीं होती हैं। बल्कि जिनके ढोल पीटे जाते हैं, उनमें भी। क्या है कि कई घड़ियों के फ्रेम तो अलग-अलग होते हैं, दाम बढ़ जाते हैं, पर मशीन कइयों में एक कम्पनी की ही होती है। बताइए, आप कैसे पहचानेंगे?''

रेल ने सीटी दी। मैंने हड़बड़ाकर कहा, ''आप पहले जल्दी चढ़िए। देर लगेगी आपको। चढ़िए।''

इन दिनों इंजिन उसाँसते नहीं। धीरे-धीरे सरकते नहीं। भाप के गुब्बारे नहीं छोड़ते।

छोटी सीटी देकर एकदम चल पड़ते हैं।

हलाल

लगभग सप्ताह में एक बार इस सड़क पर आता हूँ। बाकी दिन याद नहीं आती। सड़क जहाँ से एकदम ढलान पकड़ती है, वहीं से गायब हो जाती है। अंजुमन मदरसे और दूसरी तरफ कदीमी हमाम दोनों की दीवारें सड़क को बचाए हुए हैं। इन दोनों के बीचोबीच चलते हुए लगता है जैसे बाड़े में घुस रहे हों। मगर नहीं। ढलान के समतल होते ही दीवारें रुक जाती हैं। आसमान दिखता है। आदमी के कद बराबर झुग्गियाँ। कुछ पक्के घर। एक विशाल चट्टान। उससे सटी सुरंग। सुरंग जैसी बनावट का मटन मार्केट। सुबह और दोपहर आधे अँधेरे में डूबा अन्दर का हाल। ऊपर चढ़ने वाली सीढ़ी को काटकर नाली बनाई गयी है। अन्दर की धुलाई के साथ खून बहता रहता है। नाली हरदम लाल और लबालब रहती है। नाली बाहर नाड़ी की तरह फैली मोटी नालियों में चुपके से मिल जाती है। काली बहती गन्दगी में लाल रंग धीरे-धीरे गुम हो जाता है।

"चलो मुन्ना, चलें। यहाँ बैठकर क्या करोगे?"

मेरी नरमी में फुसलाहट है।

"बाबा। आप लाइए न! मैं बैठूँगा यहीं स्कूटर पर।"

"अरे! चलो। देखो, तुम्हें यहाँ धूप लगेगी।"

मुन्ना हँसा। "धूप? अच्छी है। नरम।"

"तब तुम्हें लाने का। खैर। यहीं बैठना। इधर-उधर मत जाना।"

सचमुच उसे लाकर यहीं बैठाने से क्या मतलब होता! मुन्ना हर बार अन्दर नहीं जाता। उसका मन ही नहीं करता। कभी-कभी वह खाना खाते हुए कोई बात कहने लगता है। यहाँ की। खाने की थाली सरका देता है। वह कहता है, "बकरे का कटा हुआ सिर ऊपर से नीचे गिरते देखा। जमीन पर। मुँह बन्द था और आँखें झपकती तक नहीं, माँ। मैं नहीं खाऊँगा।"

धीरे-धीरे उसकी आदत् पड़नी चाहिए। हर बार लाता हूँ। मुन्ना कभी-कभी अन्दर चला जाता है। यह देखने के लिए कि उसकी माँ इस सबको कितने स्वाद

में बदल देती है। दुविधा और स्मृतियों को भुलाने के लिए वह कौतुक से पूछती है, "अच्छा, बतलाओ, ये गुरदा तो एक ही है, कौन खाएगा। कौन? बाबा?" चम्मच में चाकलेट की गोली-सा लुढ़कता रहता है गुरदा। मुन्ना शरमाकर हाथ उठाकर कहता है, "यह तो मेरा है। मेरा।"

हमें राहत महसूस होती है।

हँसी खिल जाती है।

सीढ़ियों के ऊपर घुसते ही हाँका शुरू हो जाता है। सब जानते हैं, यह किसका ग्राहक है। फिर भी उनका उत्साह कम नहीं पड़ता। हल्के अँधेरे में उनके चेहरे ठीक-ठीक दिखलाई नहीं पड़ते। कमीज़ पर पड़े खून के छींटों से मालूम पड़ता है। उनमें से कुछ, माँस का टुकड़ा आँखों के एकदम सामने ले आते हैं। उनके हाथों की खिंची नसें और लम्बे नाखून में फँसा माँस का टुकड़ा। आस से थरथराता। माँस नहीं उनका हाथ। करीम भाई में कोई हरकत नहीं होती। वे हाँके और हाथों को चुपचाप देखते होंगे। उनमें तेजी नहीं आती। अनिश्चय। कभी-कभार किसी दूसरे से मटन खरीदता हूँ। अपमान की बजाए लकड़ी की पीठी खुरचने लगते हैं। चापड़ से उसे साफ कर हाँका लगाने लगते हैं। जैसा अभी दूसरे चिल्ला रहे हैं। हाँ, ऐसा कभी-कभार ही करना पड़ता है। अगली बार हम ऐसे मिलते हैं जैसे कुछ हुआ ही नहीं। बिना हड्डी का मांस बिना नखरे के मिल जाता है। मुलायम और गुलाबी मांस। करीम भाई के चेहरे के भाव ठीक-ठीक दिखते नहीं। यहाँ का हल्का स्याह अँधेरा उनमें मिला होता है। बाहर से आती थोड़ी-सी रोशनी में बकरे की चमकती रान दिखती है। उनका हाथ रान पर पड़ता है। हिलना-डुलना रुकता है रस्सी पर झूलती रान स्थिर हो जाती है। करीम भाई की अँगूठी चमकती है। नकली नग। नीला प्रकाश झरता है। एक क्षण को।

कन्धे तक ऊँचे दो प्लेटफार्म हैं। दोनों तरफ। एक कतार से रस्सियों पर टँगी रानें। लकड़ी के बड़े-बड़े पटों पर कटे सीने। छोटे-बड़े टुकड़े। सफेद ठोस चिकनाई। खुर समेत घुटने। क्रम से रखे सिर। बकरे और बकरियों के मुँह कौन से हैं, पता नहीं चलते। उनके पतले थूथन पर कोई वेदना झलकती नहीं। मौन मन्त्र पढ़ते लीन चेहरे। कान कभी-कभी डोलते। एक लम्बी प्रतीक्षा। चौकोर खिड़की से आता मद्धिम प्रकाश हल्के जर्रों के साथ इन कटे सिरों पर गिरता है।

"आज अच्छा माल आया है। छूकर देखिए, गरमी बाकी है।"

"छोटा बकरा ढूँढ़िए। भाईजान, बच्चा।"

"सब ताजे हैं। सब कौले। फिकर न करें।"

“यार! किसी भी रान पर एक भी सील नहीं लगी होती। और तुम तारीफ पर तारीफ किए जा रहे हो भाईजान।”

“आजकल हरेक के पुट्ठे पर सील लगाने का रिवाज खत्म हो गया है।” बगलवाला हँसकर कहता है। कीमा करता चापड़ रुकता है।

“इसी से तो पता नहीं लगता भाईजान, कब क्या कट रहा है!”

“नहीं-नहीं, फिकर न करें। गलत बात न होगी।”

करीम भाई सतर्क होकर बोले। रान के ऊपरी हिस्से में बनी जगह में फँसी रस्सी की गठान निकालते हुए बोले, “अब बच्चा कहाँ से पुराऊँ। बच्चा हो तो मांस नहीं। हड्डी ही हड्डी।”

“क्यों?”

“खाने को क्या है? मीलों तक घास का पता नहीं। मांस कहाँ से चढ़े।”

“तभी तो सील बेकार है। लगाएँ तो कहाँ लगाएँ।”

बगलवाला फिर हँसा। अपने ग्राहक को कीमे का काम छोड़ पैर दिखला रहा था। बेहद दुबला और बीमार। वह ताकत की उम्मीद में खुर देख रहा है।

“तुम्हें सील की क्या चिन्ता। इन पाइप पर तो सील लगने से रही।”

पाइप माने पैर।

“साहब, सील तो वहाँ मिलेगी। बाहर जो मँडराते गिद्ध के बीच बैठे हैं।”

“हमीद, तुम्हारी आदत बुरी है। बहुत बोलते हो।”

उसने सोचा, यह तारीफ है। वह जोर से हँसा। तन्मयता से गाने का राग पकड़ते हुए चापड़ चलाने लगा। एक तानता। मांस के बहुत महीन होते टुकड़े।

“करीम भाई! रान की नल्ली ठीक से साफ करो। पीछे से चीरा लगाते नहीं। सब उसी में रह जाता है। वो सबसे हटकर बाहर क्यों है? पहले तो कभी-कभी दिखाई देता था। अब जमकर बैठा है तुम्हारे सीने पर। तुम सबसे पहले।”

“वो? शामलाल। उसके ग्राहक तो बढ़ेंगे ही। मगर कसम से यहाँ, इधर कोई गलत माल नहीं मिलता। दोनों हैं। किसी के पास कुछ, किसी के पास कुछ। झूठ कोई नहीं बोलेगा, खुदा कसम।”

“अपने को क्या करीम भाई। जो हो। सब चलेगा। जरा चरबी डालो।”

एक छोटी लड़की पास आकर खड़ी हो जाती है। बहुत जल्दी है। पंजों के बल वह खड़ी होती है तब भी उसका हाथ ठीक से नहीं पहुँचता। करीम भाई स्टील की कटोरी लेते हैं और डाँटते हैं, “तू फिर पैसा नहीं लाई। मुफ्त में आता है?”

“फिर देंगे। जल्दी दो न। अब्बू देंगे।”

“शौक है। सब चाहिए। बस, तेरे अब्बू-भर गायब रहेंगे।”

डाँट का सुर टूटा न था। मुझे एक मिनिट कहकर वे उसकी कटोरी भरने लगे। माँस की पतली कतरन। ऐंठी हुई हड्डियाँ। छीछड़ा। बची हुई चीजें।

वे डाँट रहे हैं और मांस के टुकड़ों के बीच से खोजकर कटोरी भर रहे हैं। लड़की को इन सबसे कोई मतलब नहीं है। वह बाहर लड़कों की चिल्लाहट में अपने छूटने को बचाना जानती होगी। आतुर। खेल में पिछड़ना नहीं चाहती।

''सुनती है या नहीं? किस बात की जल्दी है।''

वह हँसी। बोली कुछ नहीं। उसे खुद भी कहाँ मालूम। जल्दी क्या है, सचमुच।

करीम भाई उसे कटोरी थमाकर रुक गये। लड़की की हँसी क्या उन्हें दिखती थी?

''रुक! ठहर जा!''

चौकोर मांस का टुकड़ा उन्होंने कटोरी में रख दिया। ''ये तेरे लिए है। समझी! तू खाना।''

वह फिर हँसी। कटोरी को सम्हाले भाग गयी।

अपने कुत्ते के लिए भी ले लूँ। छीछड़ा। लिबलिबी परतें। बेकाम हड्डियाँ।

''अब आपके लिए अच्छी चीज़ बनाता हूँ। ये लोग नाक में दम कर देते हैं। देखिए साहब, शौक हर इंसान में होता हैं मुफ्त में खाएँगे, पर खाएँगे ज़रूर।''

''ठीक है। ये सब करके, हमारे कुत्ते के लिए भी अलग से बाँध देना। अभी याद आया। कुछ बचा है या नहीं?''

करीम भाई हँसे। ''सब है। जानवर की एक भी चीज़ बेकाम नहीं जाती। ज़िन्दगानी हो तो तब। न हो तो तब।''

''अच्छा?''

''और क्या! ठीक अपनी तरह। सब बिक जाता है। खैर!''

हमेशा लगता है, बात करते ध्यान हट न जाये। चापड़ और पीठी के बीच मांस सरकता है। हड्डी के जोड़ पर ठीक। सधी हुई कुशलता। ठंडा काला चापड़ सीधा गिरता है। गच्चू। गच्चू।

''भाईजान, गुरदा डालना। इसके बिना काम नहीं चलता।''

''मुन्ना भैया किधर हैं? बाहर ही?''

''अनमने हैं। यहाँ आने का मन ही नहीं करता।''

करीम भाई थोड़ा झुके। रान को किसी परदे की तरह पकड़े हुए बोले, ''एक बात कहूँ। मांस ही मांस न ले जाया करिए। पता ही नहीं लगता, क्या खा रहे हैं—आलू या मटन!''

''तो?''

''आप तो उन्हें हड्डी दीजिए। रस लेंगे। चूसेंगे तो पता चलेगा। आदत बनती है।''

एकदम कौंधा वह दिन। अपने कॉलेज का। करफ्यू का छुट्टा घंटा। लपककर होटल में घुसा। मैस बन्द था। और यहाँ? ''हर वक्त लजीज़ खाने यहाँ मिलते हैं।''

अनगढ़ इबारत। मटन की प्लेट से करफ्यू का दिन तोड़ रहा था, तभी सामने देखता हूँ लगभग एक फुट की हड्डी से वह जूझ रहा हैं या कि बाँसुरी-सी बजा रहा है। अरे! यह बड़े का। हाथ का कौर जहाँ का तहाँ रह गया। खाया न गया।

''करीम भाई, ठीक कहते हो। दो-एक चॉप और डाल दो। एक और छोटी नल्ली।''

सचमुच हड्डी ज़रूरी है।

''हाँ। उसमें कोई बात ज़रूर है।''

''डालो, पर छोटी-छोटी!''

करीम भाई ने कुछ रुपये वापस किए। रुपयों पर मांस के कण चिपके थे। कुछ पान या खून के धब्बे। पूरे। ज़्यादातर छोटे नोटों में ऐसा होता है। धब्बे और गीले। पता ही नहीं चलता, ये कण किसके हैं। कब सूखकर झर जाते हैं।

छोटे मलगजे नोट।

तीन-चार किसान चौकन्ने अन्दर घुसे। इन्होंने मांस के टुकड़े नहीं दिखलाए। रानें नहीं ठोंकी। हाँका नहीं हुआ। मोलभाव के लिए उनके कन्धे पकड़े जाने लगे। करीम भाई नीचे कूद गये। ''ये बहुत दूर से रेवड़ लाए हैं। ससुरी इन्हीं की तरह होंगी। दुबली-पतली।''

करीम भाई के चेहरे की एक हल्की झलक मिली। झुर्रीदार तौलिये की खाल। बकरी-सी। उनके मजबूत हाथ इस चेहरे से कहीं जुड़े होंगे, सहसा लगता नहीं। मजबूत हाथ या चापड़। क्या?

गीली जमीन। नाली में रेंगता खून। स्याह पतला अँधेरा। मैं तुरन्त बाहर आ गया।

मुन्ना स्कूटर पर नहीं था। चारों ओर नहीं। इसे बस किसी चीज़ की चिन्ता नहीं। डर नहीं। बहुत जोर से डाँटूँगा। कुछ बच्चे खेल रहे हैं। कंचे। बकरे की आँख बराबर बड़े कंचे। लिपे हुए एक घर की खिड़की है। बिना पल्ले की। आइना हाथ में लिए कोई बाल ऊँछ रहा है। दाढ़ी पर कंघी फेर रहा है। कुछ घरों के सामने टाट के पर्दे लटके हैं। कपड़े पीटने की लगातार आवाज़ें। टाट के घुलते किनारों से पानी चू रहा है। टाट पिघल रहा हो जैसे। इधर-उधर देखना ठीक नहीं। ताक-झाँक।

"क्यों यार! तुमने स्कूटर पर बैठे लड़के को देखा है?"

वह उकड़ूँ बैठा था। मांस सब्जी की तरह उसके सामने सजा था। धूप और काली मक्खियों के बीच मांस और लाल लगता था।

वह पुरानी पहचान की तरह सहज था। उँगली से इशारा करके बतलाया, "उधर गया है। चट्टान पर। शिकार ले लिया बाबूजी?"

"अच्छा। अच्छा। हाँ।"

हड़बड़ी से पाँव तेज़ हो गये। मैं आज तक नहीं गया। मुन्ना मालूम नहीं क्या करने गया है। कोई झगड़ता न हो। चट्टान ठोस घर की तरह घरों के बीच में है। उसकी छाया सुरंग पर पड़ती थी। चट्टान की परिक्रमा लगाते हुए पहुँचा। बहुत-सी बकरियाँ। बहुत-से बच्चे। मुन्ना उनमें खड़ा खिलखिला रहा है। एक बच्चा बकरी का थन पकड़े है। दूध लगा रहा है।

"तुम यहाँ क्या कर रहे हो मुन्ना? चलो। कितना ढूँढ़ा तुम्हें!"

"मालूम बाबा। पास के तालाब से छिपी नाली से यहाँ पानी आता है। नहानघर में। खूब सारा पानी गरम होता है। लोग धुएँ में नहाते हैं।"

मुन्ना उत्तेजित था। उसे अब एक नयी खोज मिल गयी। "एक दिन हम नहाएँगे।"

"ठीक है।"

"ऊपर चलिए न। चट्टान पर। बढ़िया दिखता है।"

मुन्ना खोदकर बनाई सीढ़ी पर तेज से ऊपर चढ़ गया। क्या मैं भी चढ़ूँ? क्या फायदा है। मुन्ना का मन यहाँ आने को कभी नहीं करता। स्कूटर में आगे खड़ा होकर वह चलाना सीखता है। किन्तु सप्ताह हमें एक बार यहाँ आते समय पीछे बैठना पड़ता है। कहीं किसी को थोड़ा-सा भी कुछ अगर हो जाए तो क्या बवाल मचेगा। इसकी कल्पना भी नहीं करना चाहता। कहते हैं, यहाँ साही के काँटे गड़े हैं। बेबात के झगड़े।

"आओ न! आओ!"

किलकारी और लगातार हाथ का हिलाना। मुन्ना के लिए अब हर बार खेल ज़रूरी हो जाएगा। उसके उत्साह में कमी न थी।

"चढ़ जाओ जी। जोर लगाके।"

भद्दी और कर्री आवाज़ से चौंक गया। सटकर लाल फूलदार कमीज़ में वह खड़ा था। पान चबाते। तेज गुलाब की गन्ध। बहुत सस्ता इत्र।

"पहचाना नहीं साब? मैकेनिक। अनवर।"

"ओ हो!" राहत की हवा फूँकते हुए तुरन्त बोला, "तुम भी यहीं रहते होगे!" सुधारकर बोला, "भाईजान कहाँ है घर तुम्हारा?"

“यहीं। आओ।”

वह अभ्यस्त कदमों से ऊपर चढ़ गया। अपना हाथ थमाने के लिए आगे किया। हाथ कड़ा था। ग्रीस नहीं थी। एक नाखून नेलपालिश से चमक रहा है। अनवर को कभी सजेधजे नहीं देखा। उसे हमेशा झुके हुए पाया। गहरी डूब में गड़बड़ी को समझते। तेल में डूबा हुआ एक नट। छोटे बच्चों को गरियाते। उन पर बरसकर दौड़ाते। किसी न किसी सामान के लिए। बच्चे। लड़के। सीख जानकर गायब होते। न जाने किधर। शुक्रवार को सभी गैरेज बन्द रहते। बेबस गाड़ियाँ खड़ी रहतीं। लोग भूल जाते शुक्रवार।

“तुम तो बहुत जल्दी चढ़ लिए!”

फूलती साँस। बहुत सारी हवा।

“आदत है। छुटपन इसी पर बीता।”

उसने बाल झटके। मुन्ना के सिर पर तबले की थाप दी। “क्यों, मजा आया?”

मुन्ना ने उसका हाथ पकड़ लिया। “भैया, बताओ, तालाब का पानी कैसे आता है?”

भरे हुए पारे-सा तालाब। धूप को लौटाता। बगुलों की एक डार तालाब पर उतर रही थी। उँगली से अनवर हवा में नक्शा खींचता है। पानी भरी नाली।

“चट्टान से तो सब दिखता है। जैसे ठोस घर की छत पर खड़े हों।” मैं बोला।

अनवर हँसा मगर स्वर कठिन है, ठोस ही है। इसके कमरे भी ठोस। अन्दर रहने की गयी बीती जगह भी नहीं। ये न होती तो कसम से सूरत और होती। लैफ पंचर हो गयी।

“कैसे?”

“यहीं से बड़ी सड़क जाती दूसरे शहर को। मामला सुलट जाता। ये साले बकरी दुहते न दिखते। अब कोई पूछता नहीं। पिछड़ गए।”

चट्टान धीमी आँच में गरम हो रही है। मुन्ना को छुपी हुई नालियों का पता नहीं मिलता। चट्टान की सतह पर असंख्य छिद्र हैं। गरम हवा से भरे। उतरते हुए अनवर ने कहा कि हमाम में जरूर जाना। मैल निकल जाता है और थकान दूर हो जाती है। गरम भाप चमड़ी के अन्दर तक जाती है।

“नवाबों का शौक है भाईजान!”

अनवर बदमाशी से बोला, “आप नवाब से कौन कम हो। बताओ।”

हम बेवजह एकसाथ हँसे। अनवर किसी तरफ मुड़ गया। चट्टान की आड़ थी। आड़ के उस तरफ कोई घर। मुन्ना का हाथ पकड़ समझाना शुरू किया। धीरे-धीरे। हमें चलते हुए उसने टोका, “मिल गये?”

"हाँ। हम ऊपर चट्टान तक गये थे।"

वह खुश हुआ। "ये चट्टान हज़ारों सालों तक बनी रहेगी। दुनिया में इससे बड़ी न होगी।"

"अच्छा, ऐसा है?"

"और क्या? इसमें छेद करके एक बड़ा-सा डंडा लगाना चाहिए। पूरे शहर को दिखेगा। दूर से।"

"और?"

"और क्या? शिकार लेंगे?"

वह हँसा और थूकने लगा।

"ले लिया।"

मैं नरमी से बोला। शिकार! कहीं न कहीं कुछ अटक गया। हाँ। बहुत पुराना चलन। दाऊ साब बोला करते थे। बहुत पुरानी बात। वे बकरी के मांस को भी शिकार कहते। बन्दूकें थी। गोलियाँ दस्तख़त करके मिलती थीं।

"क्या लेते हैं?"

"कुछ भी। अपना क्या! दोनों में जो मिल जाये।"

उसने आँखें सिकोड़ लीं। जैसे बड़ी अजीब बात। आँखें का काजल गोल हो गया। उसके स्वर थूक और चुनौती से गीले थे, "बताइए, वे क्या दोनों खा सकते हैं?"

"उनकी वे जानें। हम तो अपनी बताएँगे।"

"वही तो। कुछ भी हो जाए, वो ऐसा नहीं करेंगे। अब मैं बताऊँ। दो रुपये ज़्यादा सही, एकदम ठीक माल मिलेगा।"

"क्या फरक पड़ता है यार!"

उसमें थोड़ा कम्प हुआ। उठकर खड़ा हो गया। उसकी छाया बकरे के सिर पर गिरती थी। "कमाल है साहब, कोई फरक नहीं? अरे शरीर को रेतोगे तो अलग स्वाद होगा अैर एक झटके में करोगे तो क्या अलग स्वाद नहीं होगा? तड़पा-तड़पाकर मारने से मांस अन्दर-ही-अन्दर खिंच जाता है। "भला स्वाद न बदलेगा?"

वह बोल नहीं रहा था। कटे सिर। सीना। रान के बीच प्रवचन दे रहा था। इतने में एक बूढ़ा आया और उकड़ूँ बैठ गया। वह भी सिर जोड़कर उकड़ूँ बैठ गया। 'साईं-साईं' करके वह तराजू पर जल्दी-जल्दी मांस के 'टुकड़े डाल रहा है। वह मुझे भूल गया।

बूढ़ा खीजकर टुकड़ा हटाता। वह डालता। बूढ़ा आँखें तरेरकर जाने लगा। पर

गया कोई नहीं। झगड़ा पसन्द पर अड़ा था। तराजू झूल रही है। पत्थर के बाँट।

स्कूटर पर बैठ मुन्ना हमाम का दरवाज़ा खोज रहे हैं।

"देखिए बाबा, वो बोर्ड देखिए।"

"कदीमी हमाम गरम हो रहा है। शाम को तशरीफ लाइए।"

सड़क पर बीचोबीच साबुन की डिब्बी पड़ी थी। नयी और घाम में चमचमाती। मुन्ना ने कहा कि इसको पहिए से तुरन्त दबा दो, मजा आएगा। हम दोनों ही जानते हैं रैपर के अन्दर कुछ नहीं है। सड़क पर नयी चीज़ यूँ ही पड़ी नहीं रहती। इसके साथ ही धागा होगा। छिपा हुआ कोई बैठा होगा। हँसी के इंतज़ार में। सचमुच किनारे दुकानों के पटिए पर दो बच्चे बैठ कहीं और देखने का ढोंग कर रहे हैं। किराने की दुकान से लड़की निकलती है। छोटी-सी शीशी में तेल है। पीला। खाने का। बगल का यूनानी दवाखाना एकदम खाली है। बड़े मर्तबान और शीशियाँ एक चौथाई भरे हैं। रंगीन द्रव। वे हमेशा ऐसे ही रहते हैं। बड़े-बड़े काँच के बर्तनों में अडोल। वही लड़की है। बचे-खुचे छीछड़े को राँधने के लिए थोड़ा-सा तेल ले जाती। औचक स्कूटर को रोकता-सा साबुन-डिब्बी के किनारे से निकाल ले जाता हूँ। कुचलती नहीं। रेंगती है। बच्चे जान जाते हैं, मैं बचा गया। उनकी हँसी आ नहीं पाती। नहीं होती। अभी चुप हैं। कुचल देता तो शायद वे हल्ला करने लगते। लोग हो सकता है लपक पड़ते। लपेट लेते।

"क्या बाबा! इतना भी नहीं। बच गयी डिब्बी।"

मुन्ना की उमंग गायब थी। शिकायत की ताब में मेरी कमर पर उसकी हथेलियाँ कस गयीं।

"अरे मुन्ना! साबुन खराब हो जाता। टूट जाता। नहीं?"

"साबुन? साबुन कहाँ? वो तो खाली है। धागे से वे नहीं खींच रहे हैं क्या?"

"अच्छा! उसमें धागा भी है। अच्छा। यह तो बड़ी अजीब बात है!"

"ओ हो बाबा। ये खेल है। बस। आप इतना भी नहीं जानते।"

मुन्ना जानता है कि वह जो खेल खेलता है उसे दूसरे भी खेलते हैं। वह जो खेल बना लेता है उसे मैं बचपन में बना चुका होता हूँ। खेल के कूट संकेत तक। फिर इसके धागे को मैं कैसे भूल गया। बोला, "बेटा! मैं तो समझा साबुन है किसी का। क्यों बेकार..."

कमर से हाथ हट गये। मुन्ना अपने सहारे से बैठा होगा। वह बोला नहीं। साबुन की चिन्ता फिसल गयी होगी। उसकी यही बात अच्छी है। छोटी जिद, छोटी इच्छा!

घर के सामने कार खड़ी है। धूल से सनी। ठहाकों का मिला-जुला कैसेट बज

रहा है। कुत्ते को बाँध दिया गया है। अजनबी के आते ही उसे सजा मिल जाती है। यह भयंकर दिखता है। लोग उसे कुत्ता और हम डागी कहते हैं। कभी-कभी ज़रूरी बातों के बीच उसकी नस्ल पूछ ली जाती है। बातचीत कुत्तों के परदादों तक पहुँच जाती है। फिर हम उसे घसीटते हुए पीछे ले जाकर बाँधते हैं। ज़रूरी बात जुड़ती है। डागी ताता थैया के साथ किसी अनुभवी योगी-सा गहरी साँस खींचता है। थैले में उसका पूरा बेचैन दिन है। अभी तो उसकी व्यग्रता की शुरूआत है। भौंक के पाँच प्रकार।

"दीदी! आप हैं! बहुत सालों बाद मिल रहे हैं। है न सरोज दीदी?"

मेरे अचम्भे में हमारी हँसी मिल गयी। उन्होंने उठकर बाँहों में भर लिया। शरीर की गरमी, हाथों के स्पर्श, सैंट की भीनी खुशबू, रेशम की कोमलता। मैंने अपने-आपको ढीला छोड़ दिया। टहनी पर बँधी सुतली खुल जाती हैं जैसे। एक-एक घेरा एक-एक करके। फिर धीमे से अलग हुआ, साँस को सुनते हुए। वे खिलखिलाकर शिकवे करने लगीं। बहुत दिनों बाद मिलना। चिट्ठियों का न मिलना या गुम हो जाना। दूरी और खराब सड़कें। फिर उन्होंने लड़के की ओर इशारा करके पूछा, "जानते हो इसे? कौन है।"

कौन नहीं जानता। वह अपनी माँ के इस दुलार में तटस्थ था। मुन्ना माया की गोद में धँसे आश्चर्य से देख रहा है। माया ऐसे हँस रही है जैसे अब वह दुलार करेगी। एक लहर दौड़ी और तय किया कि आज इन सबको आलीशान रेस्ट्राँ में दावत दी जाएगी। ऊँची टेकरी से नगर-दर्शन। घुलते प्रकाश में डूबती नगरी।

मुझे कमरा बहुत भरभरा लगा। भरपूर जानदार। युवा हो चुके उसके गालों को बच्चों की तरह चुटकी में लिया। मुलायम बाल। "अच्छा, तो इसे पहचानना होगा। पप्पू को।"

वह अपने पिता की तरह शानदार है। पतली हड़ीली काठी में। माँ के रंग-भर से वह रँगा है। श्यामल। उसकी माँ ने आदेश दिया कि वह पाँव छुए। उसकी तरह मुन्ना को भी हमेशा डाँटना पड़ता है। यह और जोड़ देते हैं, कि इतना भी शऊर नहीं। भूल गये? मुन्ना रबर के गुड्डे की चाल अपना लेता।

पप्पू ऐसा करे, हड़बड़ी में बोला, नहीं, अब इन सबकी ज़रूरत नहीं है।

सरोज दीदी ने सोफे पर अपने पैर फैला लिए। उनके पैरों में महावर लगी है। हाथों में मेहँदी की बारीक फुलकारी। उनके साँवलेपन में चमक थी, अब गुम हो गयी है। कागज के ऊपर से जिलेटिन उधेड़ लिया गया हो जैसे। वे सोई-सोई-सी बोलीं, "पैर पड़ना तो एक प्रथा है। हमारे यहाँ बहुत ध्यान रखते हैं। क्यों पप्पू, ठीक है न!"

पप्पू उठा। उसने मुझे छुआ। धूल लगे पैरों तक पहुँचने के पहले उसे उठाया। वह माँ को देखने लगा। ''बस-बस, ठीक है।''

कसरत-सी करते मेरी हूँक निकल गयी। प्रणाम हवा निकालने की सरल विधि है। दोनों के लिए। अविराम आशीर्वाद इसी बीच झरते हैं।

''यदि थोड़ा और पहले आते तो तुम गाड़ी से बाजार चले जाते।''

मुन्ना को अपनी ओर खींचते हुए सरोज दीदी बोलीं। माया उठी। ऐसा लगा, उसके होंठ मुस्कान से खिंच गये हैं। छिपे-छिपे। वह अब रसोईघर में जाकर हँसेगी। या कड़ाही बजाएगी।

''नहीं, शहर छोटा है। स्कूटर है ही। और घर में सब ठीक है।''

''बहुत बढ़िया। उन्हें तो फुरसत ही नहीं मिलती। दिन-रात लगे रहते हैं। मुझे भी। वे वहाँ रहें तो मैं जाऊँ। किसी एक को तो चादर बिछानी है।''

''चादर?''

''और क्या! चादर तो, वे बोलते हैं। ऐसा है कि चादर बिछाओ सुबह और रात तक पैसे-रुपयों की बारिश देखते रहो। फिर उसकी गठरी बाँधो।''

पप्पू कसमसाया। उसने मुन्ना को साथ लिया। डागी उनसे शेकहैंड कर रहा है।

''अब तो आपको आराम करना चाहिए।''

''आराम कहाँ भाई! आराम कहाँ होता है! मुझे भी लगता है, कुछ दिन आराम करूँ। होता कहाँ है। ऐसा आराम। तुम्हारे घर में। कहाँ मिलेगा। अब तो पप्पू भी जुट गये हैं हमारे साथ।''

रसोई से माया आ गयी। पूछा, ''दीदी, आजकल आप लोग क्या देखते हैं?''

वह केवल इतना ही पूछना चाहती है कि आखिर कौन-सा काम-धन्धा हैं जिसमें ठाठ है। रुपयों की बारिश। (ऊँह)

''काम का क्या है, माया। कोई नौकरी तो है नहीं, दस बजे गये और लौट आये पाँच को।''

सरोज दीदी की हँसी में मर्दाना तरीका था। वे अक्सर ऐसा ही करती हैं। पारिवारिक मेले में लोग इस हँसी को याद करते हैं। महिलाएँ खासतौर पर हू-ब-हू नकल उतार लेती हैं। ठसका, हँसी को बहुत दिन तक उनमें गुपाए रखता। माया का मुँह उतर गया। वे जान गयीं। समझाकर कहने लगीं कि ''तुम लोग समझते हो पढ़ाने गये कालेज और पढ़ाने का पैसा पा रहे हैं। क्लीनिक में बैठे हैं और रोगी का मुँह पकड़कर पैसा निकाल रहे हैं। अरे नहीं बिट्टो, ये तो शुरू-शुरू में होता है। जब पैसे का तालाब बनता है न तो पता नहीं लगता सोता कहाँ से फूटा है। दिखता नहीं। बस नहर खोदते जाओ। एक के बाद एक। पता ही नहीं

चलता कौन-सा काम शुरू किया था और किस काम में बदल गया। तुम्हें कैसे बतलाएँ कि आज जिस फैक्टरी में जो चीज़ बन रही है, वह कल क्या बनाने लगे। या फैक्टरी की बजाए पुल बनाने लगे। अब तुम बताओ जो मन्त्री हैं वे पहले वकील या डॉक्टर या ठेकेदार होंगे। है कि नहीं?''

''लगभग।''

''लगभग नहीं, पक्का। फिर छोटे काम करते-करते बड़ा धन इकट्ठा किया होगा। फिर समाज-सेवा इत्यादि। पार्टी। फिर मन्त्री। तब तुम कैसे बतलाओगे कि उसका ठीक-ठीक धन्धा क्या है। एक या एकसाथ।''

''ये तो है। इसका मतलब आप लोग भी पार्टी में?''

''वो करना ही पड़ेगा। धन रखा रहे तो रखा ही रहता है, बढ़ता नहीं। मैंने तो काम शुरू भी कर दिया है। कुष्ठ रोग और पर्यावरण।''

उनकी गरदन खुशी से खिंच गयी। गर्व की पतली रेखा दुहरी ठोढ़ी में काँपने लगी। ''तुम्हें बताऊँ माया, इनके घर की बड़ी-बूढ़ियाँ देखती थीं। पढ़ी-लिखी गैर जात की लड़की आयी है। सब मेट देगी। मगर मेरी ज़िद! अब सब भूल गयीं। मेरा आफिस में बैठना जिन्हें अखरता था, वे तारीफ पर तारीफ किए जाती हैं। उन पोपली बुढ़ियों को क्या चाहिए। इमरती। मालपुआ। दाल में डूबी बाटियाँ। और क्या चाहिए उन्हें?''

अभियान है या आहत छूटी कोई चीज। बहुत पहचानी-सी। उनकी शादी के व्यवधानों में खिंची सूखी मगर फिर भी एक जिद। वे अग्निकुंड के सामने भी ऐसे ही बनी थीं। काजू-किशमिश के थालों में झपट्टा मारते हुए हम लोग खुश थे और उनके चेहरे को देखकर आश्चर्य करते थे। उनके मम्मी-पापा नहीं आये थे। परिवार के कुछ लोग भाग-दौड़ कर रहे थे। सरोज दीदी की सुन्दरता उन दिनों कसे फ्रेम में बुने फूल-सी खिली थी। जड़। हमसे उम्र में बड़े कुछ लड़के उनकी तारीफ करते हुए कहते कि उन्होंने अपना जीवन चुनने के लिए परिवार को ललकार दिया है। काजू-किशमिश में मगन मैंने पहली बार वह मेवा खाया था। सूखा, खूब मीठा, भूरा-सा। उसे शकरपारा कहते थे। गुठली जिसके अन्दर बादाम-सी गरी निकल आती।

''तुम्हें बतलाऊँ माया, मैंने शादी के थोड़े दिन में ही सारे भजन याद कर लिए। उनके भजन मुँह में सुपारी रखकर बोलो तो और अच्छे निकलते हैं।''

उनकी बात से हम हँसने लगे। जैसे दो गोलार्ध हैं। दूसरे गोलार्ध के दैनिक कार्यों में हास्य है। उसे वे पहचानती हैं और साध लेती हैं। मानो मुझे विश्वास नहीं है। पूछा, बताइए, ऐसे भजन जिसे गाते हुए मन-ही-मन हँसी छूटती हो, कोई कैसे याद कर सकता है?

"मेरी तो आधी रात को नींद खुलती थी तब सुबह के भजन दुहराने लगती थी। भजन न हुए परीक्षा के प्रश्नपत्र हो गये।"

सहसा हमारी खुली हँसी से वे रुक गयीं, "नहीं, वे उतने बुरे नहीं हैं। उनके तीज-त्योहार। कपड़े। जेवर। सभी को सलीके से सीख लिया। तुम्हें जेवरों के बारे में बतलाऊँगी पर एक कप चाय और पिलाओ भाई माया!"

वे बेफिक्र और घरेलू हैं। इस गोलार्ध में। अपने बचपन में।

"कई बार सोचती हूँ बहुत जल्दी अपने को सँवार लिया। बात बन गयी। अगर ये कहीं मुसल्ले होते तो मर ही जाती। कहाँ तक अपने-आपको खपाती।" उनके स्वर हताशा से दबे थे। उठकर बैठ गयीं।

"बदलना तो दोनों को ही पड़ता है, तभी बात बनती है।"

मेरे बोलने में रटीरटाई सीख थी। उन्होंने जवाब नहीं दिया। पप्पू को आवाज़ दी और तैयार होने को कहा। उनका चेहरा माटी की तरह हो गया। छू दो बस। भुरभुरा जाये। परन्तु उनके चेहरे पर एक भाव छपा नहीं रहता। हमारे चेहरों पर चिपकी हुई बदली दाढ़ी-मूँछ की तरह बनी रहती। कभी-कभी लम्बे समय तक बने रहते। दाँत हँसते और होंठ करुणा से झुके रहते। आँखें सजल। किन्तु उनके अन्दर जैसे कई चैनल काम कर रहे होते। एक-दूसरे से असम्बद्ध। अलग-अलग। भंगिमाएँ और स्वर तुरन्त बदल जाते। अभी-अभी चेहरा भुरभुरा था। अब विरल चौड़ी विजयी हँसी से सम हो गया। उठते हुए उन्होंने कहा कि "हम तैयार होकर जल्दी जाएँगे। पप्पू के लिए लड़की देखना है।"

"अरे वाह!"

हम सब खुशी से बोल उठे। पप्पू की पीठ पर हल्के से धौल लगाई। वाह पप्पू! वाह! वह अनायास बोला, "क्या?"

उसका चेहरा भावविहीन था। हालाँकि उसके अन्दर भी एक सैटेलाइट काम करता। इस समय यही था। शून्य। कहीं हम ज़्यादा खुश तो नहीं हो रहे हैं?

उन्हें वैसा होना चाहिए। स्पंज। हमारी प्रसन्न चमक को सोखते। प्रसन्न। पप्पू तैयार होने चला गया। मुन्ना भी।

"इसके लिए बड़ी मुश्किल है। इनका कहना है कि हमसे कम हैसियत ही सही मगर लड़की अपनी जात की ही चलेगी। सच बात ये है कि अपनी गलतियों को लौटाने के लिए हर तरह के समझौते करने ही पड़ेंगे।"

"इसमें समझौते की कौन-सी बात है? अरे पप्पू के लिए तो दो जात में चयन की सुविधा मिल गयी।"

न चाहते हुए मैं तीखा-सा हो गया। इनकी बोझिल बात जैसे कहती हो कि सरोज दीदी की अपनी कोई पहचान ही न हो! जैसे हम गये-गुजरे हों।

''चयन? अरे नहीं। चयन की सुविधा तो मुझे थी। इसके लिए तो असुविधा है। एक ही रास्ता है और इसी पर पप्पू को चलना है।''

''आप क्यों नहीं इसे वह रास्ता बतलातीं। वही जिस पर आप चली थीं।''

''मैं? मैं क्या बताती! क्या तुम्हें लगता है यह मुझे बताना चाहिए? पप्पू खुद होकर अपना रास्ता न ढूँढ़ें।''

वो खो गयीं। धीमे-धीमे कहने लगीं, ''सही बात यह है कि अपने-आपको ही मैंने उनमें समो दिया। क्या मालूम जैसे हम थे वैसे ही मैं रहती तो पप्पू को कोई अलग ढंग मिल जाता।''

उन्होंने सिर झटका। विचार भी। निष्फल हँसी में बोलीं, ''मगर अब इन सब बातों में क्या जाना। तुम क्यों चिन्तित होते हो। सब है। हमारे पास सब है। सुन्दर बहू लाऊँगी। उसके लिए तो हमारे यहाँ साम्राज्य है।''

''उसे किस बात की कमी? राजरानी होगी।''

''हाँ-हाँ।''

डागी तुरन्त सो गया था। उसके बन्द मुँह से हल्की भूँक निकल रही थी। सामने के पंजे, हवा में जमीन की तरह हल्के-हल्के दौड़ लगा रहे थे। सो नहीं रहा होता तब गुर्राकर दौड़ लगा रहा होता। सपने में अभ्यास।

''देखिए दीदी, कैसा दौड़ रहा है सपने में।''

''हाँ। कहते हैं जो पूरा नहीं कर सकते उसे सपने में पूरा करते हैं। भई इसे दौड़ाने ले जाया करो। तुम्हें मालूम है, वे हमारी तरह सपने देखते हैं पर रंग देख नहीं सकते। उन्हें रंग दिखाई नहीं पड़ते। सब एक ही रंग।''

''अच्छा!''

''अच्छा!''

माया भी बोली। माया कहा करती थीं कि डागी सपने-वपने नहीं देखता होगा। उसे किसी चीज़ का दर्द होगा। शायद पैरों में। इनके साथ में जाना होगा। आखिर हमारे शहर में आये हैं। फिर खाना कौन बनाएगा। मैं ही चला जाऊँगा। पूछा, ''आपको किसी चीज़ की जरूरत तो नहीं है। बतला दीजिएगा। आप लोग तैयार हो जाएँ तब मैं होऊँ। कहाँ चलना है हमें?''

वे चुप होकर बालों पर ब्रश फेरने लगीं। हड़बड़ाहट थिर गयी। रुककर बोलीं, ''ऐसा करते हैं, मैं और पप्पू तो हैं। चले जाएँगे। क्यों बेकार परेशान हो।'' उनकी सधी बात थी। निर्णय। मेरा उत्साह एकदम सिकुड़ गया। माया का चेहरा

रुआँसा हो गया। वह बाद में मेरे उत्साह को कोंचेगी। चुप्पी को तत्काल उन्होंने हटाया। थोड़ा-सा इठलाकर हमारे अकबकाए चेहरों को नज़रअंदाज़ करके बोली, "अरे! मेरे लिए खाना नहीं बनाओगे क्या? वहाँ तो मिठाई ही मिठाई होगी। पर मैं मटन। कितने साल हो गये नहीं खाया। बनाओ ना आज।"

लौट आयी हमारी हँसी। माया ने कहा कि "आप लोगों के लिए तो मैं कुछ दूसरा बनाने जा रही थी। आपको बतलाया नहीं, ये मांस लेने ही गये थे बाज़ार।"

"हाँ-हाँ, मुझे क्यों बताओगी। हमारे यहाँ तो प्याज भी नहीं खाते। ये लोग। परन्तु क्या अपने स्वाद को भूल जाऊँगी।"

"नहीं। ऐसी बात नहीं है।"

चहककर बोला।

डाइनिंग टेबिल पर नया साजोसामान है। माया इन्हें खास मौकों पर निकालती है। रोज स्टील की थालियाँ। वे चाइना वेयर पर बने फूल को छूकर देखती हैं। माया से नज़र मिलती है। कहता कोई नहीं। शाबाशी। चमकहीन स्टील के थाली-गिलास इसी दिन के लिए हैं। माया ने ढकना खोला। खुशबू से झट कमरा भर गया। मसालों की गाढ़ी गन्ध। सिमटी-सिकुड़ी लड़की के बारे में वे कोई मजेदार किस्सा बतला रही थीं। रोककर गहरी साँस खींची। तृप्ति से उनके हाथ हवा में, लहरा गये। "बहुत दिनों बाद इतनी प्यारी गन्ध।"

"लीजिए, चखिए न!"

माया आग्रह और लज्जा से झुक गयी। उन्होंने एक बड़ा कौर मुँह में रखा। हम सभी उन्हें देखने लगे। उनकी आँखें हल्की बन्द-सी हो गयीं। धीमे-धीमे मुँह चल रहा था। गरदन को थोड़ा-सा झुकाया। जैसे अतीत और सब्जी का रस एक हो। खुश होकर उन्होंने चम्मच से टेबिल को बजाया। बोलीं, "क्या बात है! देखो इतनी दूर तुम्हारे हाथ का बना मीट खाने आना पड़ा। मजा आ गया। पप्पू को भिंडी ही देना। वह थोड़े ही खाएगा।"

"आज खा लो पप्पू। जरा-सा। अब तुम्हारा धरम थोड़े खराब हो जाएगा।" माया ने बहुत ललककर कहा। मैं भी चाहती हूँ, थोड़ा-सा ही सही, खाए।

"अगली बार। आज बस रहने दीजिए।"

पप्पू ने सिर झुकाकर कहा। स्थिर दबा स्वर।

"अरे बहुत चालाक है ये। अपने पापा की तरह। देख, अपने घर में बताना नहीं मैंने यहाँ क्या खाया है।"

बनावटी गुस्से से वे बोलीं। वे तन्मयता से कौर चबा रही थीं।

"क्या तुमने सचमुच कभी नहीं खाया?"

"..."

पप्पू ने सिर हिलाया।

"मैं बहुत पसन्द करती थी। पापा हमेशा पूछते रहते। कई शहरों को हम केवल होटलों के कारण सड़कें याद रखते। पापा मुर्गा अपने हाथ से बनाते थे। सबकुछ छूट गया। सबकुछ।"

तरल आँखें। हड्डी से अलग होता मांस। पतले रेशे। नमकीन प्याजी महक। वे मटन नहीं खा रही हैं। अतीत के बजते फ्रिज से खोया हुआ कोई पुराना स्वाद दुहरा रही हैं। बहुत ठंडे पदार्थ को एकाएक गर्म करके।

मुझे याद आया। पूछा, "यह तो बतलाइए रेतकर काटे गए मटन और खटाक से काटे गए में कोई फर्क होता होगा?"

"क्यों? क्यों पूछ रहे हो?"

"बस ऐसे ही!"

"क्या मालूम। मगर क्यों?"

"ऐसे ही।"

"पापा ने कभी बतलाया नहीं। हम सब उनसे खाने की कहते। पर हम लोगों के खाने के बाद ही वे अपने लिए चुन पाते थे। वैसे अन्तर तो होता होगा।"

मुन्ना पप्पू के बगल में बैठे थे। मीठी चटनी का सहारा।

"क्यों नहीं खाते तुम। इसे नल्ली दो। छोटीवाली। तरीके से खाना सीखो।" माया ने गुस्से से कहा, "कहता है नहीं खाएँगे। अभी नहीं सीखोगे तो कब सीखोगे।"

माया ने नल्ली उसे पकड़ा दी। मुन्ना वैसे ही लिए रहे। चम्मच की तरह। घूरते। नीची किन्तु कठोर आवाज़ में माया बोलीं, "खाओ।" आवेश से काँपते हाथ।

निःशब्द आँसू मुन्ना के गाल पर खिंच गये। एक तार। वह वैसे ही बना रहा। पिटने के पहले मूर्तिवत होने की चुनौती। वे अभी पापा के बारे में कोई नयी बात बताने जा रही हैं। पप्पू उठ गया। बोला, "हम लोग उठ जाएँ? हम हमाम चले जाएँ? चलो उठो मुन्ना। दिन-भर से वह जाना चाहता था।" सहमति का इंतज़ार नहीं था। वे फुरती से चले गये। पहले से तैयार। भूखा चला गया लड़का। बेवजह डाँट। माया को समझाकर कहा, "उसके लिए एक कटोरी में अच्छी बोटियाँ छाँटकर रखो। आकर खाएगा। अपने लिए भी, माया।"

जानता हूँ, माया भी अब नहीं खाएगी। केवल साथ देगी। हमाम के फर्श पर

असंख्य छिद्र होंगे। तालाब से बगुले चले गये होंगे। नहर से नाली से आता पानी फर्श के नीचे भट्टी में खौलता होगा। धुआँ। पानीदार वाष्प कमरे में भरती होगी। त्वचा के रोमकूपों को खोलती। क्या वे हँस रहे होंगे और शरीर हल्के हो गये होंगे। पीली रोशनी और धुएँ-भरे कमरे में। चौंककर पूछा, ''आपने कुछ कहा?''

''शेरटन? वहाँ मुर्ग की सैकड़ों टाँगें प्लेटों में सजी थीं। वे तो बेहोश-से हो रहे थे। मैं भी बस देख रही थी। सजीधजी प्लेटों को।''

उन्होंने हड्डी को चूसा। दाँतों से दो बराबर टुकड़े किए। बीच में छुपे मज्जा को जीभ पर रखा। मचल गयीं।

माया रसोई से अभी और लाएगी।

रमाकांत लोली

बड़ी-बड़ी दुकानों के संकुल के बीच में बस-स्टैंड छिपा था। चारों तरफ से घिरा। बस एक कोने से सधी हुई आती और चीखकर अपना रास्ता बनाती। दुकानदार भावहीन देखते रहते। यहाँ तक कि वे अनजान यात्रियों को पता भी नहीं बतला पाते। बहुत बार पूछे जाने के कारण वे भूल गये थे। पुरानी दुकानें टूट रही थीं। उनमें नयी सज्जा और नया सामान था। खली-चूनी के ढेर हट गये थे और उनमें आइसक्रीम के नल रंगीन डिजाइन बना रहे थे। यात्री दिनोंदिन बढ़ रहे थे। घर का सामान दुकान में बदल रहा था। दुकान किसी और दुकान में बदल रही थी। अधेड़ पिछड़ जाने के डर से रात में कम्प्यूटर को खटखटाना सीख रहे थे। अपंगों को कहीं आना-जाना नहीं पड़ता। दुकान से छूटी सीढ़ियों के बीच पी.सी.ओ. खुले थे। वे बेचैन ग्राहकों की अन्तर्राष्ट्रीय बातचीत कराते रहते। वे भी बड़ी मुश्किल से किसी चौक या किसी गली का पता बतला पाते।

"यहाँ अब किससे पूछें, कहाँ रुका जाये?"

रमाकान्त की, खोज में दाँत पिसते-पिसते रह गये।

"चलिए दादा, वहीं चलते हैं। उसी धरमशाले में।"

लोली को चिन्ता नहीं थी। वह पहले भी कई बार धर्मशाला में रुक चुका है। बाहर दूध की दुकान थी। वह आज भी दूध को लम्बा कर ठंडाता होगा। लोली को उसके सधे हाथों के बीच दूध की लकीर का छोटा-बड़ा होना अच्छा लगता। दूध पीने की कभी इच्छा उसने बतलाई नहीं। धर्मशाला में कोई कमरा खाली होगा और दूधवाले के फैले हाथ होंगे। लोली के दोनों कन्धों पर सामान टँगा था। दोनों हाथों में भी। चेहरा निश्चिंत मुस्कान से ढीला था। ढीलेपन से रमाकान्त सुलगने लगा। "खच्चर साले! तेरे कारण आज देर हो गयी। बस मिल जाती तो चले जाते। अब वापस भी नहीं जा सकते।"

लोली चुप रहा। वह घंटों बिना हिले-डुले भारी सामान लादे अडिग खड़ा रह सकता था।

"यहीं रुकेंगे। यहीं। ताकि एकदम पहट की बस पकड़ लें। और सुन, तू ये धरमशाले की राग छोड़ दे। होटल में ही रुकेंगे। हमेशा।"

लोली सद्भाव में हँसा। यानी बड़ा मज़ा है। अपना क्या?

होटल वहीं मिल गयी। होटलें दुकानों के ऊपर थीं। उन्होंने कभी खयाल नहीं किया। बस पकड़ में रहती थी। अपने नगर से आकर वे सीधे बस में ठँस जाते। बस के चलते ही नींद घेर लेती। थकान धीरे-धीरे पिंडलियों के सहारे बस की थरथराहट में घुल-मिल जाती। बस। ट्रेन। नामी डॉक्टर। औज़ार। खाद। बीज। सोना। रेहन और छुड़ाने के लिए शहर को कोसते आते। उन्हें अपने नगर के हर ठीहे मालूम थे। हर ऐबी की छाँव तक पहचानते। बैठे-बिठाए चीज़ें खुद उनके पास आ जातीं। उन्हें लगता, नगर के लोग जानबूझकर चीज़ों के न होने का बहाना बनाकर यहाँ भेज देते हैं।

होटल का बोर्ड नीचे था। सीढ़ियों के गोल चक्कर में वे ऊपर चलते चले गये। हँफनी रमाकान्त से गाली देने को रोक रही थी। दूसरी मंजिल पर खुला काउंटर था। रमाकान्त धम् से सोफे में खुब गया। लोली ज्यों का त्यों खड़ा रहा। अब क्या किया जाये? काउंटर पर बहुत पतला आदमी ऊँचे स्टूल पर बैठा था। खसखसी दाढ़ी और दबे गाल। खुला मुँह टी.वी. स्क्रीन की ओर था। चमकते दाँतों पर स्क्रीन की रंगीन परछाईं पड़ती। बहुत मानवीय चेहरा, चूहे की मासूमियत में अधर में हिलता-डुलता। उँगली की टिपकार टेबिल पर। स्टील की एक टोपी उँगली पर। टन् टन्। टना टन। टन्।

"सुनो भाई, कमरा दे दो। आज के लिए। है कि नहीं?"

पस्त रमाकान्त उसकी तन्मयता में कूद पड़ा।

"अरे! आप ही के लिए है। सिंगल-सिंगल या डबल?"

"दो के लिए। यार! तुम्हें कहीं देखा है?"

"दादा! ये वोई रफू वाले तो हैं। तुम्हारी पैंट सिली थी।"

"हाँ-हाँ। अरे खूब! वाह! खूब मिले।"

निश्चिंतता के कारण रमाकान्त की हँसी खिल गयी। रफूगर के चेहरे पर पहचान नहीं खिंची। स्टील की टोपी निकाल उसने मुट्ठी में ले ली। टोपी पर असंख्य छेद उभरे थे। गलत सुई को टोपी चुपचाप झेल जाती। उँगली को बचाते।

"दादा! बड़ा हुनर है इनके हाथों में। पैंट से धागा खींच बरोबर कर दिया। पहचान न सकते थे, कहाँ है छेद। कमाल है।"

मुट्ठी खुल गयी। उँगली पर टोपी वापस आ गयी। कोई एक धागा खिंचा हो। रफूगर कमर तक तनकर बैठ गया। बोला कुछ नहीं। लम्बा-चौड़ा रजिस्टर

खोल लिया। उसे भरते हुए रमाकान्त ने पूछा कि रफूगीरी का धन्धा छोड़ यह क्या करने लगे उस्ताद? धागा ढीला हुआ, फिर तना।

"ये हमारा है, समझे। हमारी जमीन पर बना है। याद नहीं है तुमको, इसी जमीन पर हमारी कुठरिया थी।"

"इतनी बड़ी बिल्डिंग खेंच ली यार?"

"और क्या! पार्टनर हैं कई। बना-बनूँके खड़ी कर दी। अपने को बैठे-बिठाए पैसा मिलता है। काउंटर पर बैठे हैं मजे से।"

रमाकान्त जान गया, रफू अब करता नहीं। टोपी आदत है। रफू की एकसार हुनर लय को धुनती है। उलझी को उलझाता। उसने नौकर को चीखकर आवाज़ दी। नौकर ने लोली को देखा। एक सामान ही उससे लिया और सीढ़ियाँ चढ़ने लगा। चौथी मंजिल पर केवल एक कमरा था। एक कमरे से वह चौथी मंजिल थी।

"अरे, कहाँ आकाश पर लाकर पटक दिया?"

"बड़ी मुश्किल है साहब। यही मिल गया, बहुत है। नहीं तो अभी भर जाता।"

"अरे, तुम जानते नहीं। जहाँ तक होता है, रुकते नहीं। बस छूट गयी, क्या करें।"

"हो जाता है। हो जाता है।"

"हमसे कभी नहीं होता। ये साला लोली। छूट गयी। लड़की के यहाँ जाना है। अब अपनी गाड़ी लेनी पड़ेगी, लोली। सब झंझट खत्म।"

नौकर ने ध्यान नहीं दिया। क्या मतलब ऐसी बातों से! उसने बाथरूम और बाहर की ओर खुलने वाली खिड़की खोल दी। रमाकान्त को बाथरूम साफ दिखा। बाहर आसमान साफ। काले आसमान पर तारों के बीच लाल बल्ब जल रहे थे। टॉवर पर जड़े।

"दादा, यहाँ से सब कुछ दिखता है। पूरा का पूरा।"

"सब कुछ क्या बेवकूफ। केवल बल्ब की रोशनी। चलती गाड़ियाँ। बस।"

लोली खिड़की पर कोहनी टिकाए आसमान और शहर के बीच तैरती रोशनी को देखने लगा। रंग के टुकड़ों से जैसे खेलता।

रमाकान्त थककर बिस्तर पर गिर गया। वह उसका बिस्तर हो गया।

"दादा, आसमान तो स्लेट जैसी हो गयी है। कुछ-कुछ धीरे-धीरे लिखता है, फिर मिट जाता है।"

नियॉन साइन की लाल-हरी कौंध में हज़ारों जुगनू हैं। दिपू-दिपू। रोशनी के कालीन बार-बार लुढ़कते हैं। लोली अपने घर का रास्ता ढूँढ़ने लगा। सड़क गायब थी। रोशनी की डगालें रास्ता बतलाती थीं। उनके बीच में रोशनी की ही

पतवारें चल रही थीं। कार। ट्रक। बस। यही दूर जाकर घर को मुड़ती होगी।

रमाकान्त बिस्तर में आड़ा था। चित्त। सूनी-दीवार छत से खिन्न मन। पलकों पर जमी भारी थकान।

"दादा, सो मत जाना। खाना खा लेते।"

लोली खिड़की छोड़ खड़ा हो गया।

"तू चला जा। यहीं मिलता हो तो बोल दे।"

उदासीनता रमाकान्त में घिर रही थी।

"चले चलिए दादा। खा लेंगे और मुन्नी के लिए कुछ ले लेना।"

"हाँ। ठीक है। चलो। मगर इतनी सीढ़ियाँ? आकर फिर खाने जाना पड़ेगा।"

सड़कें वही हैं। रास्ते वही हैं। बानगी बदल गयी। रंगत। साँझ को हड़बड़ाते रिक्शे, थूकते यात्री और आवारा गाएँ, भाग गये थे। सहसा सुगन्ध में सराबोर औरतें, कार और उनमें अलस लदे पति चले आये थे। कटे फूलों के उद्यान ठेलों पर आगये थे। ताजे, अनोखे, अनुपम। सुगन्धित औरतें, सुगन्धित पुष्प। रमाकान्त ने गुलाब की गठीली कली को नजदीक से देखा। हर कली के नीचे मूल्य की पर्ची टँगी थी। महँगी सुगन्ध की इच्छा जाती रही। उसने आज तक फूल खरीदे नहीं थे। कम से कम एक कली। रमाकान्त प्रकाश से लबालब दुकान में घुस गया। काँच का दरवाज़ा अपने-आप बन्द हो गया। बहुत तेज रोशनी में बहुत सारा सामान दिखाई दिया। रोशनी, लगा, धीमे-धीमे बढ़ती जा रही है। सन्-सन्। कान की लवें। धीरे-धीरे तमतमाती जा रही गाल की त्वचा। रमाकान्त ने देखा, लोली काँच की दीवार के उस पार वहीं रह गया है। होंठों के बीच खैनी चाँपते। लोली केवल टहलुआ ही नहीं है, साथ रहता, तब भी वह सामान छाँट सकता। लोली अच्छे से जानता है, रमाकान्त को कब क्या चाहिए। क्या आवाज़ देकर बुला ले?

"क्या लेंगे, सर!"

रमाकान्त को उसकी सधी आवाज, तिर्यक् हँसी और स्प्रिंग से झूलते बाल बहुत पहचाने लगे। बहुत-सी जगहों, बहुत-सी फोटो में वह झाँकती थी। उसके गाल अन्दर धँस गये थे, फलस्वरूप होंठ एकदम खुलकर बाहर आ गये थे। उन पर खनिज रंग दमकते थे। रमाकान्त को एक जैसी बहुत-सी लड़कियाँ दिखाई दीं। वे बहुत सारी नहीं थीं, कुछ थीं। चारों तरफ की दीवार आइने की थी। काली सारस की तरह वे चहलकदमी करती बहुत-सी दिखती थीं। रमाकान्त की जेब फूली थी, फिर भी हकलाकर पूछा, "बच्चों के बढ़िया खिलौने किधर हैं?"

अपने बढ़िया बोलने पर मलाल हुआ।

रमाकान्त को बाजा दिया गया। उसने की-बोर्ड पर हाथ फिराया। कोई धुन नहीं निकली।

"पहले आप उसे ऑन कर लें। बगल में है।"

वह खुली चोंच से हँसी के बुलबुले निकाल बताने लगी।

"आइ एम सॉरी। साला लोली आ जाता तो ठीक था। हरामखोर, खैनी में लीन है।"

रमाकान्त ने की-बोर्ड पर हाथ फिराया। बहुत सारी धुनें थी। वाद्ययन्त्र। उनके आगे रमाकान्त का गीत था। आइऽऽएम साऽऽरी। साऽऽला लोली लोली लोली। उसी की आवाज़ थी, उसी के शब्द। वे गीत में बदल गये थे। लोच। दुहराव। स्वर के उठान। धुन उनका पीछा करती।

रमाकान्त हक्का-बक्का रह गया।

"यह आपका अपना गीत है, सर। कुछ भी बोलिए, यह गीत के बोल में बदल देगा। उसके माफिक संगीत। अब आपको कुछ करना नहीं है।"

रमाकान्त को गुड़िया दे दी गयी। उसकी खोपड़ी पर कॉपीराइट खुदा था। मेड़ इन यू.एस.ए.। अरे! जैसे इन लड़कियों को ढाला गया हो। हू-ब-हू। वह इस तरह बनायी गयी थी कि आँखें झपकने पर जवान लगे। एक क्षण में भोली। एक क्षण में चंचल।

रमाकान्त ने सिर्फ गुड़िया ही नहीं खरीदी। जब वह बाहर निकला, तब उसके पास नगर में बतलाने के लिए बहुत कुछ था। खुरदरे जूते। टाई। घनघोर काला चश्मा।

"दादा! आखिर ये सब काहे को ले आये?"

रमाकान्त पहले बीस साबुनों में छाँटकर काम की चीज़ निकालते थे।

"तू भी यार घामड़ है। अपने यहाँ पाँच साल बाद पहुँचेंगी। क्या? चल पकड़।"

खाना खाकर वे भालू-चाल से सीढ़ियाँ चढ़ने लगे। काउंटर पर शान्ति थी। वह तल्लीन होकर मोटी किताब देख रहा था। किताब नहीं, एलबम।

"क्यों भाई! इतनी रात को क्या पढ़ रहे हो?"

रमाकान्त के जवाब में उसने झट एलबम ड्राज में छुपा लिया। बोला, "कुछ नहीं, बस, ऐसे ही।"

"अरे यार! कोई खास एलबम है। हमें भी दिखा दो।"

रमाकान्त उसके बहुत निकट चला आया।

"कहा न, कुछ नहीं है। हमारे रफू का एलबम है।"

रमाकान्त की दिलचस्पी खत्म हो गयी। वह अपनी चाभी माँगने लगा।

''भैया, दिखाओ तो सही। रफू का कैसे एलबम बनाते हैं।''

लोली के आग्रह को उसने ध्यान से सुना। लोली का चेहरा नरम हो गया था। बहुत करीबी। उसने शरमाते हुए एलबम निकाला।

''दादा! आप चलो न। बस, आते हैं।''

''लोली, तेरी यही खराबी है। चिपक जाता है। ठीक है। जल्दी आना। नींद कसके लगी है।''

उसने पहला पन्ना खोला। बहुत कीमती साड़ी का एक छोटा चौकोर टुकड़ा। झक् सफेद कागज पर बैठी तितली। बोला, ''ऐसी ही साड़ी थी। ऐसा ही लम्बा चीर। बताओ, दिखती है कहीं एक गठान भी?''

लोली ने छुआ। सचमुच, उसके चेहरे पर आभा की पहली परत थी। लोली ने दोनों को देखा। धीरे से बोला, ''माने यह वही साड़ी नहीं है। वैसा ही कपड़ा और वैसा ही चीर?''

''हाँ। बिलकुल!''

''बहुत कमाल है। पर भैया, उसी में से टुकड़ा क्यों न काट लिया?''

''क्या मतलब? अरे यार, महँगी का मतलब होता है, उसके एक-एक धागे की हिफाजत। टुकड़ा तो छोड़ो, एक धागा भी नहीं। तभी तो रफूगर की याद आती है। ज़िन्दगी चलती है।''

''तो सादे कपड़े पर बना लेते। नहीं?''

''यार! तुम भी! अरे, रफू होता है, कीमती वस्त्र पर। पैबन्द लगता है, टाट पर।'' लोली एक-एक करके पन्नों की बात समझने लगा। खोंचा एक तरह से नहीं लगता। कपड़ा एक तरह से नहीं उघड़ता। मगर रफू की जतन एक होती है। लोली जान गया, उसका चेहरा भी उधड़ गया है। एलबम है। स्टील कैप है। सुई न जाने कहाँ गायब हो गयी है। सहसा लोली ने अपने गाल भी छुए।

रमाकान्त नाइट सूट पहने, लेटे हुए, कहीं दूर चले जा रहे थे। सबके बीच हड़बड़ी, तेजी आती और कमरे की अकेली दीवारों में एक चुप्पी। रमाकान्त इस चुप्पी के सहारे घूमता रहता। निःशब्द, निर्जन एकान्त में।

''दादा! बहुत मज़े की चीज़ है। रफूगर। बढ़िया एलबम।''

''अच्छा-अच्छा, रहने दे। अब तू जरा पैर मींज दे। बहुत थक गये।''

हमउम्र रमाकान्त के पैर लोली को अपने लगते, बरसों से मींजते-मींजते। वे पैर कसी पांसपेशी वाले नहीं रहे। मोटे हो गये। त्वचा ढीली हो गयी। लोली छुपी हुई नसों को खोलता। उन नसों पर से उँगलियाँ हटा लेता, जिन्हें दबाने पर नस रमाकान्त को दर्द से भर देती। लोली उन्हें फलाँगकर गालियों से बच जाता। पैर

जब और ढीले हो जाते। एक उँगली के सहारे लुढ़कने को तैयार, तब लोली का काम पूरा होता। दिन भी पूरा होता। परन्तु इस समय पैरों में सधाव है। लोली ने मनुहार से कहा, ''दादा, कोई कहानी सुनाइए।''

''हूँ।''

''सुनाइए न दादा।''

''ऊँ हूँ।''

रमाकान्त ने करवट ले ली।

माने नहीं।

अब तो ऐसा ही होता है।

कहानियाँ लोली के लिए रिश्वत थीं। बचपन में रमाकान्त कहानी सुनाते घंटों गुजार देता। लोली तन्मय पैर दबाता, कहानी का लबादा ओढ़े रहता। कहीं ओर-छोर नहीं। कोई अन्त नहीं। रमाकान्त को कहानियाँ तुरन्त याद हो जातीं। लोली के बाप, नन्दू कहार, अम्मा, दोस्त, किताबें। रमाकान्त उन सबको मिला देता। लम्बी कभी न खत्म होने वाली शानदार कहानी। लोली पैर दबाते ऊँघने लगता। वह अपनी नींद और कहानी में आना-जाना करता। जोड़ से एड़ी पड़ती। कहीं भी। सिर, गाल, सीना। लोली जाग जाता। कहानी चलती रहती। कहानी में कोई अनजाना खिंचाव होता। मनोरम जगह। सपने। प्रेम। युद्ध। रमाकान्त के होंठों से कहानी बहती। लगता, वह उस प्रेम की नाजुक थरथराहट या युद्ध की चीत्कार का एक अंश खुद है। इतना सच्चा। इतना हू-ब-हू। लोली कभी स्फुरण में, कभी उत्तेजना में रच-बस जाता। पिंडलियों पर उँगलियाँ खिंच जातीं!

लोली धीरे से उठा। बाहर अँधेरे में रोशनी का जाल फैला था। नीचे दौड़ती शहतीरें एकदम कम हो गयीं। उसने झुककर देखा, होटल के नीचे दो लोग झूमते हुए एक-दूसरे को सहारा दे रहे हैं। एक झुक गया और उलटी करने लगा। दूसरे पर कोई फर्क नहीं पड़ा। वह हाथ हिला-हिलाकर विलाप कर रहा है। लगातार बोलता। क्या कोई कहानी-सी सुना रहा है? लोली ने कान दिए। कुछ समझ न आया। विलाप में कहानी बहुत कुचली हुई थी। बेहोशी में फिसलती। दोनों अलग-अलग काम करते हुए भी एक साथ थे। झूमते। ऊपर आसमान पर शब्द उछल रहे थे। कौंधते। किसके लिए हैं ये? लोली को लगा, बस मिल गयी होती तो कितना अच्छा रहता। रमाकान्त पर चादर उढ़ाकर उसने जमीन पर बिस्तर की चादर खींच, बिछाई। तकिया असमंजस में लिए रहा। रख दिया। लाइट बन्द की। हाथों का सहारा लेकर वह लेट गया। अच्छा, अब मैं खुद कहानी कहूँगा। ज़ोर-ज़ोर से नहीं। होंठों ही होंठों में। सिलसिलेवार घटनाएँ दौड़ती चली आयीं।

उन्हें बुलाना नहीं पड़ता। वे चींटियों की तरह एक-दूसरे का अनुकरण करते भाग-दौड़ करतीं। अरे! ये खाली मुँह चली आयी हैं। शक्कर के कण गायब हैं। आते और जाते। बस खाली मुँह। घटनाएँ थीं। क्रम था। नमक गायब था। शक्कर गायब थी। लोली सहसा पसीने से भींग गया। अरे! ज़िन्दगी-भर सुनता रहा। बस, सुनता रहा।

"इस आदमी का नमक झर चुका है। इसे अब मार देना चाहिए।"

लोली ने नींद में जाते हुए साफ-साफ सुना। धड़्-धड़्-धड़्। नहीं, दम को जरा अन्दर खींचना होगा। तब ही उन्हें सुना जा सकता है।

"नहीं। तुम बहुत क्रूर किस्म की कहानी हो। हम इतने साल तक रमाकान्त के साथ रही हैं। ऐसा कहना अच्छा नहीं लगता।"

"अच्छा, बड़ी सीख देती हो। अभी हम चारों क्या सैर पर निकली हैं? क्या इसके पेट पर ऊबकर नहीं बैठी हैं?" (जम्हुआई)

"सच है। तुम दोनों ठीक कहती हो। रमाकान्त आलसी हो गया है। अब कहानी कहने से कतराता है। हमारा इसके पेट में पड़े-पड़े क्या काम?"

"कहानी अपने और दूसरों के लिए होती है। जब ये गाँव में था, हिलता-डुलता था, तब हमारा कैसे पीछा करता था।"

"जाँगर चलते हैं, तब कहानी मिलती है।"

"इसके तो सारे खेत बदल गये। अब केवल रखवाला रह गया है। कोई आता है, टमाटर बो जाता है। कोई खाद। कोई ट्रक। सब आकर करीने से साफ कर जाते हैं।"

"अमराई भी उठ गयी। वैसा ही हाल उनका है। कम्पनी में सबका सब चला जाता है।"

"सुनो। मैं तो सोच रही थी, गाँव से उठकर नगर में है। काम कुछ नहीं। समय ही समय। खाली लम्बे समय में गुनगुनाएगा, नाचेगा, हमें सँवारेगा। पर कुछ नहीं। कुछ भी नहीं।"

"इसीलिए तो कहती हूँ, मार दो। मार डालो इसे। किस काम का। बोदा!"

"कुछ समय और दें?"

"तुम नहीं जानतीं। कुछ करने के लिए निश्चित समय होता है। धीरे-धीरे आदमी गलने लगता है। जब यह रमाकान्त समय की गुहार लगाता था, तब हम कितनी खुश थीं। और अब? हमारे घुलने के दिन आ गये।"

(हँसी) "कहानियाँ कभी नहीं अदृश्य होतीं। लोग चले जाते हैं। कशिश ही हमारी जान है।"

"तब मार दो इसे। जाएँ हम कहीं।"

"अरे, तुम तो बड़ी क्रूर हो।"

"नहीं, कोई भी कहानी क्रूर नहीं होती। ये क्रूरता नहीं, छुटकारा है। हम इसे तो क्या, शब्दों को छोड़कर चले जाते हैं।"

"अच्छा! अच्छा! इस तोंदू रमाकान्त का क्या करना है, बतलाओ?"

"सुनो, ये अपनी लड़की के घर जा रहा है। उसके बच्चे को देखने। बच्ची है। हम रास्ते में मार डालेंगे। कहानी जब साथ न हो तो आपदाएँ ही आपदाएँ हैं।"

"इतनी हृदयहीन न बनो। बच्ची के लिए खिलौने लाया है। खिलौने। ऊँह। देखो तुम। बच्ची को नहीं खेलने हैं। वे खुद खिलाएँगी।"

"कितनी घबड़ा गया जब अपनी गालियों का संगीत सुना।"

"हम हैं, इसी से वह बाजा कम से कम नहीं खरीद पाया।"

(ठहाका) "भोली हो तुम। कुछ दिन रुको। उसके मन में बस गया है। लाएगा। जरूर लाएगा। अभी तैयार हो रहा है।"

"उस रफूगर की तरह?"

"हाँ, उसके साथ उसका एलबम चोरी करने की फिराक में है। वह भी भूल जाएगा।"

"तब तो बाजा आने तक इंतज़ार करें। वैसे भी तुम गालियों से भरी-पूरी हो।"

"वे तब गाली न थीं। प्यार था। अब हैं।"

"नहीं-नहीं। इंतज़ार नहीं। उसे मार दो।"

"तो ऐसा करते हैं, घर जाने देते हैं। वहीं करेंगे।"

"क्या?"

लोली पसीने से गीला था। उनकी बातें क्रूरता की हद से बाहर थीं। उनके स्वर सधे, मगर दुःख से झुके-झुके थे। लोली के प्राण, लोली का रक्त, धम्-धम् सब एकत्र हो गये। कान के पास। वे कान, जो इन्हें सुनते, कभी खुशी से पंखी की तरह डोला करते थे। वे अब हाहाकार में सधे थे।

"सुनो। जब यह अपनी लड़की को देखेगा, तब वह उसके दुःख को उसके चेहरे पर पहली बार साफ ढंग से पढ़ पाएगा। उसका चेहरा मैं इतना बताने वाला बना दूँगी कि ये सह नहीं पाएगा। उसी दम इसकी धड़कन बन्द हो जाएगी।"

"ठीक है। और यदि यह बच गया रमाकान्त, तब मैं इसे सबसे ऊँची इमारत की छत पर ले जाऊँगी।"

"और यदि फिर भी यह बच गया, तब मैं सड़क पर दो लोगों के बीच झगड़ा

बन जाऊँगी। इसके दिल में उट्ठेगा कि बचाएँ, मैं मदद बन जाऊँगी। यह उन दोनों के बीच आ जाएगा, मैं छुरा बन जाऊँगी।''

''सुनो, अब आखीर में। जो कोई हमारी इन तरकीबों को सुनेगा और रमाकान्त को बतलाएगा, वह पत्थर बन जाएगा। जब इस तरकीब से रमाकान्त छुटकारा दिलाएगा, मैं उसकी आँखें बन जाऊँगी। वह अपनी आँखों की पुतलियों से देखेगा, रमाकान्त का भयानक भविष्य। मैं पत्थर बन जाऊँगी। उसके हाथों में धारदार।''

लोली पसीने से पूरा भींग गया। हाय-हाय! क्यों कहानी सुनने की बात कही? पता ही नहीं चलता, रमाकान्त नहीं चाहता। दादा मर गये तो वह रहकर क्या करेगा? उन्हीं का दिया खाता है, उन्हीं का दिया पहनता है, उन्हीं का कहा सुनता है। वे कपड़े जो रमाकान्त पर फबते हैं, चार-पाँच सालों बाद उसे मिल जाते हैं। उसे लगा ही नहीं, वह उसके शरीर का हिस्सा नहीं है। हरेक के कन्धे छूकर लोली गहन इसरार से पूछा करता, तुम्हारी कहानी क्या है भैया! तुम्हारा जीवन! तुम्हारे ढब। और ये कहानियाँ? गंदी! क्रूर! राक्षस!

सजे हुए घर के सामने छोटा बगीचा था। रमाकान्त को वे ही गठीले फूल दिखाई पड़े। बड़े और महमह। क्रिसमस ट्री। रबर प्लांट। गुलाब। डहेलिया। करीने से क्यारियों में। ताजा कटी लॉन घास। रमाकान्त सन्तोष से ढीला पड़ गया। ठीक है, ठीक है। सुनी-सुनाई बातें व्यर्थ होती हैं। बेटी रमाकान्त के इंतज़ार में मुन्नी को खिला रही थी। रंगीन गेंद लॉन में फिसल रही थी। मुन्नी उसके पीछे। रमाकान्त के होंठ हँसी और निश्चिंतता में खुल गये। क्या लोग सचमुच झूठ बोलते हैं? एक क्षण को लगा, यह सब बनावटी है। देखूँ। बेटी का चेहरा देखूँ।

''दादा, मुन्नी को देखिए। इसका चेहरा बिलकुल वैसा ही है। बेटी की छवि बिलकुल उतर आयी है।''

''तू है चतुर लोली। सही कहा। वैसा ही रूप। सुन्दर। कोमल। मासूम।''

बने केश। ज़ेवर। रंग। इनके बीच में से निकला चेहरा तुरन्त चला गया। बहुत दिनों बाद मिलने पर चेहरा हँसता तो है, पर उसे परे ढकेल घटनाएँ उभर आती हैं। तनी पेशियाँ। अनकही यातना। सबकी सब वापस। ठहरी नहीं।

रमाकान्त मुन्नी को हाथों के झूले में झुलाने लगा। वह प्रसन्न, वर्षों पहले खड़ा था। किलकारियाँ। और किलकारियाँ।

''चलिए दादा! अन्दर चलिए।''

बेटी की ठहरी चाल क्या घिसट रही है? झुकी-झुकी। रमाकान्त को लगा, बेटी सचमुच तकलीफ में है। वह उसका चेहरा कहाँ देख पाता। मर ही जाता।

दोपहर-भर दामाद बाज़ार की ऊँच-नीच समझाता रहा। बाज़ार की बारीक हलचलें। वह तेज़ी से काम बदल रहा था। अभी उसके पास कोई काम न था। लक्ष्य को उसने पतंग-सा तान रखा था। उसने बतलाया कि वह मौके की जगह पर कूद रहा है। चीज़ें अब फैल नहीं रही हैं। वे आपस में जुड़ रही हैं। इसीलिए लोग काम से नहीं, जगह से पहचानते हैं। जैसे कि एक इमारत।

ज़िद करके दामाद विशाल इमारत में ले गया। वहाँ कोई किसी को नहीं देख रहा था। उसने लकड़ी से बने एक छोटे-से केबिन में रखी छोटी-सी टेबिल दिखलाई। बतलाया, यहीं से पूरे देश में राज करेगा।

रमाकान्त को निराशा हुई। कहीं यह सनक तो नहीं गया है। दमघोंटू वातावरण। चुप्पी। "चलिए, छत पर चलते हैं। तब आपको पता लगेगा, कितनी ऊँची इमारत है ये। पूरा शहर बौना दिखता है। हरदम विमान में सवार जैसे।"

वे छत पर चले गये। बाग-बगीचे। तरण ताल। रेस्ट्राँ। लोगबाग अपने शरीर से निष्फिक्र टहल रहे थे। स्त्रियों की चिकनी जाँघें धूप में रंग बदल रही थीं।

दामाद शहर दिखलाते-दिखलाते मुँडेर तक ले आया था। मुँडेर का हिस्सा कुछ और बनाए जाने के लिए टूटा था। वे दोनों तन्मय कोई प्रसिद्ध मन्दिर का कलश देख रहे थे।

"दादा! आप कहते थे न, कुछ ज़मीन बेचकर इनका काम बना देंगे। इमारत अच्छी हैं इसमें ठीक न होगा?"

रमाकान्त ने लोली को आश्चर्य से देखा। मन ही मन कहा, 'कब?'

"चलिए, आपको यहाँ की मशहूर कॉफी पिलाते हैं। कोई न कोई दूर से यहाँ कॉफी पिलाने, एक-दूसरे को लेकर आते हैं।"

दामाद रमाकान्त का हाथ अपने हाथ में लेकर रेस्ट्राँ की ओर चलने लगा। रमाकान्त ने देखा, मुँडेर की छूटी जगह पर गीला रिस रहा था। धूप में चमकता। क्या इसे मालूम हो गया है, इसकी करतूतें मैं जान गया हूँ? हो न हो, बेटी मेरी संकट में चल रही होगी।

कॉफी अच्छी थी। रमाकान्त ने बल दिया। दामाद लगातार ऐसी चीज़ों के बारे में बतलाता जा रहा था, जिन्हें वह खुद न बनाएगा। मुहर उसकी होगी। चीज़ें उसकी मुहर से यहाँ से वहाँ चली जाएँगी।

"तुम्हारी मुहर की विश्वसनीयता क्या है? क्यों खरीदेगा कोई?" रमाकान्त चिढ़ को दबाकर पूछ रहा था। जैसे मुहर नहीं, बेटी के लिए।

“विश्वसनीयता?” वह हँसा। उपेक्षा भी चली आयी। “पूरे संसार में इस मुहर का नाम है। मैं यहाँ उसे विश्वसनीयता दूँगा। यही तो मेरा काम है। होगा।”

“अच्छा चला जाये?”

इमारत से उतरते हुए वह एक और योजना का खुलासा करने लगा। इसमें अनेक लोग लगेंगे। लोली को रफूगर की याद आयी। रमाकान्त समझ गया, दामाद योजनाओं से पुख्ता करना चाहता है। एक कौड़ी भी नहीं। और फिर बेटी से कुरेदकर पूछ ही लेगा।

वे वाहन के इंतज़ार में सड़क किनारे खड़े थे। लोली की साँसत आ ही गयी थी। उसका सिर दुखने लगा था और वह सोना चाहता था। स्वप्नहीन। किन्तु शिकारी की चपलता थी। इन दोनों के बीच वह झूल रहा था। तभी नज़दीक से गुत्थमगुत्था दो लोग लुढ़कते हुए-से निकले। रमाकान्त कभी नहीं करता। उसने अचानक अपने दामाद से कहा, “इन्हें झगड़े से बचाना चाहिए।”

वे बहुत दुबले और दीनहीन थे। उनकी चिल्लाहट में थोड़े पैसों की पुकार थी। वे दोस्ती, विश्वास, भरोसा, इज़्ज़त की दुहाई दे रहे थे।

लोली तुरन्त बोला, “दादा! देखिए वह सिपाही।”

सिपाही गुमटी में टिके हुए, संतरे का जूस पीने जा रहा था। गिलास बड़ा था। नारंगी जूस से लबालब। वह झगड़े को देख रहा था, फिर हसरत से गिलास देखने लगा।

“सिपाही जी, दौड़कर आइए। यह क्या जूस पीने का समय है!”

रमाकान्त के स्वर अधिकार से ऊँचे थे। उसने गिलास रखा। पूरा भरा हुआ। दौड़ता हुआ दोनों झगड़ालुओं से भिड़ गया। सहसा उन दोनों में से किसी एक के हाथ में चाकू आ गया। सिपाही बीच में था। वह उनसे भी अधिक भद्दी गालियाँ दे रहा था। वार हुआ। सब सकते में आ गये। उनमें से एक मूठ छोड़ भाग खड़ा हुआ। सिपाही खुशी से उछलता हुआ रमकान्त के पास आ गया। “मैं बाल-बाल बच गया।”

‘दूसरा आदमी सड़क पर औंधा था। अब धीरे-धीरे खून बहेगा।” लोली ने रमाकान्त को बतलाया।

“तू खच्चर, चुप रह। नहीं, कुछ नहीं हुआ है। सिपाही जी, लो रुपये। जाओ, जूस पियो।”

“सिपाही जी, वह तो भाग गया। उसे पकड़ो न।”

“वह कभी न कभी पकड़ा जाएगा। कहीं न कहीं।”

“अरे, इस घामड़ की बात में न पड़ो। जाओ, जूस पियो।”

दामाद ने कहा, ''यह आपने अच्छा किया। अनुभव बड़ी चीज़ है। चलिए, चलें।'' वे टैक्सी में सवार हो गये।

बेटी रमाकान्त के पास आने से कतरा रही थी। उसके पास बहुत सारे काम थे। वह मुन्नी को भेज देती। लोली अन्दर भाग-दौड़ करता। जैसे बरसों से यहाँ काम कर रहा हो। एक-एक चीज़ को पहचानता। रमाकान्त मुन्नी की भोली अदाओं में मगन हो गया। दामाद पास में बैठा देखता रहा। रमाकान्त जब भी कुछ खाने की चीज़ माँगता, लोली चला आता। वह कह भी नहीं सका, बेटी को भेज दे। हारकर मुन्नी को गोदी में उणाया, घुटनों पर बैठा मुँह बिराने लगा। उसे खुशी हुई। रमाकान्त ने जैसे खेल का ही हिस्सा हो, पूछा, ''बेटी, खुश तो है न?'' चौंककर दामाद ने पूछा, ''उसने कुछ कहा क्या?''

''नहीं-नहीं। मैंने वैसे ही पूछा। एक बाप का फर्ज।''

''...''

''आजकल का कोई भरोसा नहीं भाई। इतने सारे नशे...''

वह चतुराई से हँसा, ''नहीं-नहीं!''

''बाहर क्या नहीं है। सब है सब। मगर क्या होता है! जवानी बीतने पर घर ही काम आता है!''

''होगा। आपसे इसने कुछ कहा क्या!''

''नहीं। मैं तो ऐसेई कह रहा था।''

दामाद संज़ीदा हो गया। घर के तमाम उपकरण और फर्नीचर की सूची एक-एक करके बतलाने लगा। वे सब महँगे थे, उनसे छवि बनती थी। रमाकान्त ने एक-एक सामान को मन ही मन परखा। सचमुच सब है। क्या कमी है बेटी को! लोग यूँ ही उड़ाते होंगे। समय के साथ यह सँवर जाएगा। रमाकान्त ने कहा, ''हमें चलना चाहिए लोली। कहीं फिर गाड़ी न छूट जाये।''

विदा के वक्त बेटी का विलाप तीखा था। रमाकान्त अन्दर ही अन्दर आश्वस्त हुआ। बेटी का मोह अभी तक वैसा ही है। उसने बड़े नोट बेटी और मुन्नी की हथेलियों में दबा दिए। मुड़कर देखा नहीं। ऑटो में बैठ गया।

नहीं। रमाकान्त के मन में दूसरी ही उधेड़बुन थी। उसे लगा, तुरन्त पूछताछ कर

लेनी चाहिए। उसने ऑटो रुकवा लिया। "लोली, यहीं उतर। जरा पार्क की हवा खाएँगे। फिर चलेंगे।"

लोली चुपचाप सामान उतारने लगा। पार्क हल्ले से भरा था। बच्चे और फूल खिले थे। साँझ की अन्तिम किरणों में लॉन खुरदुरा और मोटा लगता। बड़े विस्तृत लॉन। जगह-जगह खंभों पर मूर्तियाँ लगी थीं। सब जानी-पहचानी। वे मशगूल बच्चों, खाँसते बूढ़ों को उँगली से अनन्त की तरफ इशारा करती थीं। सँवलाई या सफेद मूर्तियाँ। भावहीन। मूर्तियों का पार्क लगता। बीच-बीच में रंगीन फूलों से भरी क्यारियाँ। पार्क के एक सूने कोने में रमाकान्त लगभग धकेलता-सा ले गया। वह हाँफ गया था। दोनों बैठ गये। लोली उकड़ूँ।

"लोली, एक बात साफ बतला, तुझे क्या मालूम है?"

"क्या दादा?"

"बन मत उल्लू। मुझे शुरू से ही लग रहा है, तू सब जानता है। आज तूने कितनी अल्हनें टालीं। तुझे पहले से कैसे मालूम?"

"दादा! रहने दो। बस हो गया। कुछ बिगड़ा तो नहीं ना।"

"चरखे मत चला। साफ बोल। नहीं, भुस भर दूँगा।"

"दादा, आप विश्वास नहीं करेंगे। कहानियाँ हैं। कहानियों ने सब बतलाया।"

"तू कहानियों को सुन सकता है। वे तुझे बतला सकती हैं। मुझे नहीं! मैं मान नहीं सकता। पूरी बात बतला।"

लोली एकदम डर गया। यह क्या हो गया?

"बोल, चुप क्यों है?"

"दादा, बतला दूँगा तो पत्थर का हो जाऊँगा।"

"अरे झूठा। ऐसा कभी हुआ है? होता है कभी ऐसा?"

"कसम दादा। अच्छा दादा, मैं बतला दूँगा तो पत्थर का हो जाऊँगा।"

"फिर?"

"आप बेटी को लाइएगा। बेटी जिज्जी की गोद में मुन्नी होगी। जब वे मुन्नी को उछालकर मेरी ओर फेंकेंगी, तब मैं पत्थर छोड़ दूँगा, लोली बन जाऊँगा।" आगे की बात निकलते रह गयी। लोली आशंका में गहरे डूब रहा था।

"अरे वाह मेरे शेर! अब तू भी कहानी कहने लगा!"

"नहीं-नहीं। सौगन्ध।"

"अच्छा बता लोली।"

लोली के शरीर में बहुत मांस नहीं था। हड्डियों के साथ वे भी अकड़ने लगे। आँख। सिर। बाल। घुटने। लोली सिर झुकाए समूचा पत्थर में बदलने

लगा। कत्थई भूरे रंग में। काँसे-सा रंग। रमाकान्त ने छूकर देखा। हक्का-बक्का रह गया। ''लोली, कहानियाँ इतनी खतरनाक होती हैं! तुझे फिर से लोली बनाना खतरे से खाली नहीं है। सचमुच, अब से कोई कहानियाँ सुनेगा-सुनाएगा नहीं। तू आएगा तो यही कहेगा। तू उनकी सुन लेगा लोली। इसलिए लोली ऐसा ही बना रह। मैं अभी की बस पकड़ लेता हूँ। अच्छा हुआ, तुझसे जल्दी मालूम पड़ा।'' रमाकान्त ने सामान मुश्किल से उठाया और मदद के लिए यहाँ-वहाँ देखने लगा।

पार्क में बहुत मूर्तियाँ थीं।

लोली वहीं रह गया।

तैयारी

धारा एक सौ चौआलीस की सुविधा के लिए चौड़ी सड़क पर आड़ी रेखा पड़ी थी। दोनों ओर लोहे के डंडे। सुविधानुसार अवरोध बनाया जा सकता था। आगे जाकर ऐसा अवरोध ओर बना था। पीला रंग पुता था। दोनों अवरोधों के बीच की जगह बहुत बड़ी थी। शहर का यह हिस्सा बिल्कुल अलग है। उत्तेजित और गर्म। सड़क के एक और विश्राम भवन थे। वे खंड एक, खंड दो, खंड तीन के नाम से पुकारे जाते थे। उनमें विधायक खादी के परदों से ढँके कमरों में रहते थे। वे भी कभी-कभी आते थे। उन के क्षेत्र की जनता, नौकर या नौकरनुमा टहल करते कुछ लोग होटल को अँगू ठा दिखाते हुए सोने की कोशिश करते थे। सो नहीं पाते थे। दूसरे क्षेत्र के लोग बगल के कमरों में राजनैतिक विश्वास के चलते लम्बी बहसों में अपने जानकार होने को सिद्ध करने के बाद स्थानांतरण या नौकरी के आवेदन की ताजा स्थिति पर अन्दाज़ा लगाते। पुराने दर्दीले गीत, टेलीफोन की घंटियों और टीवी के निरन्तर सधे संवादों के बीच वे कराह कर मन्त्री के यात्रा पर आने या जाने की सूचना देते। ऊँचे स्वर में। चपरासी को इस सूचना पर दिये गये धन का विश्वास झलकता था। सूचनाएँ नींद को काट अगले कमरों की तरफ बढ़ जातीं। इन खंडों से अलग पारिवारिक खंड था। बच्चों के रटने और धीरे-धीरे उनींदें होते जाने के बेबसी थी। वे शहर के अच्छे स्कूल में जल्द से जल्द अपने कस्बे को बनाये रखने के लिए जग रहे थे। कड़ुवी आँख लिए।

अवरोधों के बीच में ही सड़क के दूसरी तरफ हरी पत्तियों और मोटी दीवार के पीछे कोई लम्बी चौड़ी इमारत थी। राजभवन। सारे द्वार बन्द थे और अन्दर से कोई आवाज़ नहीं आती थी। उससे ही लगी हुई विधानसभा थी। जब बैठकें चलतीं धारा एक सौ चौआलीस तुरन्त लग जाती। प्रदेश के अनेक कोनों से आये जत्थे अवरोध के पास रोक दिये जाते। कुछ जत्थों के पास पुराना अनुभव होता। वे अवरोध के इस ओर जाते। उन्हें यत्नपूर्वक बस में चढ़ा कर कहीं दूर

उतार दिया जाता। जोशीले नारों और फूली नसों का दर्द लिए वे बस में जल्दी से घुस नहीं जाते। अवरोधों के बीच भी अनेक जत्थे थे। वे हँसते हुए उन्हें बस में जाते देखते। पान खाते और थोड़े से चूने की माँग करते। दो तीन की संख्या में धारा से बचते, विधायक जी का इंतज़ार करते। कुछ नवयुवक जोशीले नारों की तुकबन्दी सिगरेट की पन्नी पर उतारते। विधायक जी उन्हें दूर से आते दिख जाते। थकान और उत्साह का अद्‌भुत मेल कार्रवाई विधायक जी की गर्दन पर चूता। पसीने सा। पीछे कुली होता। दिन भर की कार्रवाई और प्रश्नों की किताबों का गठ्ठर सिर पर उठाये। नहीं कुली नहीं। क्षेत्र का कोई जागरूक सदस्य या नौकर या नौकरनुमा टहलुआ। सबको भूख लग जाती। अवरोध से सटे कतार में भोजनालय हैं। धूप पराठों की गन्ध लिए राजभवन की गहरी हरी फलक पर सुस्ता रही थी। धूप रंग हवा। गाल पर ठहरे ओज-सी। खिली हुई। यही शहर की हवा का यहाँ रूप है। सड़क पर रेल या बस नहीं थी फिर भी लोग बातचीत के बीच बीच में चौंक कर इधर उधर देखते।

''आइये खाना खा लीजिए।'' अपनी चड्डी से प्लेट को रगड़ते हुए लड़का बोलता है। उसका काम भोजनालय के आगे खड़े होकर बगल वाली दुकान से ऊँची आवाज़ लगाना है। खाने की याद से लोग चौंक जाते हैं बाहर से आये आदमी को इसके बाद भूख लगती है। वे तरकारी की किस्म बतलाते हुए अगली बस का समय पूछते हैं।

''जगह खाली है। आ जाइए।'' लड़का हँस कर मुझे बुलाता है।

''अरे! यहीं का हूँ। घर से खाकर चला हूँ। समझे।''

भोजनालय से लगी पान की गुमटी है। गुमटी के मुखड़े पर ताजा पत्रिकाएँ वंदनवार-सी लटकी हैं गुमटी का फर्श बीचोंबीच कटा हुआ है। पान वाले का आधा शरीर उसके अन्दर है। इससे वह लोगों को बैठा हुआ दिखता है। तखत पर आसन जमाये। जबकि पान पर कथ्थे की डंडी के साथ एक लय में पैर कदमताल करते हैं। चारों ओर आईने हैं। उजाला, लोगों के रोशन चेहरे और भरे मुँह में घुलते शब्द ओठों की थिरकन में चारों तरफ दिखलायी पड़ते। इसके साथ ही लगता कि पानवाला भी गोष्ठी में बतियाने आया है।

''एक सिगरेट देना यार। वो। और ये बताओ कि मेडिकल बोर्ड कहाँ है?''

उसके मगन हाथ रुक गये। मुझे देखते हुए उसने ही सवाल किया, ''मेडिकल बोर्ड?''

''यहीं कहीं है। अरे नहीं। अस्पताल नहीं। बस, जाँच करते हैं।''

''अच्छा। आजकल यहाँ ऐसे ऐसे दफ्तर खुल गये हैं कि पता ही नहीं चलता।

उस दफ्तर को देख रहे हैं, मन्दिर प्राधिकरण। ये दूसरी जगहों में बने इस प्रदेश के मन्दिरों का हिसाब किताब रखता है।''

''ये तो बहुत ज़रूरी है।'' मेरे बगल वाला जिम्मेदारी से हँसा और बोला, ''दरअसल यह शहर गुमशुदा लोगों का है। लापता लोगों के द्वारा बनाया गया नगर। यहाँ गुमशुदा लोग बसते हैं।''

''बहुत ऊँची भाई मियाँ। क्या? पर हम गली गली को जानते हैं।''

पान वाले ने अपने पुराने बाशिन्दे होने की पहचान को खोने नहीं दिया।

''होंगे। पर है तो ये शहर गुमशुदा लोगों का। अच्छा बताओ पाँच साल बाद यहाँ कोई दिखायी पड़ता है। जहाँ से भाग कर आते हैं, वहीं नहीं पहुँच जाते? फिर कोई नया आदमी आ जाता है, उसकी जगह लेने।''

''आप तो इधर की कह रहे हैं। वहाँ पूरा शहर पड़ा है।''

''उसे शहर कहते हो। एक तरफ गरीबी और सड़ाँध है। जिसे तुम पुरानी रवायत कहोगे। दूसरी तरफ सरकारी क्वार्टरों की कतारें हैं। एक से, नम्बर डले मकान। वहाँ भी गुमशुदा लोग ही रहते हैं। कौन जानता है उन्हें। कुछ सालों बाद कहाँ मरखप जाते हैं। किस शहर में?''

''आप तो ये बतलाएँ कि मेडिकल बोर्ड कहाँ होगा?''

''माफ करें! मैं तो बाहर से आया हूँ। अपन तो बस तुरन्त काम हो, तुरन्त भागो। ये कोई शहर है। दहशत होती है।''

मैं पानवाले की ओर मुड़ा, ''बताओ भाई। पान गुमटी पर पता न चले तो हद है।''

''आप ऐसा करो नीचे की ओर निकल जाओ। पैदल-पैदल। वहीं इसी तरह के दो तीन दफ्तर हैं। मेरे ख्याल से यहाँ नहीं। और भाई जान अपना तो शहर यही है। यही गुमटी। सारी जगहों के लोग यहाँ मिल जाते हैं। मामूली है यह शहर!''

गुमटी से हथ्थे के सहारे मोटी रस्सी धीमे धीमे सुलग रही थी। धुआँ ऊपर की ओर उठता था। मैंने कमलनाल-सा उसे उठाया। सिगरेट जलाने लगा। कहा, ''हाँ सही कहते हो हमारा शहर मामूली नहीं।''

वह आदमी हँसा, ''ठीक कहते हैं, गुमशुदा लोगों के इश्तिहार छपाने पड़ते हैं। हम लोग बेचारे रोज़ अखबार पढ़ते हैं। इतने महत्त्वपूर्ण हैं आप सब।''

मैंने धुँए से चेहरा थोड़ा आगे निकाला। अलग होने के लिए थोड़ा-सा हिलाया। हट गया।

भोजनालय के काउंटर पर मोटा आदमी ऊँघ रहा है। उसके ऊपर एक से

कई फ्रेम लगे हैं। बहुत सारे भगवान। न सूखने वाले हार। लाल कपड़े में बँधा नारियल हिल रहा है। पेंडुलम। काउंटर पर फोन है। चपटा हरा। पूरे दिन का नक्शा खिंच गया। शाम से पहले खाली हो जाऊँगा। तुरन्त याद आयी। मंजरी। उसकी फोन पर हँसी और चुप्पी दोनों गाने के बेजोड़ हिस्से लगते हैं। ओंठ और उसके कानों के बीच स्वर की इतनी कम दूरी के कारण फोन हमेशा जीवन्त लगता है। हाथ जैसा। पोर जैसा।

''क्या फोन कर सकता हूँ?''

चौंका नहीं। यह ऊँघ नहीं रहा था। सुस्ता रहा था। आँखें बन्द किये। उँगली से उसने बताया। दो रुपये। फोन पर भी उसने लिख छोड़ा था। दो रुपये दीजिए। मैंने एक्स रे रिपोर्ट और दूसरे लिफाफे काउंटर पर रखे। वह पीला आवरण देख कर चौंक गया। बोला, आराम से बैठ जाइए। एक्स-रे प्लेट आज भी लोगों को चौंका कर जगह खाली करती है। थोड़ी-सी सहानुभूति के लिए। दाल फ्राई और प्याज की बघार, बातचीत और अचार की माँग के बीच बातक रना क्या सही होगा? अक्सर उसमें फोन पर बात करने के पहले आसपास की चीज़ें याद आती हैं। चीज़ें कहाँ! लोग। चीज़ें न देखो तो चुप सी लगा करती है। भीड़ और शोर के बीच अपनी कलाई के आसपास सनसनी को पाया। काउंटर पर बेडौल ग्लास में गले तक पानी भरा है। फूल ठुँसे हैं। गुलाब की कुछ पत्तियाँ नीचे झर गयी हैं। उनमें भी सनसनी हैं। बहुत कोमल। हवा में थरथराती। मोबाइल सो रहा है। फोन लगाता हूँ। दूसरी तरफ से नम्बर दोहरा कर कोई ठहरी आवाज़ में कहता है, हैलो। तुरन्त रिसीवर रख देता हूँ।

''इंगेज है।'' बुदबुदा कर मोटे की तरफ देखता हूँ। हँसी। प्रतीक्षा। फिर लगाता हूँ। यही ठहरी कठोर आवाज़। कुछ सुनगुन लेने के लिए चुप्पी। दोबारा फुर्ती से रिसीवर रखता हूँ। हथेली और रिसीवर के बीच पतली तह बन गयी है। पसीने की। वह मेरी ही तरह कुनकुना बन गया है। शरीर का तापमान।

''लगता है आजकल लोग बहुत फोन करने लगे हैं। है कि नहीं? या कुछ फोन में ही गड़बड़ी हैं बार-बार इंगेज।''

''नहीं नहीं। ठीक है यह। जल्दी करो। करना हो तो।''

उसने चिड़चिड़ा कर कान में उँगली डाली। पेचकस सा घुमाया। फोन उसकी दुकानदारी का अंग नहीं था। अड़चन थी जो परोपकार के खाते में थी। इस बार नहीं लगा तो कोई बात नहीं। चल दूँगा।

''हैलो। कौन चाहिए।''

धमकाने का स्वर। मंजरी ही थी।

''आप ही मंजर साहब। क्या आपका फोन इंगेज था। इतनी देर बात करते हैं आप? मोबाइल भी स्विच ऑफ। कम से कम रिसीवर तो उठाइए।''

इंगेज? वही आवाज़ थी एकदम विपरीत। स्निग्ध और खुशी से लबालब। गले की गहराइयों में बहता जलप्रपात ''इंगेज! अच्छा आप थे हुजूर। भैया से कह क्यों न दिया।''

''मैं देखो दोपहर बाद तक फ्री हो जाऊँगा। मेडिकल बोर्ड है न आज। वही चक्कल्लसें। हाँ। हाँ। देर तो लगेगी।''

''सुनो। सुनो। ये गाना सुनो। कितना अच्छा है। तब तक बाथरूम का नल बन्द करके आती हूँ।''

''सुनिये। जल्दी है...''

खट्। सिन्थेसाइजर। तबला। बाँसुरी। घुँघरू। इश्क। दो पल। चुम्बन। नींद। ख्वाब। बेकरारी। खट्। खट्। हैलो कैसा लगा?

''ये तो बहुत ज़रूरी बात है। आपके मुँह से दोबारा सुनना चाहूँगा। दोपहर तक। हाँ। उसके बाद। बीसीएल। ठीक चार। अच्छा रखता हूँ।''

''नहीं। नहीं। सुनो तो।''

''अच्छी। जै हिन्द।''

बहुत ज़रूरी काम निबट गया। कन्धों ने उचका कर बताया। मोटा संख्या गिन रहा था। तीन हुए? क्या बीमारी है आपको? तीन या चार? हैं!

उसकी हमदर्दी और उत्सुकता रिपोर्ट के फ्रेम में फँसी थी। उसके चेहरे पर अनजाने ही आत्मीयता का भाव आ गया। बीमारी जोड़ने का गोंद हो जैसे।

हाँ न की स्थिति में केवल बोला, बस्स ऐसे ही।

''तीन हुए। हैं न। दो इंगेज। चलो एक का ही दे दो।''

मैं खुश हुआ। मेरा गणित काम आया। जेब से रुपये निकालने लगा। वह अभी भी डूबा हुआ था। बीमारी का नाम पता नहीं चल पाया। मैंने उसकी आँखों में देखा। वहाँ भूला नहीं था। लेनदेन की चमक नहीं थी। गहरी टीस। चिन्ता। बीमारी छिपा लिए जाने का आहत भाव। मालूम नहीं क्या हुआ मैंने पाँच और एक छः रुपये काउंटर पर रख दिए। तीन फोन काल के पूरे... ''बहुत बड़ी बीमारी हो सकती थी काका।''

''फिर?''

''बच गया। फोटो ही ठीक नहीं आयी।''

मेरे साथ वह भी हँसा। जैसे चिन्ता उड़ गयी। तश्तरी में से सौंफ निकाली। कुछ ज़्यादा ही मिश्री। एक अनावश्यक टूथपिक। उसी की नोक से शुक्रिया

कहता सड़क पर आ गया। गाने के बोल आखिर हैं क्या? कुछ याद न आया। धुन भूली बिसरी अन्दर घुल रही थी। मंजरी से पूरा का पूरा गीत सुनाने के लिए बार-बार कहूँगा। उसका चेहरा रँग जायेगा। खूब गुलाबी। भक् भक्।

"मुख्य मन्त्री जी ने कहा है भई। खुद मेरे हाथ पर हाथ धर कर कहा। कल आइए अर्जियाँ ले आइए। सब ठीक कर देंगे।"

भोजनालय में मुड़ते हुए चार पाँच के गोल में कोई ऊँची आवाज़ में हाँका लगा रहा था।

तुम सालो तुच्छ। यही करते रहोगे। अर्जियाँ। दाल फ्राई। फोकट में आधा टुकड़े नीबू का लोभ।

वे बहुत उजले और कड़क कपड़ों में भी लग रहे हैं दीनहीन। अ हा। गाने के बोल के पहले शब्द हैं : तुम्हारे शहर में मेरे इश्क के चर्चे।

तीखी धूप में जल्दी चलते हुए दफ़्तर ढूँढ़ लूँगा। है तो यहीं कहीं।

अमलतास और गुलमोहर के पेड़ सड़क के किनारे पंक्तिबद्ध खड़े थे। नीचे छाया कहीं कहीं विरल थी। उनके बीच डगाल का चित्र बनता। धीमे हिलते। हल्की नमकीन कसैली गन्ध को लिए दिए। फूलने में वक़्त हैं चटक धूप में उगे गुलमोहर के फूल ही होंगे। सड़क सूनी है। दफ़्तर लग चुके हैं। सबसे पहला दफ़्तर किसी नृत्य के विकास के बारे में है। आगे कहीं मेडिकल बोर्ड दिलाई नहीं पड़ता। कोई आदमी भी नहीं। बस इसी दफ्तर के आगे कुछ टूटी कुर्सियाँ बिखरी हैं और एक लड़का एक डोर से बुन रहा है। तरह तरह के रंग। मैं उसके पास खड़ा होता हूँ। वह कुर्सी को दोनों टाँगों के बीच सँभाले है। धागानुमा प्लास्टिक को बुनावट के बीच में से ऊपर तक खींचता है। बहुत ऊपर तक। जहाँ तक उसके कन्धे उठ सकते हैं।

"सुनो यार! यहाँ कहीं मेडिकल का दफ्तर है?"

तल्लीनता को छोड़ वह धूमा। नेत्रहीन। दुविधा में मैं चुप खड़ा रहा। बोल चुका था।

"हाँ है। मुड़ कर आगे जाइए। पोस्ट ऑफिस का लाल डब्बा मिलेगा। उसी के पास। बस लगा हुआ।"

"अच्छा यार।"

वह अधबुनी कुर्सी पर हाथ रख बैठा रहा। जैसे कुछ और बताना चाह रहा हो। मैं रुका नहीं। मुड़ा। अन्धविद्यालयों में कुर्सी बुनने के अलावा और क्या काम सिखाते हैं। वह पता लगाना है। नेत्रहीन अपनी सुन्दर बुनावट कुर्सी पर

कस देते हैं। वे कुर्सियाँ जो कहीं न कहीं किसी न किसी मेज के बीच छुप जाती हैं। बेलबूटे लिए।

पुरानी बेकार एम्बुलेन्स और जीप का मालगोदाम था। ईंटों के ऊपर वे खड़ी थीं। टायर सब गायब थे। धूल और पत्तियों से ढँकी वे बरसों से यहाँ होंगी। पूरे आँगन को घेरे। उनके बीच से आने जाने का रास्ता निकाला गया था। दालान में दीवार से सट कर बैंच थी। कुछ टूटी कुर्सियाँ। थोड़े से लोग थे। अन्तिम आदमी के बाद मैंने कागजात रखे और बैठ गया। पैरों में चलते रहने की गति अब धीरे-धीरे नीचे उतर रही थी। वह आदमी सिकुड़ कर बैठ गया। बैंच में हिलडुल हुई। वह हँसा। बेहद दुबला और मार खाया। हम दोनों के बीच कुछ कागज़ों का अन्तराल था। उसने एक्सरे रिपोर्ट उठा ली। उसको ऊपर उठा कर बहुत नज़दीक से देखने लगा। हड्डियों का चंदोबा तन गया। बहुत जानकार बन कर बोला, नहीं। नहीं। कुछ नहीं है। नौकरी के लिए न? देखिए आपको मुझसे पहले बुलाएँगे।

''आप कैसे?''

''उन्हें देख रहे हैं न। वो। कुर्सी पर मुँह सुजाये बैठे हैं। हमारे साहब हैं। लाये हैं।''

''क्या हुआ है?''

''होना क्या है। महीने का छः सात सौ का बिल बनाते हैं। मेडिकल भत्ता। इन्हें तकलीफ होती है। लेकर आये हैं। पिछली बार भी लाये थे।'' वह बिना मतलब जोर से हँसा। उसके साहब ने चौंक कर देखा। चेहरा गुब्बारे सा तना था। फूला।

''क्या हुआ?''

''होना क्या है! सुरंग बनानी पड़ती है। इनको बुरा लगता है। नकली बीमारी सिद्ध करने के लिए पिछली बार भी लाये थे। ठेंगा। कुछ न कर पाये। नाड़ा खोल दिया। घबरा गये। बोले बाँधो बाँधो। हमने कहा, डॉक्टर साहब उठान ही नहीं होता।''

उसने लापरवाही से पैरों को फैलाया। ऐंठा। जैसे पंछी बन जाना चाहता हो। हिलते हुए बोला, आसान है क्या। फिर लाये हैं! बात ऐसी है कि नौकरी में आप कबरबिज्जू नहीं बने तो सब आपके दाँत गिन लेंगे।

किसके पास बैठा हूँ मैं। यह नंगा। तिक्त होकर बोला, ''दाँत छुपाने के लिए क्या मुर्दे खाना ज़रूरी है।''

यह सहसा स्थिर हो गया। सँभाल कर धीरे से बोला, बड़े ढोंग के अन्दर छोटे छोटे ढोंग करने ही पड़ते हैं। मैं कहता हूँ आप भी करेंगे।

उसके इस विश्वास पर गाली देने की इच्छा हुई। मन में दुहराया। बोला, "आज क्या करोगे?"

"देखना है! अरे नहीं। इनमें इतना साहस नहीं है। लिखा पढ़ी करेंगे। और क्या। खैर। आप तो पहले फुर्सत पा जाएँगे।"

कमाल हैं, इतना आत्मविश्वास। साँप सी लचक। कसे घोड़े सा तना है साहब। मेरा बुलावा आ गया। अदालत में आवाज़ लगाने की नकल करती आवाज़। दरवाज़ा बन्द था। बाहर कुर्सी पर बैठे आदमी ने एक कागज़ ही लिया। उसकी दूसरी प्रति पहले से ही वह लिए था। नाम पढ़ कर वह मेरे चेहरे से मिलान करने लगा। नाम जैसे फोटो हो। बाकी कागजात विरक्ति से लौटाते हुए बोला, "ये सब अन्दर ले जाइये। वे जानें उनका काम जाने।"

वह किसी बात से चिढ़ा बैठा था।

"क्या बहुत देर लगेगी?"

"देर? उन्हें चाय पानी से फुर्सत मिले। तब न। मेरी पाँच की ट्रेन छूट गयी तो घर कब पहुँचूँगा। रोज रात को धक्के खाते जाओ। आप तो घुसो।"

वह किसी पास के कस्बे में रहता होगा। अभी से ट्रेन में बैठा है।

दरवाजे को खटखटाया। हौले से। आवाज़ की प्रतीक्षा नहीं की। सुनायी नहीं देती। अन्दर एक पुरानी मेज को घेर कर वे पाँच बैठे थे। सचमुच उनके सामने कप रखे थे। उनमें सबसे बूढ़े डॉक्टर ने ढीले हाथों से कुर्सी की तरफ इशारा किया। सारी रिपोर्टें ले लीं। वे हरेक कागज़ या पर्ची को देखने के पहले हँसते थे। नाम दुहराने के पहले भी हँसे। वे एकदम बूढ़े नहीं होंगे। रिटायरमेंट में समय होगा। कुछ साल या कुछ माह। उन्होंने सभी की ओर बारी-बारी से देखा और ढीले पड़ गये, "चाय पिएँगे?"

कप खाली थे। सिर हिला कर बोलना ही था नहीं।

वे हँसे और बोले, "चिन्ता की कोई बात नहीं है। अभी सब हुआ जाता है। आप जानते ही होंगे नौकरी में आने के पहले आदमी को हर तरह से मजबूत और स्वस्थ रहना चाहिए। आपने अच्छा किया जो कम्प्यूटर की लाइन चुनी। क्या है इसका काम यहाँ?"

"सर। हर जिले में कम्प्यूटर लग रहे हैं। सारे आँकड़े जमा किये जाएँगे। प्रोजेक्ट बनेंगे। इस तरह हर जिला एक टर्मिनल के सहारे पूरे देश से जुड़ जाएगा।"

"टर्मिनल?" पुड़िया खोल कर उन्होंने पान निकाला और किसी तरह पूरा

का पूरा मुँह के अन्दर घुसाने लगे। हँस नहीं सकते थे। मुँह को इधर उधर किया फिर अस्पष्ट सा बोले, ‘‘टर्मिनल के सहारे पूरा देश जुड़ेगा!’’

‘‘जी। जिलों के आँकड़े राजधानी में और यहाँ के पूरे आँकड़े दिल्ली में। अलग-अलग प्रोग्रामिंग होगी।’’

मैं उनके खानपान से सहज हो गया। यहाँ अस्पताल की गन्ध नहीं है। बातचीत है। हँस कर बोला, ‘‘सब कमाल आँकड़ों का है।’’

वे लाल दाँतों से हँसे। बोले, ‘‘आदमी इन आँकड़ों को धो सुखा सकता है। ओढ़ बिछा सकता है। कम्प्यूटर ये नहीं कर सकता।’’ सहसा उन्हें याद आया, टट्टी पेशाब की जाँच?

वह हमारे बीच रखी थी। मैंने इशारा किया। उन्होंने एक पर्ची निकाली और बगल में बैठे डॉक्टर के पास खिसका दी। वह यन्त्रवत दूसरे फार्म पर भरने लगा। बूढ़े डॉक्टर ने दोस्ताना ढँग से पूछा, ‘‘कोई पेटदर्द वगैरह तो नहीं है?’’

‘‘नहीं, जो भी खाता हूँ पच जाता है।’’

‘‘अच्छा है। अच्छा है। सबसे बड़ी नियामत। क्या करते हैं आपके पापा।’’

मैंने उन्हें बतलाया कि ये कृषि विभाग में अधिकारी थे। वे हँसे ‘‘कृषि विभाग’’! खूब खाइये। भोजन को अच्छी तरह चबा चबा कर खाना चाहिए। मुझे तो अब कोलाइटिस से छुटकारा मिला। वरना बहुत लम्बा साथ रहा।’’

‘‘सर। आप जगह जगह रहे इसलिए हुआ। एक जगह जम कर बीस साल निकाल दिये होते तो हाजमा ठीक रहता।’’ उनकी दूसरी बगल में बैठी डॉक्टर ने कहा। वे गहरे नीले रंग की साड़ी में थीं। सफेद कोट उन पर अच्छा लग रहा था।

‘‘नहीं मिस चंदा। आदमी का पेट ही आदमी का दिमाग़ है। मलेरिया विभाग में बरसों काम कर रहे आदमी को परिवार कल्याण में पटक दो तो दिमाग़ नहीं झनझनाता। पेट। बस वहीं बिगड़ता है।’’

‘‘मैं, सर, जबसे डिपार्टमेंट में आयी हूँ भूख ही नहीं लगती। मर गयी।’’

‘‘आपके लिए फायदेमन्द है। आपकी खूबसूरती।’’

हँसी की छोटी-छोटी लहरें उठीं। वे सब हँस रहे थे। खाने की अनिच्छा और उसकी सुन्दरता के गुणगान में। मैं हँस नहीं सकता था। गले में पड़े लाकेट और उसके स्पंदन को देखने लगा।

बूढ़े डॉक्टर ने कानाफूसी के अन्दाज़ में कहा, ‘‘दरअसल नौकरी में आने के पहले उदरपेशियों का सुविकसित होना ज़रूरी है। जिगर या तिल्ली भी बढ़ी न हो।’’ वे रुके। कुछ याद आया। हँसे, ‘‘हालाँकि आजकल हमारे ही कुछ नौजवान डॉक्टर इसका शिकार हो जाते हैं। शराब। तिल्ली बढ़ेगी ही।’’

उन्होंने अन्तिम छोर पर बैठे डॉक्टर को घूर कर देखा। उसने सिर झुका लिया। कुछ रंगबिरंगी प्लेटें थीं। वह ताश की तरह फेंटने लगा। बूढ़े डॉक्टर ने मेरी तरफ देखा। मानो मुझसे बात कर रहे हों, "उम्र बढ़ने के साथ उदर और तिल्ली दोनों ही बिगाड़ने का एकसूत्री काम बना लेते हैं नौकरीपेशा वाले।"

मैं थोड़ा आगे झुक कर उनकी बात सुनने लगा। अचानक वे बहुत धीमे बोलने लगे थे। अपने आप में गुनगुनाते। ठीक है। मुझसे ही बोल रहे हैं तो ताश वाले को खेलने देता हूँ। बोला, "सर मेरे ख्याल से अब ऐसा नहीं है। नौजवान अपनी फिजिक का ज़्यादा ख्याल रखते हैं। जैसे लड़कियाँ। मैंने कहीं पढ़ा है, लोग बोतल की बजाय अब कैश लेना पसन्द करते हैं।" वे पुरानी ऊँचाई पर आ गये। कहा, "मैं आपसे कुछ छुपाना नहीं चाहता। विज्ञान के आदमी को तथ्य पसन्द आते हैं। आप सुन सकते हैं। आपको नौकरी के समय यह आना ही चाहिए। प्रत्येक काम से 610 सेंटीमीटर की दूरी से कानाफूसी। अच्छा है।"

उनके इस अभिनय से हतप्रभ रह गया। वे कुर्सी से टिक गये। माथा पसीने की बुँदकियों से भर गया। साँस छोड़ कर बोले, मिस चंदा इनकी ऊँचाई नाप लीजिए। साथ में आप इनके मेरुदंड की हालत भी देख लें।

वे उठीं। मैं भी। बूढ़े डॉक्टर लगातार बोल रहे थे। जैसे कोई पाठ याद कर रहे हों। रीढ़ की हड्डी की स्थानिक कोमलता देख लें। मेरुदंड की हरकत भी इसमें शामिल हो। हल्का काईफोसिस या लोडोसिस चल सकता है। "आह। रीढ़ की हड्डी। पूरी तरह झुक सके। आराम से।"

उन्होंने बूढ़े डॉक्टर पर ध्यान नहीं दिया। वे टिक कर आराम कर रहे थे और बोल रहे थे। वे मुझे दीवार के पास ले गयीं। लकड़ी की एक टिकटिकी थी। उसके मंच पर खड़ा हो गया। छूने से बचते हुए उन्होंने स्केल से सिर को दबाया। सेंट की हल्की खुशबू आसपास फैल गयी थी। अभी तक कोट और त्वचा के बीच छुपी थी। यहाँ से, दीवार से सट कर कमरा बड़ा और खाली दिखायी देता था। हालाँकि आसानी से पहले देख सकता था पर अब दिखायी पड़ा। उघड़ी दीवार पर गाँधी जी की तस्वीर थी। मुख्यमन्त्री की तस्वीर थी। दोनों के बीच लम्बा कैनवास था। पूरी लम्बाई में मानव कंकाल का चित्र। नीली पीली नसें। हँसती हुई खोपड़ी। किटकिटाती। उसके ठीक नीचे दो पैरों की हड्डियों के बीच कुर्सी के पुश्त पर बूढ़े डॉक्टर की मुंडी लटकी है। जैसे वे तीनों तस्वीरों का कोई थ्री डी हिस्सा हों। यह क्लीनिक से अलग है। बेरंग कमरा। सेंट की खुशबू क्या इसी कारण आ रही है। बहुत नज़दीक। मेरी त्वचा से बचती। उनके ओंठ जैसे उग रहे हों। प्रस्फुटन। हल्की छुपी धारियों में लिपस्टिक धातुई चमक भर रही

थी। रीढ़ में रेशमी धागों की सरसराहट। मैं जानता हूँ, मेरा चेहरा लाल हो गया होगा। मुश्किल से बोला, ऊँचाई और शरीर के वजन में क्या तालमेल रहता है?

उन्होंने मेरा तमतमाया चेहरा देखा। परदा गिर गया। खुशबू छुप गयी। वे स्थिर हो बोली, हूँ।

"ठीक पूछा आपने। बिल्कुल रहता है। बल्कि सेवा में हम इस तरह की लापरवाही करें तो निकाल दिये जाएँ। पर हमारे यहाँ एक समीकरण है। लम्बाई तो क्या खाक बढ़ेगी। चौड़ाई ही बढ़ती चली जाती है। वही पेट। जिस दिन वह बढ़त रुकती है वह दिन अन्तिम होता है। मृत्यु का।" बूढ़े डॉक्टर ने जोर से कहा। उतनी ही जोर से हँसे। उन्होंने अपने सहयोगियों को देखा। मैं उनके लिए मामूली था। ऊबे थे। जल्दी-जल्दी कागज़ी कार्रवाई पूरी कर रहे थे।

"डॉक्टर देसाई, इनका मेरुदंड देख लें। मैं ब्लड रिपोर्ट चेक करती हूँ।"

वे मेरी तरफ देख नहीं रहीं थीं। वे कुशल डॉक्टर नहीं बन सकतीं। सेंट। नज़रें बचाना। त्वचा से परहेज़। वे एक डिपार्टमेंट से दूसरे डिपार्टमेंट में मन बदलती रहेंगी। अन्न की शिकायत करते। अकस्मात यह सोच मन हल्का हो गया। मैं लम्बी टेबिल पर पट लेट गया। मेरुदंड की ठक् ठक् सुनने। ताश वाला उठा। डॉक्टर देसाई। पीठ पर वह उँगलियाँ फेरने लगा। पादरी की भाँति हीलिंग टच। उसके चेहरे पर दुख की पन्नी चिपकी थी। मेरुदंड के रेशमी धागों से वह सेंट की रही सही नमी पूरी कर रहा था। थकान के साथ डॉक्टर देसाई बोले, उठिए कुछ रंग देखते हैं।

उन्होंने ताश के पत्ते उठा लिए। वे ताश के पत्ते नहीं हैं। अलग अलग रंग के गोले। छोटी छोटी फफूँद की तरह। वे उदास आँखों से पत्तों को देख रहे थे। अनमने भाव से। किस कार्ड से शुरू किया जाये। जैसे कोई लम्बी रकम हारने के बाद अपने रंग का पत्ता नहीं देखना चाहता। फिर भी छिप-छिप कर देखता हो। उसांस भर उन्होंने एक पत्ता निकाल लिया, "बताइए?"

"क्या?"

"कौन-सा रंग है?"

हालांकि लगा वे कहना चाहते हों कुछ भी।

"डाकसाब ये मेरा प्रिय रंग है। लाल। वैसे अब सब तरफ इसमें गुलाबी रंग दिखलायी पड़ता है। गुलाबी या बैंगनी।"

मैंने उनके चेहरे पर रंगत लाने के लिए मज़ाक का पुट दिया था। सच्चाई जिसे आप चुटकुला समझ सके। परन्तु वे घिर गये थे। खीज। उन्होंने अपनी आँखों की सीध में मेरी नज़रों को ले लिया। निष्प्राण। सर्द हो उठे, "ठीक ठीक

बतलाएँ। यह बहुत ज़रूरी है। कलर ब्लाइडनेस का खतरा होगा, समझ रहे हैं आप। रंगों को गम्भीरता से लें।''

''मुझे ये लाल लगता है।''

''लगता है नहीं। क्या है।''

''लाल।''

''ये?''

''सफेद।''

''ये?''

''केसरिया''

''ये?''

''हरा।''

चतुराई से पुराना कार्ड मिलाया, ''अब ये?''

''लाल है और क्या।''

लाल। सफेद। हरा। सफेद। लाल। सफेद। लाल।

उनका काम पूरा हुआ। कार्ड समेट कर उन्होंने डब्बे में डाल दिए। चौकन्नी निगाहें उन पर लगी थीं ''ठीक? डॉक्टर देसाई?''

उसने सिर हिलाया। बूढ़े डॉक्टर हँस कर बोले, ''नौकरी में लेने के पहले ये जान लेना ज़रूरी होता है कि रंग ठीक ठीक पहचाने जा रहे हैं या नहीं? बहुत से ऐसे हैं जिन्हें लाल रंग सफेद दिखाई देता है या सफेद को ही लाल मानते हैं। कुछ को हरा ही हरा। हरा के अलावा कुछ नहीं। रंग अपने आप में कुछ होते हैं, दिखाई कुछ और देते हैं।''

चुपचाप काम कर रहे डॉक्टर ने कहा, ''देसाई के साथ यही हुआ। वे रंग नहीं पहचान पाये। जंगी प्रेक्टिस और परिवार छोड़ यहाँ पड़े हैं त्यागी जी।''

''नो पर्सनल कमेंट गुप्ता। घरेलू बातें यहाँ नहीं।''

बूढ़े डॉक्टर ने तुरन्त कहा। सफाई देते हुए बोले, ''तबादले तो होते ही रहते हैं। क्या बच्चों के डॉक्टर बड़ों के मेरुदंड नहीं छू सकते? बकवास।'' डॉक्टर गुप्ता सहम गये। वे इतने धीरे से फुसफुसाये थे कि उनके बगल में बैठे देसाई को अपनी धुन्ध में सुनायी नहीं देता। पर बूढ़ा डॉक्टर हज़ारों सेंटीमीटर से ध्वनियाँ, रंग, खुशबू सोख रहा था। उसने दूसरा पान का बीड़ा निकाला। मुँह में ठूँसा, ''लगभग काम पूरा हो गया है। थोड़ी सी बातचीत करना बाकी है। इधर आ जाइए।''

मैं सतर्क हो गया। ये मजूरी पर रखे जाने वाले मजदूर के गठीले बदन को

छू छू कर नहीं देख रहे हैं। ये सिर्फ प्लास्टिक पर छपी एक्सरे से छिपी हड्डियों को ही नहीं टटोल रहे हैं। यह बूढ़ा डॉक्टर हरेक जाँच का परिणाम और विवरण बतला कर मेरे शरीर के अन्दर अपनी गांठदार उँगलियाँ डालने का आसान रास्ता बनाता है। कमीज़ की जेब में से जैसे भूला हुआ सिक्का।

उसके सामने मैं तन कर बैठ गया। मानो अभी इसी क्षण मिला हूँ।

वह रुका। पान गाल में धँस गया। कोई हलचल नहीं। साँस नहीं। फिर अचानक हँसी। ''आराम से बैठिए मदन जी।''

उसने पहली बार मेरा नाम लिया था। बेहद आत्मीयता से। मैं वैसा ही बना रहा। कुहनियों को हथ्थों से सटाये।

''आपने बतलाया था एक आदमी दूसरे आदमी से दूर-दूर तक जुड़ सकता है। टर्मिनल के सहारे।''

''नहीं। आदमी नहीं। मैंने कहा था एक जिला दूसरे जिले से टर्मिनल के सहारे जुड़ा रहता है।''

याद करने का अभिनय करते हुए उसने ठीक किया, ''हाँ। हाँ। जिला। आप ये बतलाएँ डॉक्टर देसाई ने आपको कुल कितने रंग के कार्ड दिखलाये थे? कुल संख्या?''

''चार।''

''चार? पर रंग तो सात होते हैं?''

वह चौंकने का अभिनय कर फिर हँसा। मैंने बेरुखी से कहा, ''होंगे। पर देखे चार ही। इतने ही रंग दिखाये गये।''

मेरी बेरुखी को बूढ़ा डॉक्टर भाँप गया। वह हँसी एकाएक भूल गया। उसकी जगह गाल की झुर्रियाँ काँपी। उँगलियाँ सँड़सी की तरह आपस में जकड़ गयीं। अच्छा! इसकी हँसी कमजोरियों का पूर्वाभ्यास है। कुछ लोग ताक़त पाने के लिए हँसी की कमचियाँ लगाते हैं। पूछा, जीवन के प्रति दृष्टिकोण क्या है आपका?

यह बूढ़ा डॉक्टर चिकित्सा की हद से बाहर दौड़ लगा रहा है। कोई नयी तरकीब है? अच्छा बताता हूँ! खेलो फुटबाल।

''मार्क्स ने आम आदमी को जीने की वैज्ञानिक पद्धति दी है। सामूहिक साझेदारी में मेरा विश्वास है। सरप्लस वैल्यू और द्वन्द्वात्मक भौतिकवाद इत्यादि की चपेट है। मेरा मतलब है कि मार्क्स लेनिन तो खैर हमारे यहाँ अपनाने के पहले ही विदा हो गये। गाँधी की तरह। जिनकी तस्वीर आपने ऊपर टाँग रखी है। उनके परिवार नियोजन के दृष्टिकोण से आप भी पूरी तरह सहमत होंगे। बात ये है कि मैं जीवन में एक ओर बुद्ध के मज्जम निकाय को प्रवेश देना

चाहता हूँ, वहीं लता मंगेशकर की आवाज़ को भी। यानी संगीत।'' मुझे लगा लता से बूढ़ा खुश होगा।

बूढ़ा डॉक्टर मुँह बाये मेरा प्रलाप सुनता रहा। वह खुश हुआ, हँसी लौट आयी। दाद देते हुए बोला जीवन इतना ही विस्तृत होना चाहिए। आखिरकार वे हमारी सुर साम्राज्ञी हैं, खैर, अब वह चित्र देखिए। इसमें साधारण-सा चित्र रेखाओं से बनाया गया है। यह औरत। नग्न। घर। जानवर। दो लोग। टूटे बर्तन। सदरी पहने पेटू आदमी। टोपी। अब आप छोटी-सी कहानी इन पात्रों को देख कर सुनाइए।

ओ हो। यह डॉक्टर मेरे मन की जाँच कर रहा है। स्मृति। संख्या। भावनाएँ। एकाग्रता। स्वभाव। ऐसी कई चित्र आधारित कथाएँ साक्षात्कारों के समय गुजरी हैं। थोड़े से टोटके हैं। प्रतियोगिता दर्पण से सीखे। सकारात्मक बने रहने की मुद्रा—''यह एक प्रसन्न स्त्री का जीवन है जो हमारे प्रदेश के सबसे पिछड़े इलाके में रहती है। दो अधिकारी किसी योजना के तहत इसे जानवर भेंट कर रहे हैं। समझ लीजिए गौ वात्सल्य योजना। वह कभी अपने लोकचित्रों से सजे घर को देखती है, कभी टूटे बर्तनों कों। जानवर पाकर मारे खुशी के वह नग्न सी नाच उठी है। कुछ वस्त्र हैं जो चिपके होने के कारण दिखलायी नहीं पड़ रहे हैं। दोनों लोग जो कि अधिकारी होते है, मोटे आदमी की तरह दिखते वृक्ष के पास योजना के सफल हो जाने पर हँस रहे हैं।''

टोपी बचा गया। थकान के कारण गले की नस चमकने लगी। जान कर बोले झूठ की अविराम थकान। छूँछा। निपट। अब इससे ज़्यादा कुछ नहीं। कुछ भी नहीं। ग्लानि।

बूढ़ा डॉक्टर कुर्सी से उठा, ''हमारी शुभकामनाएँ हैं। आगे कभी भेंट होगी। मैं डॉक्टर माथुर हूँ।''

''साब आप सभी को नमस्ते।''

बूढ़े डॉक्टर ने हाथ बढ़ाया। लम्बा गांठदार भरपूर हाथ। एक पेड़ की समूची छाल उतार ली जाती है। जमीन पर गड़ा रह कर भी वह सूखता चला जाता हैं नंगा। उसकी ही एक डगाल। वह मृत हाथ। धूसर।

एम्बुलेन्स के चालक की जगह पर वह बैठा था। ईंटों पर खड़ी एम्बुलेन्स। बीड़ी का लम्बा कश लेकर वह जोर से बोला, ''भाई साहब, हो गया?''

''अरे यहाँ कहाँ?''

खिलखिलाया, ''यों ही। सेवा में! उन्हें देखो कैसे बैठे हैं। कहता न था। आपका काम जल्दी होगा। हमें तो लगता है फिर आना पड़ेगा।''

घोड़े का मुँह बैठे-बैठे स्याह हो गया था। चेहरे पर साफ छपा था, बेकार यहाँ आये।

"ठीक है। अच्छा है। मेडिकल बिल बनाने के साथ ही साथ बिना पहियों की ये गाड़ी चलाना भी तुम सीख लोगे।"

धूप अपनी चमक खो चुकी थी। मोड़ पर आटो जरूर मिल जायेगा। नृत्य विकास केन्द्र के सामने कुर्सियाँ कतार से रखी हैं। एक नर्तकी पैर ऊपर उठाये। एक पैर कुर्सी पर। ताजा रंगों से बुनी कुर्सी। नर्तकी मयूरपंखी सुनहरी साड़ी पहने है। दो पैरों में दूरी होने के कारण एक आँचल पंख की तरह फैला है। आभूषण ही आभूषण। करधनी। बाजूबन्द। बुंदे। मुकुट। गालों और ओंठ पर तीखा रंग। वह मयूर की तरह तनी है। नितम्बों के सहारे।

"ठीक ठीक बतलाओ। लूट रहे हो।"

नर्तकी की तेज कर्कश आवाज़ दूर तक आती है।

"चुप क्यों हो। जल्दी करो। प्रोग्राम करना है। तुम लोगों पर दया करो और मरो। लूट रहे हो। मैं पाई पाई का हिसाब रखती हूँ।"

"बताओ। ये रहे। बस इतना ही। एक पैसा ज़्यादा नहीं।"

नर्तकी की, काजल के फ्रेम में फँसी सुन्दर बड़ी बड़ी आँखों से उसको कोई मतलब न था। जमीन पर उकड़ूँ बैठा।

बचे खुचे प्लास्टिक के तार वह टटोल कर बीन रहा था। कुर्सियाँ एक कतार में दूर से भी सजी धजी दिखती थीं। उनमें एक भी रंग मयूरपंखी नहीं था।

बी.सी.एल.। ब्रिटेन की किताबों से अंग्रेजों के रहन सहन के अनुरूप गम्भीर और गहरी चुप्पी में पुरानी याद को बनाये रखने की कोशिश। अपारदर्शी काँच का दरवाज़ा एक दीवार है जो ब्रिटेन की ठंडी दुनिया में खुलता है। सीढ़ियाँ चढ़ते लोगों में कदम कदम सतरपन आता है। चाक चौबस्त। शब्द धीरे-धीरे उनमें पिघला सीसा भरते हैं। उन्हें पाइप या चुरुट पीने की अनुमति होती तो अपनी इच्छा को वे दबाते नहीं। यह पुस्तकालय ही क्यों आसपास बड़ी बाउंड्री के अन्दर फैली बहुमंजिली इमारतें, रेस्त्रां, लोकशिल्प की दुकानें बगीचे की तरह आदमी में बस जाती हैं। यह इलाका हमारे जीवन में बहुत बड़ा बैठकखाना है। किताबों में छपी कविताएँ, दुर्लभ आदिवासी वस्त्र, कोमल सरसराहटें, काफी बोर्ड में भूंजे

जाते काफी बील की गाढ़ी खुशबू। मंजरी के लिए बी.सी.एल. ज़रूरी आदत थी। नायाब तकनीकी पुस्तकें। पर मेरे साथ सट कर चलते हुए वह लाड़ से बोली, ''अब यहाँ ढंग से बैठ कर सुकून से पढ़ नहीं पाती।'' मैं जानबूझ कर हक्का बक्का हो जाता, ''क्यों?।''

''पूछते हो क्यों? उन चुम्बनों की याद नहीं आती? उन जगहों पर।''

मंजरी इस तरह बोलती है जैसे किसी ज़रूरी कामकाज को याद कर रही हो। हालांकि उसके कान की लौ धीरे धीरे सुलगने लगती। उन पर अटके गोल मोती वैसे ही रहते। शुभ्र। चमकदार।

''मेरे लिए यह लाइब्रेरी नहीं हैं चुम्बनघर है। मैं इस पूरे इलाके को स्नानघर में बदल देना चाहता हूँ। यह झरना भी।''

वह ठीक कहती थी। जगहें स्मृतियों में साथ चलती हैं। जगहें धीरे-धीरे अन्दर अपना आकार खोजती हैं। कोई फर्क नहीं पड़ता। उन जगहों पर बने स्तूप अड़चन नहीं डालते। वे छायाओं से बन जाते हैं। सपाट। उन पर हरेक अपनी तरह का नक्शा फैला सकते हैं। फैलाते हैं। बिना किसी से कुछ भी कहे। चौथी सीढ़ी के पास एक कोना था। तीन दीवारों से मुँदा। ठिठका। अब यहाँ बड़े पत्तों का एक गमला है। वहाँ पहले एक खाली जगह थी। सबसे पहले यहाँ अपने शरीर के समूचे रक्त को भूमि में समाते महसूस किया था। आहिस्ता से बड़ी पत्ती पर हाथ फेरा। वह लगातार डोल रही थी। मैं दरवाज़े को अन्दर धकेलने लगा। उस पर वैसा करने को लिखा था। घुसते ही हैट, रैनकोट और छाते टाँगने के लिए स्टैंड बना है। आईना। सारी खूंटियाँ खाली हैं। वे क्या नहीं जानते सोला हैट पहनने वाले लोग हैं नहीं। अथवा झिझक ने कुछ सिरों को नंगा कर दिया है।

मंजरी किसी बड़ी मैग्जीन में तल्लीन है। आसपास बैठ लोग भी पढ़ रहे हैं। इस ओर पुस्तकों की बहुत सारी शैल्फ हैं। उनके साथ लगा हुआ महारानी का बड़ा फोटोफ्रेम है। वैसे ही गहरे रंग, जैसे मुख्यमन्त्री के फोटो में देखे थे। मंजरी तक जाने के लिए पात्रो साहब के पास से गुजरना पड़ेगा। अभिवादन में एक कड़क मुस्कान। वे सदैव सूट में रहते हैं। नेकटाई। कुर्सी पर सीधे। घूमती कुर्सी और घूमने वाली गोल कैटलाग टेबिल। सदस्यों के पतों से भरी। वे खास अन्दाज़ में किताबों के बारे में बतलाते हैं। अंग्रेजी में ही। बाहर अपनी पत्नी के साथ आलू की खरीदारी करते उन्हें उड़िया बोलते पाया है। कुछ कुछ झुके हुए। कालाहांडी और लन्दन के बीच दो कमरों की दूरी थी। उसे वे रोज नापते थे।

''पात्रो साहब, आप कॉडवैल की किताबें क्यों नहीं रखते?'' कोई उन पर झुका हुआ पूछता है।

''नहीं होंगी वहाँ।''

''हैं पात्रो साहब! पर थिंक टैंक में उन्हें रख न पाये। अब तो बुला ही सकते हैं। कोई खतरा नहीं। आ गयी हैं उसकी किताबें।''

पात्रो साहब की समझ में आ गया। कॉडवैल नहीं इस आदमी की नीति। चौंके। सहज हुए। बोले, ''चौथी शैल्फ देखिए। आर में। रैमण्ड विलियम है। आपको शिकायत नहीं होगी।''

''सच!''

दोस्ताना लहजे में पात्रो साहब बोले, ''बात ये है कि कुछ लोगों पर छाप पड़ जाती है। पड़ती है कि नहीं। पड़ी होगी तो रह गये होंगे। पर बाकी हमारे पास हैं नहीं, यह आप कैसे कह सकते हैं।''

वे बेवजह सैद्धान्तिक चर्चा कर रहे हैं। मैं उनसे गुजरता उन्हें अभिवादन करता मंजरी के पीछे खड़ा हो गया। बड़े-बड़े मूर्तिशिल्प के फोटोग्राफ। ज्यों का त्यों आदमी को जमा दिया गया हो। खाते खाते रुक गये हाथ। हँसते हँसते रुक गये ओंठ।

''यह मैं हूँ।''

बहुत धीमे से बोल पार्क की वैंच पर बैठे आदमी के ऊपर उँगली रखी। वह जमा था। सीमेंट चूकर जहाँ की तहाँ जम गयी थी। फूल। चिड़िया। हैट। न। मैं जमा नहीं था। मंजरी के केश हवा से बाहों को गुदगुदा रहे थे। उसने पत्रिका बन्द कर दी। स्टूडियो इंटरनेशनल।

''चलें?''

''नहीं। थोड़ा बैठूँगा। कंडीशनर की हवा तो ले लूँ। थक गया।''

''नौकरी के लिए टंच मिले कि नहीं। क्या हुआ कि थक गये।''

मुस्क़ान के ऊपर आँखों में शरारत कौंध रही थी।

''तुम बताओ! वहाँ तो एक लड़की मेरुदंड की हालत देख रही थी।''

''ऊँह। लड़की नहीं डॉक्टर। वैसे तुम्हें कम्प्यूटर से उलझना है। कोई होटल की नौकरी नहीं, मन।''

वह मुझे मदन नहीं कहती। मन। धीमे से। मैं उकता देने वाली जाँच के बारे में मंजरी से बात नहीं करना चाहता। परन्तु होता ऐसा ही है। सारे बने बनाये संवाद काँच की तरह बिखर जाते हैं। बच रहती हैं डंडियाँ। प्रचलित बोलचाल और रुआँसा मुँह लिए। मैं सोचता था पहला जोरदार चुम्बन हमें एकमेक कर देगा। मैं अपनी भावनाओं की क्यारी तुरन्त बना लिया करूँगा। हल्के रंगीन फूल। ऐसा हुआ नहीं। सन् सन्। खून में दौड़ती तेलमुहीं चीटिंयाँ। नहीं नहीं।

यह दबाव घुप्प। यह नशा। मैं हरदम प्रतीक्षा किया गया हूँ। त्वचा पर वाष्प बनते कपूर की। या स्प्रिट। मंजरी इन सबके बीच एक झूला थी। पहचाने हुए बिन्दु पर वापिस आ जाने के लिए। फिर से।

"मन। कुछ बोलो क्या सोच रहे हो? अच्छा ऐसा करते हैं तुम रिलेक्स करो तब तक मैं कुछ किताबें ले लेती हूँ। तुम्हारे लिए नयी मैग्जीन इशू करा लूँ?"

"नहीं। मैं अभी इन कम्प्यूटर की सड़ी पत्रिकाओं से ऊब गया हूँ। तुम देखो। मेरे अन्दर कम्प्यूटर का खतरनाक वायरस घुस गया है।"

"अरे वह सब तो तुम धीरे धीरे भूलते जाओगे। इस बी.सी.एल. को। हमारे घर को? वायरस का विरोधी डालते हुए वह उठी। मैं भी उठा। सीढ़ियों पर बैठ कर दुकानों की हलचल देखना अच्छा है और उन्हें भी जो सीढ़ियाँ चढ़ते हुए घूरते हैं। मंजरी को देर होगी ही। वह आयी है मेरे लिए परन्तु उसके लिए यह खाली समय है! वह पुस्तकों और अतीत की टोह में घुसपैठ करते बड़े लोगों के अभिवादन से खाली समय को पूर लेगी।

रेस्त्रां खाली है। सोया हुआ। अन्दर यहाँ से बैठ कर लाइब्रेरी, सीढ़ियाँ और ताँबे सी धूप दिखलाई देती है। रंगीन काँच से। उस तरफ से कुछ भी नहीं। बस रेस्त्राँ की काली चमक। मंजरी को सीढ़ियों पर नहीं मिला हूँ और यहाँ हूँ, वह जानती है। वह नहीं जानती जीवन से अदृश्य हो गये बहुत सारे अटपटे शब्द लौट आते हैं। बिना हिचक जगह बनाने। और आश्चर्य मैंने कभी नहीं कहा प्रेम करने के बारे में। दरअसल बने बनाये, देखे दिखाये अनुभवों के जरिये खो देने के तरीके अधिक पता लगते हैं।

"क्या तुमने खाने के लिए बोल दिया, मन?"

"मैंने नहीं कहा। कुछ खास भूख भी नहीं।"

"नहीं। मैं जानती हूँ। दिन भर से कुछ खाया नहीं होगा तुमने। मैं कहती हूँ।"

हमेशा वही वेटर को बुलाती है। ऐसे व्यंजन जो तुरन्त परोसे न जा सकें। ऐसे जिन्हें आधे से अधिक प्लेट में छोड़ते हुए अफसोस करते रहें।

"मंजरी, पिछली बार यहाँ से गया था। सारा कुछ उलट गया। मालूम नहीं क्यों।"

उसका चेहरा मलिन हो गया। चेहरे पर फैलते बाल। आँखें में सहसा चला आया सूनापन। सब कुछ जानती हो फिर भी कह रही हो, शायद खाने में कुछ गलत आ गया।

उसने ग्लास उठाया। दो घूँट। रखा। पानी बहुत साफ पानी गोल घेरे में हिल रहा था।

"मंजरी। बात ये है कि तुमसे मिलने के बाद फिर। खैर छोड़ो!"

"नहीं। नहीं। कहो।"

उसने हाथ मेरे हाथ पर रखा। नरम स्निग्ध ठंडी त्वचा मेरे शरीर में समा रही है। मेरी त्वचा रोंयेदार कुनकुनी है, पता लगता है।

"ज़रूरत से अधिक भावुक बातें करने लगता हूँ। शायद ऐसी भावनाएँ जिनका कोई मतलब नहीं है। कोई सिरा नहीं। उन्हें कोई नहीं पूछता, न घर में, न दोस्तों के बीच। इसलिए लगता है आस-पास का आयतन सिकुड़ता जा रहा है।"

"अच्छा!"

"हाँ। मुझे लगता है जैसे छिले संतरे सा हूँ। और जैसे इसी दबाव की प्रतीक्षा किया करता हूँ।"

"ओह। तभी।"

उसका चेहरा रंग गया। आठ दस चुम्बनों की बौछार सा। उसने अपने दोनों हाथों में मेरा हाथ ले लिया। निर्वाक् गुदगुदाते हुए मेरी घड़ी का बेल्ट खोला। पीछे लिखे तमाम शब्दों को पढ़ने लगी। घड़ी में चाभी देने लगी। कान के पास ले गयी। फिर सूँघा। स्टील, चमड़े का बेल्ट, मेरा पसीना।

"तुम।"

"क्या?"

"हमारी आदतें क्या एक सी हो रही हैं। आदतें या बीमारियाँ?"

मैं तत्काल बाहर निकल आया। बन्द सीप से। हँसा। आहिस्ता से बोला, "अब ये आदत कम से कम दुहराऊँगा नहीं। मैं अब खाता पीता अधिकारी बनने जा रहा हूँ।"

बेकार सी बात। कोई एक सूराख। जिससे वह चुपचाप प्रवेश कर सके। हमारी आदतें एक-सी हो रही हैं।

अटपटी डबलरोटियों और मशरूम के सूप में बात दब गयी।

"मंजरी मुझे जल्दी ही जाना होगा। उस शहर को, जहाँ से पढ़ लिखकर बड़ा हुआ।"

"क्यों?"

"उस दौरान के पुलिस के कागजात भेज दिये गये हैं या नहीं। देख कर आऊँ। देर हो गयी तब नियुक्ति भी देर से होगी।"

मंजरी भी लौट आयी थी। उसने मेरी घड़ी पहन ली थी। पुरानी। मेरे पापा की दी हुई घड़ी। ठीक उसके बगल में सोने की चमकती चूड़ी में फँसी घड़ी थी। उसने बताया था अपनी नौकरी की पहली खरीद थी यह। प्राधिकरण। मनचाही।

"मन। तुम इस शहर में ही नौकरी करोगे न?"

"मैं नहीं जानता। मंजरी किसी ने कहा कि यह गुमशुदा लोगों का बसाया नगर है। मैं भी इस तरह कहीं चला जाऊँगा।"

"नहीं। नहीं। यह नहीं होगा।"

वह हड़बड़ा कर उठ गयी। उठा। बिल देने में हमेशा युद्ध हुआ करता है। अब कुछ दिनों से ऐसा नहीं होता। मैं जबरदस्ती नहीं करता। अब हिसाब बनाया करता हूँ। बाहर आते हुए उसने विश्वास से कहा, "यह हमारा शहर है और हम यहाँ रहेंगे।"

एक गलियारा था। जो भव्य दुकानों के मुहाने पर खुलता था। गलियारे के दोनों ओर एक्जास्ट पंखे चल रहे थे। पूरी जगह को घनी गाढ़ी कॉफी की गन्ध भरते। बीज भुन रहे थे। मैंने उसकी बाँह को थाम रखा था। कमर पर मैंने हथेली पसार दी। दो अलग तापमान पर बहती पाँच नहरें। मेरी अँगुलियाँ।

वह नींद में चल रही है। स्वर घुले हुए थे..."मन, चलो, तुम्हारे लिए कुछ खरीदना है। एक मँहगी टाई, कफलिंक। आखिर तुम नयी ज़िन्दगी शुरू करने वाले हो।"

रुक गया। ऐसा लगा हमारी नींद को कैंची से काट दिया है उसने। अच्छा! शायद इसीलिए वह कमर की अदेखी बनाई रेखा पर जाने दे रही है। हाथ हट गये। कठोर हो गया..."नयी ज़िन्दगी या नौकरी।"

"वही।"

मंजरी अभी भी नींद में थी।

"वही नहीं। तुम्हारे साथ ज़िन्दगी का मायने नौकरी नहीं।"

"क्या? क्या?"

मंजरी हड़बड़ा गयी। अपनी कठोरता पर पानी डालते हुए बोला, "टाई वगैरह पसन्द नहीं मंजरी। मैं एक चप्पलघसीट वैज्ञानिक बनना चाहता हूँ।"

'हाँ!"

उसकी आँखों में मेरे अपने ऐसे ही बने रहने पर मुग्ध भाव था। उसके कीमती सेंट, तमाम सुविधाओं, ऊँचे शिष्टाचारों के किनारे एक ऐसा कोई स्थल था जहाँ मेरी अटपटी कार्रवाई की बाड़ बनी थी। खेल मैदान।

"अच्छा चलो तुम्हारे लिए स्क्रेप बुक खरीदते हैं। चमड़े की ज़िल्द।"

"फिलहाल तुम मेरी घड़ी वापिस करो।"

अभी भी तल्खी का एक धागा अटका हुआ था।

लाड़ से बोली, "नहीं। यह नहीं। तुम मेरी घड़ी पहन लो। जाँचोगे।"

अनायास हँसी फूट गयी।

क्या करूँ इस लड़की का?

''चप्पलघसीट वैज्ञानिक चलिए। चलें?''

''इस गुमशुदा लोगों के शहर से मैं चला जाऊँगा।''

मंजरी ने जाने के लिए नहीं कहा था। वह भी तो नौकरी कर रही है। इसी शहर में। हँसी। पूरा शहर खाली नहीं होता। इम्प्लायमेंट एक्सचेंज की छत पर लम्बी घास सूख रही है। और उसमें 'दोपहर का भोजनः शिक्षण कार्यक्रम नियोजन' का कठिन दफ़्तर खुल गया है।

बाहर बी.सी.एल. से सट कर एयर कंडीशनर की दुकान थी। सुरेश वहीं था। दोनों हाथों से वाद्य-सा बजाता। उसके सामने लोग खड़े थे। जैसे उसे सुन रहे हों।

''वह सुरेश है। मेरा पुराना दोस्त। मालूम नहीं यहाँ कैसे?''

''क्या तुम गुमशुदगी रिपोर्ट करोगे?''

''हम जरूर मिलेंगे। पुराना दोस्त खुशियों का रजिस्टर होता है।''

मन पुलक से भर गया, ''तुम उसे देखना। आनन्द से रेंकने लगेगा।''

मंजरी सट गयी। उसके स्पर्श में पनीर-सी कोमलता। हल्की ठंडी। मेरे हाथों में जाँचों की रिपोर्ट न होती तो उसे भर लेता। हम इतने धीरे-धीरे चल रहे थे कि हमें सुरेश समूचा देख सकता था। उसकी आँखें एक दो बार घूमी होंगी। सिर घूमता था और हाथ। हम इतने पास आ गये कि उसकी बात का टुकड़ा लोक पाये 'आपके कमरे से बाहर जाते ही अपने आप यह बन्द हो जाएगा'।

अपनी बात खत्म कर उसने लम्बी साँस ली। मेरी तरफ आधी हथेली का हाथ हिलाया और जल्द उन्हें दुकान के अन्दर ले गया। वे सभी 'कमाल' है! के जादू में डूबे थे।

मंजरी ने मुझे देखा। पूछा नहीं, कितना बुरा लगा।

एक ग्लास पानी पीने का अन्तराल था। वह बाहर आ गया। झपट कर गले लगा और जोर-जोर से हँसने लगा। अभी तक करीने से था। हल्के रंग की शर्ट। महँगी बेल्ट। टाई। जूते। बड़ा-सा मोबाइल। मेहनत रूपरंग से टपक रही था।

''तू साले यहाँ कहाँ।''

उसके पास बड़ा खजाना था। खोला नहीं। मंजरी थी। मित्रमिलन पर मुस्का रही थी।

''चलो कुछ खाएँ, पिएँ।''

"पहले तू बता यहाँ कहाँ?"

सुरेश ने कहा, अरे यार! कम्पनियाँ लगती छूटती रहती तैं। वहाँ बैंक में था सेल्स विंग में। क्या कहते हैं, सिकुड़ गयी। फेंक दिया। यहाँ डिमांस्ट्रेशन के लिए आया हूँ। अब तो इतने सेल नम्बर बदल गये कि याद नहीं रहता।

"अब ठंडे में है?"

"और क्या!" रुका। बोला, "ठंडा क्या, दिन कैसे गुजर जाते हैं, पता ही नहीं लगता।"

मंजरी को उसने देखा। बोलना कुछ था नहीं। कहा, आप भी चलिए कुछ खाते हैं। अभी से मंजरी जैसे हम दोनों से अलग हो रही हो। मैंने सुरेश की बात दुहरायी। दुविधा में थी। तुरन्त जाने नहीं देना है।

"मंजरी मेरे पेपर्स अभी तुम रख लो।"

क्या है? सुरेश हाथ बढ़ा कर मुझसे लेने लगा। अटपटापन नहीं। सीमा नहीं।

"तू क्या करेगा जान कर। हड्डियों की जाँच है। रीढ़ की। जो तेरे पास नहीं है।"

"अभी आप इनसे जी भर कर ट्रीट लीजिए। सरकारी नौकरी के लिए मेडिकल जाँच है।"

बहुत दिनों बाद पीठ पर धौलधप्प हुई।

सुरेश मंजरी को बताने लगा, सरकारी नौकरी में कितने मजे हैं। बोला, "लड़के के घर लड़की वाले देखने आये कि मामला क्या है। बार-बार पूछने लगे लड़के का बाप क्या करता है? अचरज में थे सब। लोग पड़ताल करते हैं कि लड़का कहाँ है, कहाँ तक जाएगा। ऐसा क्यों?"

मंजरी समझ गयी इस बात में वह उसे लपेट रहा है। पूछा, ऐसा क्यों?

"अरे! लड़के का बाप सरकारी नौकरी में है। चिन्ता नहीं। लड़के की नौकरी छूटेगी तो कम से कम ससुर कुछ न कुछ तो खिलाएगा।"

दोनों हँसने लगे। मैं चुप हूँ। अभी मालूम नहीं है। बड़े भाई लौट आये हैं। उनकी कम्पनी का बहुत लम्बा नाम था। यकायक शटर गिर गया। और कल पापा की पेंशन के लिए 'जीवित रहने का प्रमाणपत्र' बनवाना है। सालाना कर्मकांड। डॉक्टर को पकड़ना है।

अभी हम उसी रेस्टोरेंट में जाएँगे। कॉफी की घनी खुशबू पार कर।

चेख़व को भूल जाना

दो चौड़ी सड़कों के बीच में बड़े-बड़े वृक्षों की हरियाली थी। इसी के बीच में भवन बने थे। तेज भागती कारों की चमकदार रोशनी और आवाज़ें पत्तों से टकराकर लौट जाती थी। इतने घने वृक्ष। अपनी रोशनी में भवन नहाते थे। पहले केवल रवीन्द्र भवन ही था। स्वतन्त्रता वर्ष के तुरन्त बाद नेहरूजी ने प्रदेशों की राजधानी में विशाल भवन बनाने के आदेश दिए थे। इन भवनों में नाच गाने हों, नाटक हों, विदेश से आये कलाकार अपने शहर की कला का प्रदर्शन करें। सभी भवन रवीन्द्र भवन के नाम से पुकारे जाते थे। रवीन्द्र भवन रवीन्द्र नाथ टैगोर के नाम पर था। पहले चन्द्रशेख़र आज़ाद, गाँधी जी और सुभाष बोस की प्लास्टर ऑफ पैरिस की मूर्तियों के साथ रवीन्द्र नाथ की मूर्ति भी बिकती थी। लम्बे चोंगे और लम्बे बालों से लोग मूर्ति को पहचान जाते थे। सफेद झक्। प्रशान्त। आजकल रवीन्द्र भवन के साथ लगकर आजाद भवन बन गया है। पत्रकारों के लिए एक भवन बन रहा हैं नाले के पानी को रोकर कॉलम खड़े किये जा रहे हैं। कीचड़ में कमल भवन। रवीन्द्र भवन के बुजर्ग वृक्षों के नीचे लॉन बने हुए हैं। वहीं कबीर की याद में बहुत बड़ी पत्थर की चक्की लगाई गयी है। चक्की पर शब्द खुदे हैं। चक्की गाड़ियाँ खड़ी करने के लिए चाक का काम करती है। रवीन्द्र भवन की बाहरी दीवार, आकाश और जमीन, सीढ़ियों के साथ खुला मुक्ताकाशी मंच बनाया है जो आज़ाद भवन तक चला गया है। वहाँ अँधेरे का एक कोना है जहाँ टूटी दीवार है। काई है। आला है। आले में एक बड़ा दीया है। अनेक वर्षों से यहाँ दीये में तेल भरा है। जलता नहीं है। अँधेरा है। कोई यहाँ नहीं आता। इसे तोड़कर बड़ी सड़क से रास्ता बनाया नहीं जा सकता। दीवार टूटती नहीं। मजदूर बीमार पड़ जाते हैं। रेज़ा का मासिक बन्द हो जाता है। कोई भूत है जो रहता है। यह कोना इतने उजाले के बीच में दिखलाई नहीं पड़ता। यहाँ का अँधेरा अँधेरा जैसा नहीं है। यहीं आज़ाद भवन की दीवार से सट कर बन्द भारी लकड़ी के सन्दूक में अम्बेडकर जी की मूर्ति है। रवीन्द्र भवन परिसर में

थोड़ी-सी ज़मीन तलाशी जाएगी। थोड़ी-छोटी-सी जमीन। बची हुई। मगर साईत नहीं आई है। अभी आले से सट कर दीवार तक लकड़ी का सन्दूक किसी मज़ार की तरह अँधेरे में है। लकड़ी पर शायद काई नहीं जमीं।

अनुपम को परिसर अपने घर का चौगान लगता है। नींद में चलते हुए रवीन्द्र भवन की एच सीट या रेस्त्रां के किनारे की कुर्सी तक जा सकता है। आज़ाद भवन में पुस्तकों की लम्बी दीवार टटोलते हुए चक्करदार सीढ़ियों से ऊपर जाते हुए वह Eric Hobstaum की पुस्तक Age of Extremes; the short twentieth century 1914-1990 के सामने खड़ा हो सकता है। यह कि स्थाई वर्तमान का लघु रकबा, जिसका सार्वजनिक अतीत से कोई सम्बन्ध नहीं है। पुस्तक के किनारे कटे हुए नहीं हैं। राष्ट्रपति जी को समय नहीं मिल पाया। पुस्तक पर नीली स्याही की भेंट अभी भी चमकती हैं। अनेक ट्रकों में भरकर ये पुस्तकें यहाँ राष्ट्रपति जी ने भेजी हैं। आज़ादी के पहले और बाद की पुस्तकें। अनुपम को उनमें पुरानी मीठी बाँस की खुश्बू आती है। किताब की दीवारें देखने शहर के कुछ लोग ज़रूर आये थे। उन्हें बताया गया था कि एक नये मन्त्री जी को पुस्तकें पढ़ने की आदत थी। वे बुकमार्क की जगह सौ का नोट लगाया करते थे। वे अध्ययनशील थे। मगर शहर के लोग जल्द गायब हो गये।

गहरी चौंध में चहल-पहल संगीत के कुछ कदम लगते हैं। रात के दूसरे हिस्से में देखा गया स्वप्न। अनुपम की दिन की थकान गुम जाती है। वह बैंक से सीधा आ जाता है। प्रकाश के कण नहीं हैं, धुन्ध से कण हैं, जो लोगों पर बरस रहे हैं। खुश्बू के कई प्रकार। अनुपम को त्वचा पर ऊगती, खुशी की फुरेरी छूटी। रवीन्द्र भवन के मुक्ताकाश मंच और उसके प्रांगण में टेंट की कतारें बनी हैं। लोक कलाओं का मेला है। मीठे पकवानों की सुगन्ध उठ रही हैं। लोग सूखे फूल और मिट्टी के हाथी लिए चहलकदमी कर रहे हैं। आज़ाद भवन के रैंप पर कुछ युगल पेड़ की आड़ ढूँढ़ रहे हैं। कार्यालय बन्द है। किताबों की सूनी गलियाँ हैं। फैक्स पर कागज़ घूम रहा है। शायद किसी देश का कोई सन्देश। युगल को सन्देश से मतलब नहीं है। रवीन्द्र भवन का सम्मुख फूलों से सजा है। लट्टू लगे हैं। नाटक के ब्योरों पर दिपदिपाते दीप। कटआउट। बन्दनवार। अनुपम ने ठेलमठेल में जगह बनाई। वह इससे भी विकट शक्ति प्रदर्शन में धँस सकता था। चेख़व के लिए कुछ भी कर सकता था। खिड़की से सटी हुई दूसरी कतार में लड़की फोन पर किसी से इसरार कर रही थी। इसरार क्या? सार्वजनिक भाषण। ''यहाँ आ जाओ। मजे करेंगे। खाना भी यहीं। नाटक भी। हाँ। हाँ। क्या? फिर से बोलो? बदमाश। हलो। हलो।''

खिड़की खाली समय में एस.टी.डी.पी.सी.ओ. थी। अभी दोनों। लड़की के एक हाथ में टिकिट था। दूसरे हाथ में चोंगा। वह खूब हँस रही थी। नीली रोशनी थी। सुगन्ध थी। बन्दनवार के गेंदे गिर रहे थे। अनुपम टिकिट लेकर बाहर, जैसे टहनी से टूटा। पर्स चैक किया। शर्ट खोंसी और ऐसे खड़ा हो गया जैसे उसने टिकिट खरीदा ही नहीं। कारें पोर्च में आकर रुक जाती थीं । यूनीफार्म में तैनात ड्राइवर गेट खोलते। खुली हँसी और विनम्रता में दबे से टी शर्ट में लैस और बहुतों के नमस्कार में हाथों की आरती करते तुरन्त अन्दर चले जाते लोग थे। सचिवालय की चपेट में ये आये नहीं थे। उसके पास कला के लिए आदर था। लोगों के नमस्कार का नमस्कार था। स्त्रियों के पास कोसा, खादी, चन्देरी और अनजान जगहों के बुनकरों के प्रति स्नेह था। पुरातन परम्परा के नमूने सोने की ठुस्सियों में जगह बना रहे थे। पॉको रॉबेन और कैरोलीना की गन्ध। शरीर से उमगती अदरक की भीनी गन्ध। अनुपम को अच्छा लगा। बहुत बहुत अच्छा लगा। दुनिया भूली नहीं है। इतने बड़े महान कलाकार को भूलने का सवाल ही नहीं है। अनुपम के अतीत में बहुत से अमिट रंग हैं। चेख़व एक रज्जु सा उसके शरीर में खिंचता है। जीवन को देखने के लिए वह बार बार आभारी होता है। चेख़व की अब फिर से कोई किताब नहीं आती। अनुपम बार-बार पुरानी किताबें पलटता है।

"कृपया आप किनारे हो जाएँ। मुख्यमन्त्री जी कभी भी आ सकते हैं।"

चिकने गोल चेहरे वाले इंस्पेक्टर ने कोमलता से कहा। उसका वायरलैस यूँ ही बड़बड़ा रहा था।

"अरे भाई। इधर आ जाइए वहाँ क्या रखा है?"

अनुपम ने पलट कर देखा। सूर्यप्रकाशजी थे। उन्होंने बढ़कर अनुपम का हाथ अपने हाथ में ले लिया। गर्म और गुदगुदा।

"आज अच्छी भीड़ है। चेख़व के नाटक को इतना पसन्द करेंगे लोग। है न?"

"है ही। खास बात जहीर आलम की है। भाई उनका सप्ताह चल रहा है। तभी तो है भीड़ । आज समापन में मंत्रियों की भी कवायद है।"

"ये नगरनार की तीन बहिनें, वही हैं। ओल्गा वाली?"

"हाँ हाँ। जब तक आलम साहब अपने गिलाफ में तकिया न घुसा लें तो आलम साब क्या?"

"सो तो है। कमाल है। अपनी बोली में वे तो दुनिया के किसी भी नाटक को बदल दें। चलिए चाय पीते हैं। आलम साहब आज भारत के बहुत थोड़े से निर्देशकों में से एक हैं।"

''क्या दृष्टिकोण है। क्या संगीत। क्या लोकनृत्य? वाह! चलिए चाय पियें। हफ़्ते भर से यही चल रहा है। मुख्यमन्त्री जी आएँगे। देर तो होगी।''

''अच्छा सूर्यप्रकाशजी इसे देखिए। वो। वहाँ।''

खसखसी दाढ़ी में दुबला पतला आदमी खड़ा था। प्लास्टिक की थैली लिए।

''हाँ। तो।''

''ये हर कार्यक्रम में दिखलाई पड़ता है। सेमीनार। काव्यपाठ। यहाँ भी।''

''तो।''

''हर जगह रहता है। कोई इंटेलीजेंस का है क्या?''

''नहीं भाई। ये हमारी तरह है। हर जगह जाने का शौक है। और फिर अब परवाह नहीं है। डरिए मत। सूर्यप्रकाश जी रूके। हौले से अनुपम के कन्धे पर हाथ रखा। कहा, एक वो दिन थे। बीस साल पहले। मेरी खुद की कविताओं पर लाल स्याही पुती रहती थी। एक दुबे जी दुबे जी करके थे। आते थे। कहें कि मतलब बतलाइए। अब कोई नहीं आता। कहीं कोई नहीं दिखता।

''तब फिर?''

''इसे चस्का लग गया है। हद तो यह है कि इसकी टिकिट भी नहीं लगती। चुपचाप सुनता है। भोज का इंतजाम हुआ तो दो वक्त का खाएगा। चला जाएगा। हमारी तरह है अनुपम भाई। सब सुनना, सब समझना चाहता है।''

रास्ता बनाकर रेस्त्राँ की ओर दोनों चलने लगे। बड़े अदब से एक लड़के ने उन्हें पुस्तिका दी। जहीर आलम साहब पर मोनोग्राफ ।

''मुफ्त है?''

''जी।''

''बड़ी महँगी छपी लगती है। अच्छा ठीक है।''

''यहीं से छपी है। शान्ति एकता कमेटी से।''

''कमेटी से? क्यों? अच्छा छोड़ो। थैंक्यू।''

मोनोग्राफ बहुत चिकना था। हाथ से फिसल जाता था। हवाना सिगार पीते हुए आलम साहब । फोटो के नीचे बारीक लिखा था हवाना सिगार पीते जहीर आलम। फ्रांस में।

सूर्यप्रकाश जी ने अपने लम्बे बाल उँगलियों की कंघी से पीछे किए। नई आदत है। उनके साहब की है। दो साल में रिटायर होंगे। बोले, बड़ी लम्बी रंग-यात्रा है। एक पूरा इतिहास। हम कोशिश करेंगे कि गाँव के लड़कों में इनका शिविर लगाएँ। साले लड़के कुछ सीखें। पढ़बो पढ़ाबो का पैसा मिलेगा ही।''

उन्होंने फिर कंघी की और साहब की तरह गर्दन झटकी।

''सूर्य प्रकाश जी, इतने व्यस्त आदमी के पास समय कहाँ?''

''अरे नहीं! लड़कों को यहाँ बुलाएँगे। शहर भी देखें साले। आप मदद करना। बैंक का एक विज्ञापन चलेगा।''

''जी ठीक है, बात करूँगा।''

अनुपम कृतज्ञ हो गया। उस पर भरोसे का बाँट रखा गया है।

रेस्त्राँ रवीन्द्र भवन का एक हिस्सा लगता है। प्रेक्षागृह का एक स्पीकर यहाँ लगा है। लोग अन्दर की हलचल सुनते रहते हैं। रेस्त्राँ की कोई दीवार नहीं है। आसपास के लान और सीमेंट का फर्श। बाँस के छप्पर। आश्चर्य यह है कि बाँस कट कर भी फैलता जा रहा है। लान को छोटा करते सीमेंट का फर्श बढ़ता जा रहा है। मेनका रेस्त्राँ के मालिक कलाकारों के बीच चुपचाप बैठे रहते हैं। उनकी दार्शनिक मुस्कान मेल खाती है। मूल्य सूची पर कोई बात नहीं करते। लोग यही समझते हैं वे संस्कृति विभाग में उपनिदेशक हैं।

''आओ आओ सूर्यप्रकाश हम यहाँ बैठे हैं।''

''अपने मोनोग्राफ देखा?''

''हाँ अच्छा है प्रूफ की गल्तियाँ बहुत हैं। तुम्हारे होते भाई।''

''नहीं। नहीं। इसमें मैं नहीं।''

रेवतीशरणजी ने अनुपम को देखा, ''बहुत दिनों में देखा आपको।''

''जी कल आया था। रोज ही। आपका चैक जमा हो गया है। आ गया है पैसा।''

''भाई आऊँगा। शायद ओवर ड्राफ्ट लगे। कर दीजिएगा। सेमीनार है तिरुअनन्तपुरम में। क्या करें। खर्चा लगा रहता है।''

अनुपम को खुशी होती है। वह सिर हिलाता है। यह भी क्या बात हुई। छोटी सी चीज़। अनुपम को हमेशा लगता है। वह एक परिवार में बैठा है। बरसों से जानता है जैसे सबको। रेवतीशरण के उपन्यास उसे हिला डालते थे। प्रेम की कुनकुनी धार में सना वह अपने शहर में यूँ ही घूमता रहता था। अपना शहर। अपनी प्रेमिका? वे ही सब अपनी किताबें! उसे हल्की सी शर्म महसूस होती है। रेवती जी को उसने बतलाया कि निर्मल वर्मा और उनके उपन्यासों और कहानियों को पढ़ते हुए उसने प्रेम किया है। तब उसके बोलने में ठहर कर बोले, मेरा वह चैक भुना देना यार। आजकल रायल्टी का टोटा है। सेमीनार का सहारा है। बस।

अनुपम ने धीमें दर्द को अनदेखा नहीं किया। अपनापे से कहा, ''अब ज़्यादा यात्रा मत कीजिए। उम्र का ख्याल होना चाहिए। नहीं?''

अकस्मात उनकी आवाज़ सध गई। कहा, लेखक को ज़िन्दगी भर यात्रा करना चाहिए। एक जुड़ाव। एक प्रतिबद्धता इससे पैदा होती है। सीखने मिलता है।

अनुपम ने फिर सुना, सुनते हो सूर्यप्रकाश शाखालिन की यात्रा वृतांत पढ़कर मन सिहर उठता है। बवासीर का बीमार, टी.बी. से तंग, खून थूकता हुआ वह ज़िद्दी चेख़व पहुँचा था। तीन माह की यात्रा, उस समय सोचो।

बर्फीली आँधियाँ और दलदलों को पार करता हुआ। सच बात तो यह है कि 'शाखलिन' किताब की बजाए 'द्वन्द्व' में उसके उथल पुथल का अच्छा चित्रण मिलता है।

अनुपम के सामने था, धागे से लटका चश्मा। फ्रेंचकट दाढ़ी। उदास सा चेहरा घूम गया। समूची कहानियों की उदासी तिर आयी। चेख़व की सहजता और हर छोटे से छोटे आदमी के अन्तरंग चरित्र की याद अनुपम के मन को गीला करने लगी। उसने उसी लय में महीन स्वर में कहा, आप लोग चाय लेंगे?

रेवतीरमण जी ने दाढ़ी पर हाथ फेरते हुए कहा, कोई हर्ज़ नहीं।

वहीं राकेशनाथ अपनी भड़कीली शर्ट के कफ मोड़ते हुए बोले, भाई अनुपम सैंडविचेज़ और बुला लीजिए। पनीर की अच्छी होती हैं।''

'हाँ। हाँ।'

रमेश दत्त ने थोड़ी ऊँची आवाज़ में कहा, हमारे यहाँ तो जनक जानकी यात्रा सम्भव है। है कि नहीं? चेखव ने लिखा नहीं है, कड़कड़ाती ठंड में लाखों आदमियों को सड़ने गलने और कुत्ते की मौत मरने छोड़ दिया जाता है। जंज़ीरों से बाँध का हाँका जाता है। हमें अपने देश के कलंक शाखालिन को देखने की जरूरत है। लोग अपनी उक्तियों और आप्त वाक्यों में बस अपनी कमजोरियाँ छिपा लेते हैं। रमेश उठ गये और कहा, ''लोग जनक जानकी कर सकते हैं। कोरबा में भूख से बन्दर खाते आदिवासी नहीं देख सकते।''

''रेवतीजी आराम से बोले, बैठ जाओ रमेश इतने उत्तेजित न हो। उत्तेजित तो तुम्हें एवीलोव के पत्र करने चाहिए।''

रमेश सतर्क हो गये। वे जान गये प्रत्युत्तर मिल रहा है। खिंचाव के साथ बोले, ''मैं उत्तेजना में नहीं उठ रहा, सिगरेट पीने उठ रहा हूँ। और साहब उनमें दम था तभी एक बच्चे की अम्मा दीवानी होकर उनके पीछे पीछे फिरती रही।''

हीं हीं हीं—राकेशनाथ ने शुरू किया—ऐ भाई। चेख़व को जाने दीजिए। उनका तो कहना था चिकित्सा मेरी पत्नी है और साहित्य मेरी प्रेमिका। जब मैं एक से बोर हो जाता हूँ तो दूसरी के साथ रात बिताता हूँ। इससे एकरसता पैदा नहीं होती।

सैंडविच कुतरते हुए रमेश ने जैसे बन कर पूछा, "तो?"

अनुपम को लगा कोई और बात है जो हो रही है। इतने सुन्दर मौसम में बेहतरीन नाटक देखने के लिए यह ठीक नहीं है।

"तो क्या? जानते नहीं हैं—राकेश नाथ बोले, कोई कोई तो ओवर टाइम करते हैं और इस प्रकार दोनों के साथ रात बिता लेते हैं।" रेवती रमणजी ने जम्हाई ली। बात बदल गयी। "लगता है देर हो रही है। मुख्यमन्त्री नहीं आएँगे क्या। मैं तो कहता हूँ इन नाटकों में उनका क्या काम?"

"हीं। हीं। नगरनार की तीन बहिनें हों और न कहिएगा उनका कोई काम नहीं। अरे भाई वे आलम साहब के लिए आ रहे हैं। तनिक ध्यान दीजिए।"

"मुझे तो लगता है बहुत देर हो रही है। मैं ज़रा जाकर बैठता हूँ। उन्होंने डकार ली। कहा, सैंडविच भारी हो जाती है। मैदा है। वे उठ गये।"

सूर्यप्रकाशजी ने साथ नहीं दिया। बैठे रहे। अनुपम उठते उठते बैठ गया। मोनोग्राफ पलटते हुए अनुपम ने कहा, यह बहुत अच्छा हुआ आलम साहब ने चेख़व को उठाया। अवसाद और आवेग चेख़व की जान है। आलम साहब नये तरीके से इसे फैलाएँगे।"

सूर्यप्रकाश जी ने उसे घूरा। शून्य को ताक रहे हों जैसे। मुड़कर राकेशनाथ से बोले, "राजाराम का नया काव्य संग्रह आ गया है। बड़ा घटिया है।"

"उनसे अब कोई उम्मीद नहीं बची।"

"मगर तुम तो उस पर ज़रूर लिखोगे?"

"ए भाई। जानते हैं, दो साल से पीछे पड़ा है ससुरा। पुराने संग्रह के लिए अब लो नया दे मारा। कुछ न कुछ तो करना पड़ेगा।"

"अब तो उनकी पोस्टिंग यहीं हो रही है।"

"हीं। हीं। आयकर की पोस्टिंग से क्या लाभ। आबकारी में होते तो बात बनती।"

अनुपम को बातों के लगातार रास्ते छोड़ते जाने पर विस्मय नहीं होता। वह यह तो जानता है ये कोई बात कहते हैं। उसके गूदे में कोई बीज होता है। वह बीज पनपता नहीं। मुहावरे में कहा, "रमेश जी आजकल क्या लिख रहे हैं।"

रमेश जी ने ग्लास उठाया। घूँट घूँट पानी पिया। पानी में कोई स्वाद है जिसे ले रहे हैं। बोले, "बहुत कठिन समय है अनुपम भाई। लिखना लगातार कठिन होता जा रहा है। यह धीमी आवाज़ बताशे की तरह गुम हो जाएगी।"

"फिर भी आप क्या काम कर रहे हैं?"

उबासी लेकर रमेश जी ने पूछा, सिगरेट होगी। बढ़ते हुए बाज़ार पर कुछ कविताएँ की हैं। लील जाएगा बाज़ार। लील जाएगा।

अनुपम ने सिगरेट जलाई। माचिस और उसका चेहरा बहुत पास आ गया। अनुपम को उनके चेहरे पर उदासी दिखलाई पड़ी। हल्की पीली डूबती आँखें। क्या सभी लेखकों के शब्द उदासी लेकर आँखों की तरफ चले जाते हैं। चेख़व की आँखें चश्मे की वजह से तरल नहीं। अनुपम उन्हें साधिकार पहचानता था। उनमें पिघले हुए दिन थे। पिघलती हुई रातें थीं। मगर ऐसा नहीं लगता था चेख़व बस अब एकदम से स्तब्ध हो जाएँगे। चेहरा तन जाएगा। आँसू बहने लगेंगे। अनुपम ने संताप, तितली और वानका को कई बार पढ़ा है। कई बार। माचिस की तीली हिलाकर बुझाते हुए अनुपम ने कहा, ''क्या कर रहे हैं आप?''

''यह जटिल समय है। संस्कृति विमुख समय है यह। तीव्र संवेदनाएँ आदमी के दिल को चीर नहीं पातीं। कुछ मन नहीं करता लिखने को।''

अनुपम ने सिगरेट उनसे ली, कश खींचे और मानो सिर हिलाकर समझदारी से बोला, चेख़व की बात करते थे हम। सौ साल लगभग हो जाएँगे उनके मरने को। वे तो ऊब चुके थे पर बार-बार कहते थे, कलाकृति में नये विचारों का वैभव होना चाहिए। उसमें इतनी क्षमता होना चाहिए कि वह सत्य को जानने की इच्छा पैदा करती रहे।

यह शायद साथ साथ सिगरेट पीने का असर था। दोस्ताना लहज़ा और चेखव की सीख नहीं, अनुपम की सीख हो। स्वर राकेशनाथ ने पकड़ लिया था। दोनों हाथ माथे पर रगड़ते हुए बोले, ऐ भाई! यह सब रहने दीजिए। सत्य को जाना है किसने। ऊपर ऊपर की बातें हैं ये। है कि नहीं। क्या चेख़व, क्या प्रेमचन्द। रोला बार्थ ने नहीं लिखा है, प्रथम श्रेणी के लेखक के गुण को परिभाषित नहीं किया जा सकता, केवल अनुभव किया जा सकता है। इस विश्लेषण से भागना ही उसे प्रथम श्रेणी दिलाता है। अब न सत्य है, न विश्लेषण है और अनुभव भी नहीं है। सो?

अनुपम ने आहत महसूस किया। क्या दास्ताव्की, शेक्सपीयर, परसाई को वह अनुभव नहीं कर पाता। धीमे से बोला, ''आप ठीक कहते हैं। मैं कोई लेखक तो हूँ नहीं। पर मेरी ज़िन्दगी सँवारने में आप लोगों का हाथ है। ऐसा मैं महसूस करता हूँ। पहली और चौथी श्रेणी नहीं जानता। बैंक में इस तरफ बैठकर हम उस तरफ के ग्राहक से लड़ जाते थे। अक्सर कहते तुम्हारे इतना वेतन हैं पर परसाई का दो नाक वाले व्यंग पढ़ा तबसे, मुँह तक आते-आते, याद आ जाती है।'' रमेश ने सिगरेट वापिस ली और बोले, ''छोटी छोटी चीज़ों को लेकर कई कविताएँ लिखीं है। कभी सुनाऊँगा। अब शायद छोटी-छोटी चीज़ों की उपस्थिति से लय पैदा की जा सकती है।''

सूर्य प्रकाश चौकन्ने हो गये। "कितनी लिख डालीं। कहीं छपने भेजीं।' कहाँ? छोटी-छोटी चीज़ों को बुरी नजर से मानो छिपाते हुए रमेशजी बोले, अरे नहीं अभी फेयर नहीं है। बस यूँ ही।"

घंटी बजने लगी। अनुपम जानता है बड़ी सी घंटी टायलेट में लगी है। तब रेस्त्राँ नहीं था। लोग मुक्त होने के लिए पेशाबघर में घुसते थे। सिनेमाघर की सी घंटी। बेसुरी, मोटी और भद्दी आवाज़। काउंटर पर अनुपम ने पैसे दिये। रेवती जी के पुराने बिल भी थे। वे पकौड़े और कॉफी पी चुके थे। रमेश जी पीछे पीछे थे। राकेशनाथ जी और सूर्यप्रकाश जी चल चुके थे। काउंटर के पास कोल्डड्रिंक के विविध नल लगे थे। अनुपम ने पूछा, "लिए चलते हैं।"

"ठीक है।"

"सबके लिए"

"अरे छोड़िए। बस अपने लिए।"

नल से उफान के साथ पेय बहने लगा।

रमेश जी ने जेब से एक पर्ची निकाली। लिखा।

"क्या लिख रहे हैं।"

"नल से जब समुद्र फेन बहता है।"

अनुपम को गर्व हुआ। उसके दोनों हाथों में ग्लास थे। रमेश जी की काव्य पंक्ति। दोनों हाथों में समुद्र फेन।

भावुक होकर बोला, "न हो तो रमेश जी आज की रात कहीं बैठते हैं। आपकी कविताएँ हो जाएँ। दो तीन लोगों को बुला लीजिए। इंतजाम हो जाएगा।" रमेश जी ने ठंडी नजरों से देखा, "बैठ लेते हैं। परन्तु मेरी कविताएँ बहुत लाउड नहीं हैं। देख लीजिए।"

अनुपम ने ठीक से नहीं सुना। वह एक बोतल में पैग की गणना कर रहा था।

प्रेक्षागृह में हल्का प्रकाश था। रेवतीजी अग्रिम पंक्ति में बैठे थे। जमे हुए। उनके बगल की सीट खाली थी। मुख्यमन्त्री शायद नहीं आये। अग्रिम पंक्ति में तमाम प्रथंम श्रेणी के अधिकारी थे। सौभाग्य से वे कवि, कथाकार थे। उन्होंने अधिकारियों की एक पोंत सीट बचा ली। अनुपम ने कहा, "अग्रिम पंक्ति में जनरल बैठे हैं। मैं एक क्लर्क, यहाँ बैठूँगा। सूर्यप्रकाश जी सुनिए, मैं आपकी बगल में बैठूँगा।"

सूर्यप्रकाश जी ने चलते हुए, झुक कर किसी से पूछा, "क्यों जी मुख्यमन्त्री नहीं आ रहे क्या? राय साहब आ गये?"

"राय साहब उन्हीं को लेने गये हैं। लगता है विधानसभा लम्बी खिंच गयी।

शायद इंटरवल में आ जाएँ। वरना आलम साहब का सम्मान कल इकबाल चौक पर किया जाएगा। बल्कि मैं तो कहता हूँ विधानसभा में आज के प्रश्नोत्तर को देखते हुए वहीं ठीक रहेगा।''

''ठीक है। ठीक है। आप तो भाई हर चीज़ को हमेशा राजनैतिक रंग देने लगते हैं। '

लोग कुनमुमाने लगे। सूर्यप्रकाश जी ने सीट ढूँढ़ ली थी। बैठ गये। फिर रमेश जी। फिर राकेश नाथ जी। अनुपम ने रमेश जी को कोल्ड ड्रिंक पेश किया। असमंजस में अपना ग्लास लिए रहे। ''आप लीजिए।'' किसी भी तरफ इशारा न करते हुए कहा।

''ठीक है। रहने दीजिए। यह देखिए कि रूसी नाटक की शुरूआत आलम साहब ददरिया से कैसे कर रहे हैं।''

मंच रोशनी से नहा गया। तड़ातड़ संगीत बजने लगा। सूत्रधार आये इसके पहले ही लोकनर्तक मंच पर बिखर गये। तुड़बुड़ी बजने लगी। टिमकी की थाप पर स्वर आकाश तक खिंच गया। रोशनी की कमचियाँ एक दूसरे को काटने लगीं। अनुपम की हथेलियों में ठंडक भर गयी। मन में भी। ऊँची स्वर लहरियों में जादू था। रोशनी उसमें दिपदिपाकर छपाक् से गायब होती। फिर आती। सूत्रधार आ गये। टनकती आवाज़ में एक प्रस्तावना थी। कैसे आलम साहब ने इसे बनाया और फ्रांस, जर्मनी, लन्दन में खेला और अब आप सुधी जनों के बीच खेलने का दुस्साहस कर रहे हैं। संगीत और नृत्य संयोजन खालिस लोक से था। मेजर रूपलाल टेढ़े होकर मंच पर इधर से उधर हो रहे हैं : ''मैं गाँधी मार्ग पर रहता था। रास्ते में मनहूस उजाड़-सा पुल पड़ता था। यहाँ की नदी तो सचमुच गजब की है।''

अनुपम ने उमग कर कहा, ''यह रूपलाल वैर्शिनिन नहीं है क्या?'' राकेशनाथ जी ने जवाब नहीं दिया।

रूपलाल : वाह! क्या खूब! (हँसता है) हम कुछ जानते हैं तो बस फालतू हैं। भैय्या मैंने तो अब तक ऐसा गँवार और जड़ शहर नहीं देखा। जहाँ पढ़े लिखे और समझदार लोगों को फालतू समझा जाये। मान लें इस शहर में एक लाख लोग रहते हैं। ये सब असभ्य और पिछड़े हैं और सिर्फ हाँ सिर्फ तीन लोग ही हैं आपकी तरह। कहने की जरूरत नहीं चारों और फैले भयानक अँधेरे को आप जीत नहीं सकेंगे। दिन बीतते जाएँगे। ज़िन्दगी कटती जाएगी। घुलमिल जाएँगे। जीवन आपकी अच्छाइयों को ले लेगा। शायद आपका नामोनिशान न रहे।

रूपलाल, एक ओर से चलते हुए दूसरी ओर तक चले गये। संवाद के साथ

दर्शकों की ओर सीधी उँगली खिंची थी। राकेशनाथ ने पहलू बदला और कुछ व्यग्रता से कहा, ''एसी चलाया है पर ठंडक नहीं है।''

''नहीं चल रहा है? एसी ऐसे खास मौकों पर चलता ही है। ए ग्रड नाटक है।''

''क्या मुख्यमन्त्री इण्टरवल तक आ पाएँगे। तब तो नाटक को बीच में ही रोक देना पड़ेगा।''

रूपलाल : (मंच पर टहलते हुए) कभी कभी मैं सोचता हूँ, अगर हमें फिर से अपनी ज़िन्दगी शुरू करनी होती और सोच समझकर शुरू करते तो कैसा होता? काश! पहली ज़िन्दगी रफ स्केच मानी जाती और दूसरी फेयर कॉपी.....

रमेश जी ने झुककर राकेशनाथ जी से पूछा, ''तुम्हें मालूम पड़ा इस बार का बाल गन्धर्व राष्ट्रीय अवार्ड किसे मिला?''

''अरे हद कर रहे हो। इन्हीं को रमेश, इन्हीं को। आलम साहब की तैय्यारी लम्बी है। मैं तो सोच रहा था मुख्यमन्त्री जी आज ही एनाउंस कर देंगे।''

''यार, तुम ठीक कहते हो शायद एसी नहीं चल रहा है।''

''ऊँह। नीलिमा जी नहीं आयीं।''

''क्या वे भी मुख्यमन्त्री जी को तेने गयी हैं। हीं। हीं।''

सूर्यप्रकाशजी झुके और बोले, ''अकेले अकेले क्या मजे लूट रहे हो?''

(ममता)—''तुम कहते हो जीवन सुन्दर है—ठीक है, लेकिन उसके सुन्दर लगने से क्या होता है? हम तीनों बहनों के लिए अभी तक तो नहीं। पौधों को दीमक खा जाती है, बस इसी तरह हम जीवन के हाथों घुटती रही हैं। अरे मैं तो रोने भी लगी''....

यह इरीना ही है अनुपम ने सोचा। वह किलक कर रो रही थी। कम्प। अनुपम का गला भर आया। उसने सोचा कुछ छूट रहा है। उसने हिसाब किया घर को कितने दिनों से चिट्ठी नहीं डाली है। रीना कभी कभार फोन पर संक्षिप्त बात करती है। पी.सी.ओ. बूथ पर हँसता हुआ खान का फोटो लगा है और उसे चड्डी पहनी लड़की से नज़र चुराना पड़ता है। अनुपम ने तय किया आज़ ज़रूर लम्बी बात करेगा। बगल के पड़ोसी को उठाकर। वह राकेशनाथ से बोला, चेख़व का जवाब नहीं। वाह दीमक चट कर जाती है। पौधों को। जीवन।

रमेश जी ने कहा, ''यह लड़की आगे तक जाएगी। तुम देखना। इसके गले से कितना सजीव रुदन निकलता है। रोना भी एक कला है। अच्छा रोना।''

नाटक धीमें धीमें दर्शकों को बेहोश कर रहा था। बस छोटे बच्चे चिल्ला

रहे थे और माएँ उन्हें उनके पिता को सौंप रही थीं। प्रेक्षागृह में इसके अलावा भारीपन था। कभी-कभी संगीत, तीखे संवाद और तेज़ रोशनी की हिलडुल के बावजूद जीवन सहसा महसूस होता है। चेख़व, आलम साहब की बुनावट में उतर रहे थे। सहसा प्रेक्षागृह की लाइट जल गयीं। भरे हुए सामूहिक मन जलपान के लिए बाहर जाने लगे। अनुपम बैठा रहा। उठेगा। अभी मन अजीब से सुखमय अवसाद से भरा है। चेख़व। उसने अनुपम की मुश्कें बाँध रखी हैं।

नन्दू घबराया। कूदते फाँदते आ रहा है। भारी और छोटा शरीर। निकला हुआ पेट। ''सर जी। अनुपम साहब जरा चलिए। बड़ी गड़बड़ हो गयी है।''

धुन्ध में अनुपम छिपा हुआ है। छिपा ही रहना चाहता है। ''अरे भाई मैं कहीं नहीं जाऊँगा। नाटक देखूँगा। बस।''

''सर जी! बस यहीं सामने चलिए। उन्होंने कैमरा छीन लिया है। कहते हैं चोरी छिपे नाटक की पूरी फिल्म बना रहे हो।''

नन्दू जीवट वाला है। पान दुकान से उठकर कैमरा पकड़ा है। सिटी केबिल के समाचारों में धूम है उसकी। बहुतेरे मन्त्री उसे कईया लेने लगते है। सचिवालय में फूले पेट पर खिंची बटन को नज़र अन्दाज़ कर सचिव अपने हाथों से चाय का प्याला पेश करते हैं। वह देवताओं की भाँति हर जगह विद्यमान है। वह एक साथ कैमरा मैन, सम्पादक और प्रस्तुतकर्ता है। उसके कैमरे का लोन अनुपम के बैंक से है।

''यार नन्दू। मैं क्या करूँगा। बतलाओ।''

''अरे सरजी! चलिए। जरा अंग्रेजी बोल दीजिए। सिफारिश कीजिए।''

''वरना मैं सिरफिरा आदमी हूँ। जेल हो जाए। कुछ भी कर दूँगा।''

नन्दू अभी तक कुछ किया क्यों नहीं। वह सिलसिलेवार बोल नहीं सकता परन्तु किसी पद या किसी भाषा से नहीं घबराता।

''यार...''

''सर जी। ठीक है। आप भी।''

''अच्छा चलो चलो। बताते चलो क्या बात है।

दर्शक बैठे हुए हैं। कुछ आ रहे हैं। कुछ जा रहे हैं।

अनुपम, आलम साहब के सामने खड़ा हो गया है। उसने उन्हें काठ की नाव में देखा था। विदूषक के रूप में, हँस हँस के लोग दुहरे हुए जाते थे। फिल्म में एक भारी येय्याश के रूप में उन्होंने रोंगटे खड़े कर दिये थे।

वे पैंट कमीज़ पहने थे। कमीज़ पर मैक्सिकन छापे बने थे। हाथ में बहुत पतला प्लास्टिक का कप था। वे गुस्से में थरथरा रहे थे। कम्पन से चाय हिल रही थी।

"तो श्रीमान आप हैं। आप लोग एक नम्बर के घटिया और चालबाज लोग हैं। मैं सबकी नस नस पहचानता हूँ।"

"सर। दरअसल बात यह है कि....."

"कोई बात नहीं है। और बात सीधी है। जब मैंने एक बार मना कर दिया, तब आप लगाता़र शूटिंग क्यों कर रहे हैं।"

"देखिए सर समझने की।"

"आप मुझे समझाना चाह रहे हैं। मुझे। अब यह कैमरा नहीं मिलेगा। चोरी से पूरी शूटिंग करके बेच देंगे। बेच डालेंगे मुझे।"

"देखिए आप ज्यादती।"

वे थर-थराने को सम्हालने के लिए छोटी दीवार के सहारे टिक गये। दूसरी ओर तबले वाला सुर ठीक कर रहा था। उन्होंने कप रख दिया। चीख कर बोले, "मुझे बेवकूफ बनाते हैं। मैं कमीनों की हरकतें खूब अच्छी तरह से पहचानता हूँ।"

अनुपम के चेहरे पर लाली दौड़ गयी। त्वचा के नीचे गर्म खून का सैलाब। उसे लगा कैमरा उसी का है। नन्दू उँगलियाँ चटखाते खड़ा है। सभी दर्शक उन कमीनों को पहचान रहे हैं। कल से वे कमीनों के नाम से जाने जाएँगे। अपमान से, सब दरवाज़े बन्द हो गये। ठोस और ठस दुनिया हो गयी। बड़ी मुश्किल से अनुपम बोला, "सर यहाँ से चलिए। बाहर बात करेंगे। यहाँ बात नहीं हो सकती।"

अनुपम ने कड़ाई से कहा और बाहर चला गया।

आलम साहब ने बाहर जाकर एक लम्बी साँस ली। थरथराना बन्द हुआ। सिर हिल रहा था। "आप लोग पक्के धूर्त हैं। मैं जानता हूँ। फ्रांस और वियेना में भी ये सब नहीं हुआ।"

"सर"

"तुम लोगों को बुलाया किसने था। तुम लोग भिखमंगों की तरह घुसते चले आते हो। सिटी केबिल की औकात ही क्या है? कौन देखता है। कोई भला आदमी देखता है इसे?"

"हमें बुलाया गया था। माने इसे। नन्दू को। न्योता देकर बुलाया था और अब आप हमें लगातार अपमानित कर रहे हैं। बताइए राय साहब।"

रायसाहब साहित्यिक आदमी हैं। बहुत धीमे और कम बोलते हैं। वे निःशब्द अपने साम्राज्य का विस्तार करते जा रहे हैं। सभी तरह की परियोजनाओं की रपट पर वे सबसे पहले अमल शुरू कर देते हैं। गोबर से गालिब और सास से साक्षरता तक व्यापक प्रवर्तन है। उन्होंने धीमे-धीमे कुछ कहा। उससे मालूम पड़ा

इन्हें संस्था की ओर से बुलाया गया था। यह कह कर सूर्यप्रकाश जी की तरफ देखने लगे। सूर्यप्रकाश जी खुली तारों भरी रात में उड़ते बगुले देख रहे थे। वे देखते रहे। रमेश जी जेब में हाथ डाल कर विट ढूँढ़ रहे थे।

"आलम साहब, बुलाया इन्होंने। काम नन्दूजी का। आप पूछिए तो सही मैं क्यों हूँ।"

"मैं कुछ नहीं जानता। खैर कैमरा ले जाइए। कैसेट नहीं मिलेगा।"

"आलम साहब एक बात सुन लीजिए। मैं टिकिट लेकर नाटक देखने आया हूँ। ये देखिए टिकिट। आप सभी लोग साक्षरता से जुड़े रहिए पर दूसरों को थोड़ा कम जाहिल समझिए।"

आलम साहब किसी नशे में डूबे हुए से चले गये। थोड़ी देर का सन्नाटा। अनुपम अपमान से तप रहा था। नन्दू कैमरा लेने भाग गया था।

एकाएक कहकहा लगा। सूर्यप्रकाश जी थे। बहुत मुदित हो कर बोले, "भाई वाह, ये हैं कलाकार। पहले छीन लिया फिर दे दिया। और ऐसे कि कुछ हुआ ही न हो।"

"आप समझते हैं कि कुछ हुआ हीं नहीं?"

तमतमाकर अनुपम ने कहा।

सबके सामने मुझे नंगा कर दिया। आप कहते हैं कुछ हुआ ही नहीं। आप सब लोग संस्था से जुड़े हैं। मेरी बजाए आप लोगों को तो कुछ कहना था। राय साहब ने दोनों हाथ बाँध लिए। झुक कर बोले, "यहाँ चर्चा करना ठीक नहीं। चलिए चलते हैं रेस्त्राँ में बैठेंगे। वहीं गपशप करते हैं।"

"गपशप?"

"जी। मुख्यमन्त्री जी नहीं आ रहे। शायद आलम साहब इसी कारण नाराज हो गये।"

"चलिए चलते हैं।"

"देखिए ये आपका व्यक्तिगत मामला है। इसमें हम क्या कर सकते हैं। रमेश जी ने समझाते हुए कहा।"

अनुपम को लगा अभी अपमान की डोर कटी नहीं है। वह अन्दर से स्तब्ध था। उसे लगा भरोसे की कोई अमूर्त चीज़ टकराकर टूट गयी है। झनाझन्।

रेस्त्राँ में भीड़ थी। अनेक परिवार भोजन कर रहे थे। उन्हें नाटक से मतलब नहीं था। छोटे बच्चे उन्हें अपने नाटक में मगन रखे हुए थे। नाटकीय बच्चे। रमेश जी ने बैठते हुए कहा, "भाई यह सब तो चलता रहता है"।

"अच्छा।"

"हाँ। और फिर कौन कैमरा आपका था। समझ लीजिए आपसे नहीं कहा। बस।" राय साहब ने कहा, "छोड़िए इस बात को। आप जरा इस विज्ञप्ति को देखिए। नाइजीरिया में वैज्ञानिक शिक्षा पर रोक लगाई जा रही है। जरा हिन्दी ठीक कीजिए और चटपट हस्ताक्षर कर दीजिए"।

अनुपम ने भी हस्ताक्षर किए और चुपचाप बैठा रहा। घंटी बज गयी और शायद पर्दा खुल गया। तीखी आवाज़ गूँजने लगी।

(मालती)—"मैं अपने पति के बारे में कुछ नहीं कह रही। अब तो मैं उनकी अभ्यस्त हो गयी हूँ। लेकिन साधारण शहरी लोगों को आप देखिए। प्रायः वे उजड्ड, असभ्य और बदतमीज़ होते हैं। उजड्डपने से मैं डर जाती हूँ। आदमी सुरुचि सम्पन्न यदि न हो तो मुझे अच्छा नहीं लगता। पति देव के साथी मास्टरों के साथ जब भी कभी पड़ जाती हूँ तो मेरी मुसीबत हो जाती है...।"

अधीरता से उठते हुए रमेश जी बोले, "चलिए चलें, नाटक तो शुरू हो गया है। वे सभी उठे। अनुपम बैठा रहा।"

"आप नहीं चलेंगे?"

"क्या होता है? चलिए।"

अनुपम की ओर वे सभी देखने लगे। वे जल्दी में थे। अनुपम को उठाना अपने साथ करना था। बात को भूल जाना था। अनुपम की सनसनाहट शरीर से बड़ी थी। शरीर के पार जाना चाहती थी। ढीली देह में खिंची ज़िद। टूटे मन से बोला, "आप लोग चलिए। मैं यहीं बैठूँगा। अब यह नाटक नहीं देख सकूँगा। मन नहीं है। यही क्यों अब जहीर आलम के नाटक नहीं देखूँगा। देख नहीं पाऊँगा।

राय साहब ने धीम से कंधा स्पर्श किया। उतनी धीमे से बोले, "आप कहेंगे तो अपनी संस्था की ओर से माफी माँग लेता हूँ।"

सभी दर्शकों ने देखा। "आप क्यों माफी माँगते हैं। जिसे यह सब नहीं करना चाहिए था वो सुकून से सिगार पी रहा होगा। आप लोग चलिए।"

आदरसूचक शब्दों को अनुपम भोंथरे चाकू से रगड़ रहा था।

राय साहब आत्मीयता से बोले, "कल मिलता हूँ आपसे। बैंक और कम्प्यूटरीकरण, समाजशास्त्र के नये पहलू पर प्रोजेक्ट है। आपसे चर्चा होगी। कल। ठीक है।"

अनुपम ने हाँ या न में सिर हिलाया। वे चले गये।

(रुपलाल)—"उस दिन एक फ्रैंच मन्त्री की जेल डायरी पढ़ रहा था। पनामा प्रकरण में जेल हुई थी उसे। डायरी में उत्साह से खिड़कियों के पार दिखने वाली चिड़ियों का वर्णन किया है। पहले कभी ध्यान नहीं दिया। अब छूट कर आया

तो पहले की तरह भूल गया। जब तुम दिल्ली जाकर रहने लगोगी तो किसी भी बात की तरफ कोई ध्यान नहीं दोगी। हम लोग न तो कभी खुश हुए हैं। न होंगे। हमें तो केवल सुख की धुन है।''

अनुपम का ध्यान स्पीकर से निकलते स्वर पर गया। खरखराहट थी। वह जान गया रूपलाल है। यह संवाद अनुपम को सपाट और भावहीन लगा। जैसे इस नाटक नगरनार की तीन बहनों का यह संवाद नहीं है। वाकई इसमें व्यर्थता है। बेतुका। जहीर आलम गुस्से में तिनके की तरह काँपता है। हद है। पैंट की जगह लुंगी पहना दी जाये तो लगेगा बाजार में कुंजड़ा चिल्ला रहा है। हवाना सिगार पीता हुआ गँवार कुंजड़ा। कलाकार कहते हैं अपने को। अपने दर्शक की कोई फिक्र नहीं। मगन हैं। अपने साम्राज्य में मगन हैं। किसी के लिखे को किसी तक पहुँचा दिया। कूरियर वाले हो गये। बस। अपना क्या। अब इसके नाटक देख पाना मुश्किल है। अनुपम को कमजोरी महसूस हुई। क्या सचमुच किसी सुख की धुन में वह भागता रहा है। यूँ ही।

एक लम्बे बालों वाला लड़का औश्र उसके साथ पतली-सी लड़की। लड़के ने सारे बालों को पीछे कर चोटी बना ली थी। एक कान में बुंदा। लड़की की त्वचा सिकुड़ी हुई थी। झब्बे वाला फ्राक और उसके नीचे जीन्स की पैंट। लड़के ने गर्मजोशी से हाथ मिलाया, ''बॉस क्या हो गया? सुना! मैं नरेन ये मीता।''

अनुपम नाम से नहीं जानता था। यहीं बैठे देखता था। वे नाटक के कलाकार थे। वे शायद सारा दिन यहीं बैठे रहते थे।

''आप लोग नहीं गये नरेन।''

वह जोर से हँसा, ''उनके शो में घुसने की मनाई है। हम वैसे भी नहीं जाते। हमारे तो आसपास रहने से ही प्रेशर बन जाता है।''

मीता ने बहुत मिनमिनाकर कहा, ''लोक कलाकारों के नाम से लूट रहे हैं लोगों को। और उन्हें लूट कर मौज कर रहे हैं खुद। जानते हैं हरेक आर्टिस्ट सौ रुपये दिन में ज़्यादा नहीं पाता। हाँ।''

नरेन ने दोनों कुहनियाँ मेज पर रख दीं। मेज हिलने लगी। ''हमारी रेपट्री और उनके बीच बड़ी पालिटिक्स है। आपके साथ बुरा हुआ। तभी तो चेख़व कहते थे थियेटर शिक्षा और आत्मनिर्माण की जगह नहीं है। गुलगपाड़े के सिवाय कुछ नहीं होता। थियेटर शहर की बीमारियाँ हैं।''

अनुपम को ऊब हुई। कहा, ''कुछ खाएँगे?''

''नहीं हम लोग खाना खाएँगे।''

''आप लोगों को मंच पर देखा नहीं। कभी।''

दोनों हँसे। "दो साल से रेपट्री बन्द है। ग्राण्ट नहीं है। यह देने नहीं देता।"

"नहीं ये सभी मेहनती लोग हैं। अच्छा है। लोग देखते हैं। खुश होते हैं। आप लोग भी लगे रहिए।"

कहते हुए खुद भी अनुपम को विश्वास नहीं हुआ। वह बहुत कुछ कहना चाहता था। मन नहीं हुआ। उठ गया। रवीन्द्र भवन परिसर का वह एक कोना जानता था जहाँ घास थी। उलझे हुए पेड़ थे। हरी लकड़ी की बैंच थी। बैंच ओस से गीली थी। अनुपम ने रुमाल से जगह साफ की। दो हिस्से दिखते थे। एक और रवीन्द्र भवन दूसरी ओर लोक मेला। कबीर की चक्की दोनों को बाँटती थी। बैंच के चारों ओर वृक्ष खड़े थे। अलग अलग खड़े हों जैसे। अनुपम को अकेली बैंच और खुद को अकेला पाया। ऊपर आकाश में पतला चाँद अकेला। कोई रोशनी नहीं।

"अनुपम को रोने की इच्छा हुई। यदि लड़ लेता तो इच्छा नहीं होती। उसे याद आया छुटपन में ज्वर चढ़ा था। बरबटी की तरकारी उसने खाई थी। उसे कै हो गयी। लिसलिसी कै में बरबटी के बीज तैर रहे थे। वह उसके बाद बरबटी खा नहीं पाया। माँ परखने के लिए आड़े मौके पर बरबटी परस देती थीं। वह खा नहीं सका। बड़े होने पर बरबटी का स्वाद भूल चुका था। स्वाद ही क्यों सुगन्ध भी कभी कभी। बहुत दिन हुए पड़ोस में औरत जल कर मर गयी थी। आत्महत्या। उसकी देह चादर पर जमाई जा रही थी। काली देह पर इत्र का लेप किया जा रहा था। गुलाब का इत्र। तीखा। उसके गायब ओठों के बीच दाँत दिखते थे। जब कभी अगरबत्ती से धुआँ फैलता। गुलाब की महक भर जाती तब अनुपम को काले चेहरे पर खुले दाँत याद आ जाते। गुलाब की महक से वह दूर जाने लगता। अब वह जहीर आलम को सह नहीं पायेगा। जहीर आलम नहीं, उसके नाटक। सहसा अनुपम को लगा वह बहुत बड़ी चीज़ खो चुका है। वह चेखव को खो चुका है। उसे जिसे याद करते हुए मीठी धुन में खो जाता है। पढ़ते हुए नाजुक आवेग में तैरता जाता। उदास चेख़व का चेहरा उसे बीमार नहीं लगता। चश्में से गहरी नज़रें विविध मानवीय विस्मयों को देख रही हैं। अनुपम ने हथेलियाँ मलीं, लेखक को अपने संसार की चिन्ता होती है। उसका वह निश्चित संसार है। वह उसे जानता है। परन्तु अपने पाठक को क्या वह जानता है। सौ साल बाद उसका पाठक कितने जूते खाएगा, क्या उसे मालूम है? उसकी जतन वह क्या करके गया है? किन्तु अनुपम जानता है चेख़व और उसकी दुनिया अब बदल गयी है। वह आवेग, अवसाद, दुचित्तेपन को जानने की प्रसन्नता जो दोनों के बीच है, वह जा चुकी है। यह घटना चेख़व के शब्दों

के पीछे लगी रहेगी। शब्द धुँधले हो जाएँगे। उनमें वह अर्थ बचा ही नहीं है। अनुपम चेख़व से दूर चला गया है।

अनुपम उठ गया। लोक मेले में उसका सहकर्मी मिल गया। वे कैन के फर्नीचर के टेंट में बैठ गये। हरेक सामान पर पर्ची लगी थी। वे नंगे सोफे पर बैठ गये।

सामने ददरिया वाले लोकनर्तक अपनी उसी वेशभूषा में थे। हँसते हुए। वे आलू पूड़ी खरीद रहे थे। हरे कीड़े बल्ब पर चक्कर काट रहे थे। बेसहारा पतिंगे। अनुपम की इच्छा हुई पूड़ी खाई जाये। उसने मेले में हलवाई का वर्णन किया। श्रीलाल शुक्ल के वृतान्त। दोस्त हँस हँस कर दुहरा हो गया।

यूँ ही पूछा, कौन शुक्ला? अच्छा है। यार।

अनुपम छिपा गया। उठा। दोस्त भी। दोनों हाथों से उन्होंने धूल के परदे उठाये। अनुपम ने रबड़ी का मोलभाव किया।

❐❐

यह मेरी लिखने की नयी मेज है। बाईं हाथ की ओर दराजे नयी मेज पर बैठते ही पुरानी मेजों की याद आ जाती है। 'उन्नीस साल का लड़का' की कहानियाँ मम्मी की रसोई मेज पर लिखी गयी थी। हाथ के साथ-साथ मेज भी चलती थी। एक छोटी-सी सायकिल की चूँ चर्र। हर वाक्य के पूर्व विराम पर ठिठक जाने की उसकी आदत थी। 'कोसाफल' की कहानियाँ, सपाट चिकनी और बेहद काली चौकोर मेज पर लिखी गयीं। वजह कोई और रही होगी पर उसका चौकोरपन अचानक खलने लगा था। हमारे जब स्वति स्रोत सूखने लगते हैं तो मुहानों का पता नहीं चलता। बहुत दूर पेड़ों की जड़ें दिखाई देने लगती हैं। और धूप में जड़ें कठिन ऐंठी हुई लगती हैं। वह मेज शीशम की थी। भरी पूरी। बाद में उसके पायों पर जाली लगा कर नामालूम किसने रेत छानी। हमारा घर बनाया, शाम लौट कर आया तो देखा गुस्सा हुआ, पायों को सीधा किया। बहुत तेज़ निकलती हुई इच्छा। कहानी के टूटे छूटे टुकड़ों को जोड़ लेने की इच्छा। पर वहाँ रेत थी। तुरन्त लगा यह मेज नहीं थी। उसके और मेरे शब्दों के बीच एक झीना कागज था। वह शब्द के लिए, हर शब्द के लिए अपना पीठ देती थी। सहारा। अपने पुराने घर की एटिक में उसे छोड़ आया हूँ। एक माँ। अगली बार बैठकर लिखने के लिए उसका कायाँतरण।

'शामिल बाजा' की कहानियाँ काली मेज के तत्काल बाद, लिखे जाने के लिए बबूल से कट कर चली आयी। वह पहली मेज थी जिसके बारे में लिखा, 'बबूल मेज'। नेहा के पास है अब यह मेरे लिखने की काहिली ने मुझसे छुड़ाया। मैं मानता हूँ, मेरी मेजें मुझसे छूटी नहीं थी, स्थानांतरण ने उन्हें तोड़ा था। पर यह बबूल मेज है। ताकत से भरपूर। ठोस नेहा की बार्बी, मुँह बिराते हब्शी, बचपन की गुड़ियाएँ अब वहाँ विराजमान हैं। मोटी किताबों और नोट बुक के नीचे तमाम तरह के रंग ब्रश हैं जो प्रतियोगी परीक्षाओं के चलते सरस नहीं हो पाये। न सरस न समय। मेरा दिया रंगों का वह डिब्बा जो उसकी रुलाई के बदले में

था। कभी-कभी भावावेश की पहली तरंगें आ ही जाती है। उसके नायाब और विचित्र रंगों का चीनी डब्बा मैंने किसी बच्ची को पसन्द आने पर दे दिया। यह मानकर कि दिया जा सकता है। ठीक उसी तरह जो भतीजे को विदेशी सिक्कों के संग्रह दिये जाने पर हुआ था। मेरी पेशी हुई। बच्चों और माँ ने लानत भेजी। आज के समय की दुहाई दी। मेरी बेबकूफियों पर तव्सरा किया। इतना कि मैं खुद अबोले दुख से भर गया। तुरन्त बाजार से रंगों का डब्बा लाया। अब बहुत समय से वह दराज में है। उनकी ट्यूब के मुख अभी भी रांगे से भरे हैं। प्रतियोगिताएँ एक छोटा-सा रन्ध्र भी नहीं छोड़ती। रंग बनते नहीं। मोटी-मोटी किताबें देख कर अक्सर मुझे ख्याल आता है। ये पढ़ने के लिए नहीं, फेंक कर मारने के लिए बनी हैं। परन्तु मैं उससे कहता हूँ पढ़ो, पढ़ो। और जल्दी उठा करो। नेहा ने कभी बाईं हाथ की ओर खुलने वाली दराजों की शिकायत नहीं की।

गहरी नीली मेट फिनिश की बाईं ओर खुलने वाली मेज। कभी कभार कॉफी का मग रख लेने के लिए निकल आने वाला पैनल। पीतल के पुराने लटकने वाले हैंडिल।

मेरे घर की नयी मेहमान नहीं है यह।

यह मेरी बेचैनी, व्यग्रता, खुशियों, सपनों, आकांक्षाओं, दोस्तों के कई पत्रों के जवाब देने के लिए आयी है यह।

मैंने अपनी पुरानी चीज़ें जमा ली हैं।

हँसते हुए तीन बुद्ध।

सोंग बुद्ध : खाने, पीने और बुद्धि मुझे देने को लहराती दाढ़ी, बड़ी-सी छड़ी मानो टहनी और ऊनी टोपी-सी लगाये।

मीला फो बुद्ध : अधनंगा। बड़ी तौबाँ गंजा सिर। हँसी से बन्द आँखें। भाग्य के देवता। बच्चे कहते हैं इनकी तौंद पर हाथ फेरने से जो माँगोगे वही मिलेगा। मैं देखता हूँ उनकी तोंद पर खुरचने के दाग हैं। मैं चुपके से उनकी तोंद पर हाथ फेरता हूँ। हँसी से बन्द आँखें। महाराज, इस नयी मेज पर जल्दी ही नयी कहानी मिलेगी?

झाग शो मी बुद्ध : आयु वृद्धि के देवता, लम्बा प्रशस्त माथा। कद से बड़ी दाढ़ी। यहाँ तक कि दुहरी हो गयी। इसी की एक और प्रतिकृति याक की हड्डी पर बनी। चीन से लाकर रश्मि ने मेरे हाथों में रखा और कहा खूब जियो।

मेज पर सबसे कटकर बैठता हूँ। ये बुद्ध हँसी और खिल-खिलाहट की भिन्न प्रकार से सराबोर लगातार देखने पर हँसी मेरे अन्दर आवागमन करती है। समवेत में वे दीठ दे कहते हैं, अरे! बुद्धू!